D1207844

Collection Témoins

CARLOS CASTANEDA

LE VOYAGE
A IXTLAN

LES LEÇONS DE DON JUAN

Traduit de l'anglais
par Marcel Kahn

GALLIMARD

INTRODUCTION

Le samedi 22 mai 1971 j'allai au Mexique rencontrer à Sonora don Juan Matus, un sorcier indien yaqui dont j'avais depuis dix ans été l'apprenti. Maintes et maintes fois je lui avais rendu visite et celle-ci n'aurait dû en rien différer des autres. Cependant les événements de ce jour et des suivants eurent pour moi une influence décisive : mon apprentissage prit fin. Et cette fois-ci il ne s'agissait pas d'un abandon arbitraire de ma part, mais d'une fin logique en soi.

L'Herbe du diable et la petite fumée et Voir témoignent de cet apprentissage. Dans ces deux ouvrages mon hypothèse primordiale fut que les états de réalité non ordinaire causés par l'ingestion de plantes psychotropiques constituaient pour qui apprend à être sorcier des points d'articulation cruciaux.

Don Juan maniait trois de ces plantes à la perfection : la Datura inoxia, plus connue comme Jimsom weed aux États-Unis ; la Lophophora williamsii, le peyotl ; et un champignon hallucinogène du genre Psilocybe.

Sous l'influence de ces psychotropiques, ma perception du monde fut tellement bizarre et impressionnante que j'en étais venu à supposer que ces états constituaient l'unique voie pour communiquer et apprendre ce que don Juan essayait de m'enseigner.

Cette supposition était erronée.

Afin d'éviter que mon travail avec don Juan soit mal compris, je désire, avant de m'expliquer plus avant, clarifier quelques points.

Jusqu'à présent je n'ai en aucune manière tenté de situer don Juan dans son milieu culturel. Le fait qu'il se considère yaqui ne signifie nullement que sa connaissance de la sorcellerie soit partagée ou pratiquée par les Indiens Yaquis.

Toutes nos conversations eurent lieu en espagnol et c'est grâce à sa *parfaite maîtrise de cette langue que je fus à même d'obtenir des explications complexes sur son système de croyances.*

Je continue à désigner ce système par le mot sorcellerie et à présenter don Juan comme un sorcier parce que lui-même utilisait ces termes.

Je pus prendre en note presque tout ce qui fut dit au début de l'apprentissage et ensuite l'intégralité de tous nos entretiens, par conséquent j'ai en main un dossier abondant de notes de terrain. Pour les rendre lisibles tout en conservant l'unité dramatique des enseignements de don Juan, il m'a fallu faire un tri ; mais le matériel écarté est sans rapport, je crois, avec les points que je veux mettre en relief.

Quant à mon travail avec don Juan, je me suis borné seulement à le considérer comme un sorcier et à acquérir une adhésion à sa connaissance.

Pour introduire mon propos je dois d'abord définir les fondements de la sorcellerie tels que don Juan me les présenta. Il déclara que pour un sorcier le monde de la vie quotidienne n'est pas, comme nous le croyons, réel ou présent. Pour un sorcier la réalité, c'est-à-dire le monde tel que nous le connaissons, n'est qu'une description.

Simplement pour rendre valable son affirmation fondamentale, don Juan s'efforça de son mieux de me conduire à la conviction profonde que ce que je tenais mentalement pour la réalité du monde n'était qu'une simple description du monde, une description dont on m'avait gavé dès ma naissance.

Il insista sur le fait que tout individu approchant un enfant devient un professeur qui lui décrit sans cesse le monde jusqu'au moment où l'enfant devient capable par lui-même de percevoir le monde tel qu'on le lui décrit. Ce moment, s'il pouvait être parfaitement défini, devrait être sinistre, mais d'après don Juan nous ne nous en souvenons pas pour la simple raison qu'à ce moment-là aucun de nous ne peut avoir de points de référence qui permettrait de le comparer à quoi que ce soit d'autre. Cependant, dès ce moment l'enfant est un membre-adhérent; il connaît la description du monde et, à mon avis, son adhésion devient entière lorsqu'il est capable de faire toutes les interprétations perceptuelles adéquates qui, parce que conformes à cette description, la valident.

Par conséquent, pour don Juan, la réalité de notre vie quotidienne réside en un continuel flot d'interprétations perceptuelles que nous, ceux qui partagent une adhésion spécifique, avons tous appris à faire.

L'idée que les interprétations perceptuelles qui font le monde constituent un courant s'accorde avec le fait qu'elles ont lieu sans arrêt et qu'elles ne peuvent que rarement, sinon jamais, être mises en question. En fait la réalité du monde que nous connaissons est considérée si naturellement comme allant de soi que l'idée fondamentale de la sorcellerie — notre réalité n'est qu'une description parmi beaucoup d'autres — ne peut même pas être abordée sérieusement.

Heureusement, pendant mon apprentissage, don Juan ne se soucia pas de savoir si je pouvais prendre ou non au sérieux ses propositions, et en dépit de mon refus, de mon incrédulité et de mon incapacité à comprendre ce qu'il disait, il alla de l'avant. Par conséquent il entreprit, comme professeur de sorcellerie, de me décrire le monde dès notre toute première discussion. Il me fut difficile de saisir ses concepts et ses méthodes parce que les éléments de sa description me restaient étrangers et surtout incompatibles avec ceux de ma propre description.

Il insistait sur le fait qu'il m'apprenait comment « voir », et non à « regarder », et que la première étape pour « voir » était de « stopper-le-monde ».

Pendant des années je pris cette idée de « stopper-le-monde » comme une métaphore obscure qui ne voulait pas dire grand-chose. Ce ne fut qu'au cours d'une conversation, vers la fin de mon apprentissage, que je me rendis compte qu'en fait il s'agissait d'une des plus importantes propositions de la connaissance de don Juan.

Pendant cette conversation tranquille et sans objet particulier, nous avions abordé bien des sujets divers. Je lui avais parlé d'un de mes amis auquel son fils âgé de neuf ans donnait pas mal de fil à retordre. Que lui fallait-il donc faire de cet enfant qui après avoir vécu quatre années avec sa mère était maintenant à sa charge? D'après lui, son fils ne s'adaptait pas à l'école, n'arrivait pas à se concentrer, ne s'intéressait à rien. De plus il était coléreux, chahuteur et fugueur.

« Ton ami a vraiment un problème sérieux sur les bras », déclara don Juan en riant.

J'eus envie de lui raconter les frasques de cet enfant terrible, mais il m'interrompit :

« Pas besoin d'en dire plus sur ce pauvre garçon. Pour moi ou pour toi il est inutile de considérer ses actes d'une manière ou d'une autre. »

L'intervention sèche, le ton sévère furent suivis d'un sourire.

« Cet ami, que peut-il donc faire? demandai-je.

— La pire des choses serait d'obliger cet enfant à accepter le point de vue de son père.

— Qu'entendez-vous par là?

— Je veux dire que l'enfant ne devrait être ni battu ni effrayé par son père parce qu'il ne se conduit pas comme celui-ci le désire.

— Mais, s'il n'est pas sévère avec lui, comment peut-il l'éduquer?

— Pour battre l'enfant, ton ami devrait avoir quelqu'un d'autre.

— *Comment pourrait-il laisser quelqu'un d'autre corriger son fils?* », dis-je, vraiment surpris.

Ma réaction l'amusa car il gloussa de rire.

« *Ton ami n'est pas un guerrier, reprit-il. Sinon il saurait que la pire des choses est de brusquer un homme.*

— *Comment agit donc un guerrier?*

— *Un guerrier opère stratégiquement.*

— *Je ne saisis toujours pas votre point de vue.*

— *Je veux dire que si ton ami était un guerrier, il aiderait son fils à* stopper-le-monde.

— *Et comment donc?*

— *Il aurait besoin de pouvoir personnel. Il lui faudrait être sorcier.*

— *Mais il n'est pas un sorcier.*

— *Alors, pour aider son fils à changer l'idée qu'il a du monde il doit se servir de moyens ordinaires. Ce n'est pas* stopper-le-monde, *mais ça marchera tout aussi bien.* »

Je lui demandai de préciser sa pensée.

« *En premier lieu, si j'étais cet ami dont tu parles, dit-il, j'engagerai quelqu'un pour fesser l'enfant. Je choisirai l'homme le plus laid qui soit.*

— *Pour effrayer un petit garçon?*

— *Non, imbécile, pas seulement pour effrayer un petit garçon; ce gamin doit être* stoppé, *les corrections de son père n'y arriveront pas.*

« *Quiconque veut stopper ses semblables doit toujours être extérieur au cercle qui les oppresse. Ainsi peut-il toujours diriger sa propre pression.* »

Bien qu'extravagante, l'idée me plaisait.

Don Juan me faisait face le menton dans la main gauche, le bras contre le corps, le coude posé sur une caisse en bois qui faisait office de table basse. Ses yeux restaient clos, mais ils remuaient. J'eus l'impression qu'au travers de ses paupières il m'observait, et cela m'effraya.

« *Don Juan, cet ami avec ce petit garçon, que peut-il faire d'autre?*

— *Dis-lui de choisir soigneusement un clochard très laid. Dis-lui d'en prendre un jeune, un qui a encore de la force.* »

Il exposa son plan qui était assez curieux. Mon ami devait demander au clochard de le suivre puis d'attendre à un endroit où il reviendrait en compagnie de son fils. Si l'enfant se conduisait mal, le clochard devait, sur un signe convenu, jaillir de sa cachette, saisir l'enfant et lui infliger une mémorable fessée.

« *Une fois l'enfant bien effrayé, ton ami doit aider son fils à reprendre confiance, de quelque manière que ce soit. Après trois ou quatre aventures de ce genre, je te garantis que ce petit garçon changera d'attitude vis-à-vis de tout ce qui l'entoure. Il aura changé l'idée qu'il a du monde.*

— *Mais si cette frayeur lui donne un choc?*

— *La frayeur n'a jamais fait de mal à personne. Avoir toujours quelqu'un sur le dos en train de frapper, de commander et d'interdire, voilà ce qui détériore l'esprit.*

« *Une fois ce garçon devenu plus pondéré, dis à ton ami de faire une chose de plus. Il doit se débrouiller pour trouver un enfant mort, chez un docteur, dans un hôpital, et il devra y conduire son fils. Il lui montrera le corps et devra faire en sorte que ce petit garçon touche le cadavre une seule et unique fois, peu importe où à l'exception du ventre ; il doit le toucher de la main gauche. Ceci fait, le gamin sera différent, pour lui le monde ne sera plus jamais le même.* »

Alors, et alors seulement, je me rendis compte que don Juan avait utilisé avec moi au cours des années passées ces tactiques qu'il suggérait pour mon ami. Je le questionnai. Il déclara qu'il avait toujours tenté de m'apprendre comment « *stopper-le-monde* ».

« *Et tu n'y es pas encore arrivé, continua-t-il en souriant. Rien ne semble marcher, tu as la tête vraiment dure. Avec moins d'entêtement il est cependant probable que tu aurais* stoppé-le-monde *avec n'importe laquelle des techniques que je t'ai enseignées.*

— *Quelles techniques?*

— *Chacune des choses que je t'ai demandé de faire était une technique pour* stopper-le-monde. »

Quelques mois plus tard don Juan parvint au but qu'il s'était fixé, m'apprendre à « *stopper-le-monde* ».

Ce prodigieux événement de ma vie me conduisit à un nouvel examen détaillé de ce travail de dix années. Il m'apparut alors clairement que mon hypothèse quant au rôle des plantes psychotropiques était erronée. En aucun cas ces plantes ne constituaient les éléments essentiels de la description du monde propre au sorcier, mais elles étaient simplement un moyen aidant, pour ainsi dire, à cimenter les parties de la description qu'autrement j'aurais été incapable de percevoir. L'insistance avec laquelle je m'agrippais à ma vision habituelle de la réalité m'avait pratiquement rendu imperméable aux intentions de don Juan. Par conséquent, c'est uniquement mon manque de sensibilité qui avait justifié la continuité de l'usage des psychotropiques.

En relisant la totalité de mes notes, je pus me rendre compte que don Juan m'octroya la majeure partie de cette nouvelle description dès les premiers jours de notre association avec ce qu'il nomma « *techniques pour stopper-le-monde* ». *Dans mes témoignages précédents, j'avais rejeté ces éléments parce qu'étrangers à l'usage des plantes psychotropiques. Maintenant, je les rétablis dans la totalité des enseignements de don Juan* en leur consacrant les dix-sept premiers chapitres de cet ouvrage. Les trois derniers sont la transcription de mes notes concernant les événements qui culminèrent dans le fait que je « stoppai-le-monde ».

En résumé, ce travail est la récapitulation des étapes par lesquelles don Juan instaura une nouvelle description du monde.

Lorsque je commençai cet apprentissage il y avait une autre réalité, c'est-à-dire qu'il y avait une description du monde selon la sorcellerie, description que j'ignorais.

Sorcier et maître, don Juan m'enseigna cette description. Mes dix années de l'apprentissage ont donc servi à établir progressivement cette réalité inconnue, en dévoilant sa description par addition d'éléments de plus en plus complexes au fur et à mesure que j'apprenais.

La fin de l'apprentissage signifia que j'avais appris de manière convaincante et authentique une nouvelle description du monde, et qu'ainsi j'étais devenu capable de susciter une nouvelle perception du monde qui s'accordait avec cette nouvelle description. En d'autres termes, j'avais gagné mon adhésion.

Don Juan affirma que pour « voir » il fallait nécessairement « stopper le monde ». « Stopper-le-monde » exprime parfaitement certains états de conscience au cours desquels la réalité de la vie quotidienne est modifiée, ceci parce que le flot des interprétations, d'ordinaire continuel, est interrompu par un ensemble de circonstances étrangères à ce flot. Dans mon cas, l'ensemble des circonstances étrangères à mon courant normal d'interprétations fut la description du monde selon la sorcellerie. D'après don Juan, la condition préliminaire pour « stopper le monde » était qu'il fallait se convaincre ; c'est-à-dire qu'il fallait apprendre intégralement la nouvelle description dans le but précis de la confronter contre l'ancienne jusqu'à parvenir à ébrécher la certitude dogmatique que nous partageons tous, à savoir que la validité de nos perceptions, notre réalité du monde, ne doit pas être mise en question.

Une fois le monde « stoppé », l'étape suivante était « voir ». Pour don Juan cela signifiait ce que j'aimerais caractériser comme « répondre aux sollicitations perceptuelles d'un monde extérieur à la description que nous avons appris à nommer réalité ».

J'affirme que ces étapes peuvent seulement être comprises dans les termes de la description dont elles font partie ; et puisqu'il s'agissait d'une description qu'il entreprit de me donner dès le début de nos rencontres, il me faut considérer ses enseignements comme la seule manière de pénétrer dans cette description. Donc que les mots de don Juan parlent pour eux-mêmes.

C. C., 1972

Première partie

« STOPPER - LE - MONDE »

1

Réassertions venues du monde qui nous entoure

« *Caballero*, je crois savoir que vous êtes versé dans les plantes », dis-je au vieil Indien.

Un de mes amis m'avait introduit, nous nous étions présentés et il déclina son nom, Juan Matus.

« C'est donc ce que prétend votre ami?

— Oui.

— Je ramasse des plantes, ou plutôt elles me laissent les ramasser », dit-il.

Nous étions dans la salle d'attente d'une gare routière de l'Arizona. Poliment, en espagnol, je lui demandai si je pouvais lui poser quelques questions. J'avais dit : « Monsieur *(Caballero)*, me permettez-vous de vous poser quelques questions? »

« *Caballero* » signifie cavalier et désigne à l'origine un gentilhomme à cheval. Il me dévisagea.

« Je suis un cavalier sans cheval », répondit-il avec un large sourire. Et il ajouta : « Je vous ai dit que Juan Matus est mon nom. »

Son sourire et son aisance me plaisaient. Je pensais qu'il devait être un homme capable d'apprécier une franche audace, aussi décidai-je de l'aiguillonner par une demande.

Je déclarais que je m'intéressais à la collecte et à l'étude des plantes médicinales, en précisant que mon domaine de recherches particulier concernait l'usage du cactus hallucinogène nommé peyotl, espèce que j'avais longuement étudiée à l'université de Los Angeles.

Cela me sembla une présentation sérieuse, elle se tenait et m'apparaissait comme parfaitement légitime.

Le vieil homme hocha lentement la tête. Encouragé par son silence j'ajoutai que chacun de nous gagnerait certainement à un échange d'informations sur le peyotl.

A ce moment-là il leva la tête et me regarda droit dans les yeux d'une façon impressionnante toutefois ni menaçante ni effrayante. Simplement son regard me transperça. Je restais bouche bée sans pouvoir dire un seul mot. Ainsi se termina notre première rencontre. Cependant il me quitta sur une note d'espoir en déclarant qu'un jour je pourrais peut-être lui rendre visite.

Il serait difficile de juger de l'influence du regard de don Juan si mon inventaire de l'expérience ne reposait pas en quelque sorte sur la singularité de cet événement. Il y a dix ans, alors que je débutais dans mes études d'anthropologie, ce qui d'ailleurs me fit rencontrer don Juan, j'étais déjà devenu un expert en « débrouille ». J'avais quitté ma famille depuis des années, et à mon avis, cela voulait dire que je pouvais m'occuper de mes propres affaires. Chaque fois que j'essuyais un échec j'arrivais à me faire doucement entendre raison, ou je reculais d'un pas, discutais, me mettais en colère, ou si cela ne suffisait pas, je me lamentais et me plaignais. Ainsi, quelles que fussent les circonstances, je savais pouvoir m'en sortir d'une manière ou d'une autre. Jamais au grand jamais un homme ne m'avait stoppé au vol aussi rapidement et définitivement que don Juan en ce mémorable après-midi. Cependant il ne s'agissait pas uniquement du fait d'avoir été réduit au silence. Bien des fois je n'avais pas répondu à mon adversaire parce que j'éprouvais pour lui une sorte de respect naturel, tandis que ma colère et ma frustration suivaient leur cours dans mes pensées. Le regard de don Juan me paralysa au point qu'il me fut impossible de penser de manière cohérente.

Ce prodigieux regard m'intriguait tant que je décidai de rendre visite à don Juan.

Pendant six mois je me préparai. Je lus tout ce qui concernait l'usage du peyotl chez les Indiens d'Amérique, en particulier ce qui avait trait au culte du peyotl des Indiens des Plaines. Absolument tout me passa entre les mains, et une fois fin prêt, je partis pour l'Arizona.

Samedi 17 décembre 1960

Avant de découvrir où il habitait je dus procéder à une longue et pénible enquête auprès des Indiens de la région. J'arrivai devant sa maison tôt dans l'après-midi; je l'aperçus assis sur une caisse. Il sembla me reconnaître car dès que je descendis de voiture il me salua.

Pendant un certain temps nous échangeâmes des banalités, puis, sans détour, je lui avouai m'être vanté au cours de notre première rencontre : j'avais prétendu connaître le peyotl alors qu'à ce moment je l'ignorais totalement. Il me regarda fixement. La bonté émanait de ses yeux.

Je lui confiai avoir pris six mois pour me préparer, et cette fois-ci j'arrivai bien armé.

Il éclata de rire. Qu'y avait-il donc de si comique dans ma déclaration? Il se riait de moi, je me sentis confus et surtout vexé.

Sans doute remarqua-t-il mon mécontentement, car il déclara que malgré toutes mes bonnes intentions il n'existait aucune manière de se préparer à cette rencontre.

Je me demandais si je pouvais le questionner pour savoir si sa déclaration contenait un sens caché, mais je ne dis rien. Néanmoins il dut suivre les mêmes réflexions que moi, car en guise d'explications il déclara que ma façon d'agir lui rappelait l'histoire d'un peuple persécuté et même parfois assassiné par son roi. Dans cette histoire faire une différence entre persécuteurs et persécutés eût été impossible excepté que ces derniers se signalaient par leur prononciation différente de certains mots de la langue du pays, détail qui les trahissait. A tous les passages importants, le roi fit installer des postes de garde où chacun devait prononcer un mot clef; s'il le prononçait à la manière du roi il avait la vie sauve, sinon c'était la mort immédiate. Un jour un jeune homme décida de se préparer à passer le poste, et apprit à prononcer le mot.

Avec un large sourire don Juan précisa qu'en fait c'est « six mois » qu'il fallut au jeune homme pour parvenir à prononcer le mot. Arriva le jour de la grande épreuve. Pleinement confiant, le jeune homme se présenta au poste de contrôle et attendit que l'officier lui demande le mot de passe.

Don Juan, à ce moment, suspendit son récit et me regarda. Cette interruption soigneusement calculée me parut vraiment abusive, cependant je jouai le jeu. Je connaissais l'histoire, c'est des Juifs d'Allemagne qu'il était question; on pouvait facilement les identifier à leur manière de prononcer certains mots. Je n'ignorai rien de l'issue dramatique du récit : le jeune homme périssait simplement parce que l'officier ayant oublié le mot de passe lui demandait d'en prononcer un autre presque identique mais qu'il avait eu le malheur de ne pas apprendre à prononcer.

Toutefois don Juan semblait espérer une question de ma part.

« Que lui arriva-t-il? demandai-je naïvement comme captivé par l'histoire.

— Ce jeune homme, un vrai malin, se rendit bien compte que l'officier avait oublié le mot de passe, et avant qu'il ne parle avoua s'être préparé au test pendant six mois. »

Il fit une autre pause et me jeta un regard espiègle. Il avait inversé les rôles; la confession du jeune homme changeait tout. J'ignorai la fin.

« Et alors, que se passa-t-il? demandai-je sans pouvoir cacher mon intérêt.

— Le jeune homme fut mis à mort sur-le-champ, c'est évident », dit-il en éclatant de rire.

La façon dont il avait capté mon attention était admirable, mais avant tout j'aimais la manière avec laquelle il avait changé cette histoire pour l'adapter à mon cas personnel, comme s'il l'eût créée spécialement pour moi. Discrètement mais avec une extrême élégance il se moquait de moi; c'est pourquoi je ne pus m'empêcher de m'associer à son rire.

Néanmoins j'insistais en avançant que même si cela semblait ridicule, je m'intéressais aux plantes et désirais en apprendre davantage sur elles.

« J'adore la marche », dit-il.

Je crus qu'il faisait exprès de changer de sujet; ainsi il évitait de me répondre, mais en aucun cas je ne désirais l'irriter en insistant.

Il me demanda si j'avais envie de l'accompagner dans une courte marche dans le désert. Je répondis que j'aimais beaucoup la marche.

« Nous n'allons pas au parc pour une promenade », me prévint-il.

Je confirmai mon sincère désir de travailler avec lui. Je précisai que j'avais besoin d'informations, de n'importe quelles informations, sur l'usage des plantes médicinales, et qu'en tout état de cause j'étais prêt à rémunérer son temps et sa peine.

« Vous travaillerez pour moi, lui dis-je. Je vous paierai.

— Combien? » demanda-t-il.

L'avidité de sa voix me réjouit.

« Ce que vous considérerez comme adéquat.

— Pour mon temps ..., paie-moi avec ton temps. »

J'eus l'impression d'avoir affaire à un drôle de bonhomme. Je prétendis ne pas comprendre. Il répliqua qu'il n'y avait rien à dire à propos des plantes, que prendre mon argent serait par conséquent impensable.

Les sourcils froncés il me transperça du regard.

« Que fais-tu dans ta poche? Tu joues avec ton machin? »

Sur un petit carnet enfoui dans les énormes poches de mon anorak je prenais des notes. Il rit de bon cœur à cette révélation. J'expliquai ne pas avoir voulu le distraire en écrivant ouvertement sous son nez.

« Si tu veux écrire, écris. Tu ne me déranges pas. »

Nous marchâmes dans le désert environnant presque jusqu'à la nuit noire; il ne me désigna pas une seule plante, il n'en mentionna aucune. Nous nous arrêtâmes près d'un gros buisson.

« Les plantes sont des choses très spéciales, dit-il sans me regarder. Elles sont en vie et elles sont sensibles. »

A l'instant même un coup de vent agita les broussailles autour de nous et les buissons bruissèrent.

« As-tu entendu ce bruit? dit-il en portant sa main droite en cornet autour de son oreille. Les feuilles et le vent sont d'accord avec moi. »

Je me mis à rire. Par l'ami qui me l'avait présenté je savais que le bougre était un genre d'excentrique, « l'accord avec les feuilles » devait venir de ce fond-là.

Nous reprîmes la marche pendant un certain temps, mais il ne montra ni ne ramassa une seule plante. Il se glissait entre les buissons en les effleurant doucement. Il s'arrêta et s'assit sur un rocher. Il me conseilla de me reposer et de regarder autour de moi.

Je voulus relancer la conversation et une fois de plus je lui exprimai mon désir d'apprendre tout ce qui concernait les plantes, en particulier le peyotl. Je le priai de devenir mon informateur. Il serait bien payé.

« Tu n'as aucun besoin de me payer. Tu peux me demander n'importe quoi. Je te dirai ce que je sais et en plus ce à quoi ça peut servir. »

Cette offre me satisfaisait-elle? Elle m'enchantait. Il fit alors une déclaration énigmatique :

« Peut-être n'y a-t-il rien à apprendre sur les plantes puisqu'il n'y a rien à dire à leur propos. »

Je ne compris ni ce qu'il avait dit ni ce qu'il aurait bien pu vouloir dire par ces mots.

« Qu'avez-vous dit? »

Par trois fois il répéta mot pour mot sa déclaration. Soudain le rugissement d'un chasseur à réaction passant en rase-mottes secoua tout autour de nous.

« Voilà! Le monde vient de signifier son accord avec moi », dit-il en mettant sa main gauche en auvent cornet de son oreille.

Il m'amusait, et son rire était communicatif.

« Don Juan, êtes-vous de l'Arizona? » Je voulais ramener la conversation autour du fait qu'il pourrait devenir mon informateur.

Il me regarda tout en hochant affirmativement la tête. Ses yeux paraissaient fatigués, je vis du blanc sous ses pupilles.

« Êtes-vous né ici? »

Sans dire un mot il hocha encore la tête d'une manière qui me semblait affirmative, mais qui tout aussi bien aurait pu être un mouvement nerveux de la part de quelqu'un qui se perd dans ses réflexions.

« Et toi, d'où es-tu?

— Je viens d'Amérique du Sud.

— C'est grand. Viens-tu de partout à la fois? »

A nouveau il me transperçait du regard.

J'entrepris de lui raconter mon enfance, mais il m'interrompit.

« Sur ce point, nous sommes semblables. Je vis ici maintenant, mais je suis un Yaqui de Sonora.

— Vraiment! Je viens de... »

Il ne me laissa pas le temps de terminer.

« Je sais, je sais. Tu es qui tu es, quel que soit l'endroit dont tu es tout comme je suis un Yaqui de Sonora. »

Ses yeux étaient extraordinairement luisants et son rire étrangement inquiétant. J'eus l'impression d'avoir été surpris en plein mensonge et une sensation de culpabilité très particulière me saisit. Il savait quelque chose, me semblait-il, que j'ignorais ou bien qu'il ne voulait pas révéler. L'étrange malaise s'accentua. Il dut s'en rendre compte, car il se leva et me demanda si je désirais dîner au restaurant.

Le retour à pied et le trajet en voiture jusqu'à la ville m'apaisèrent sans me détendre vraiment. Je ne pouvais toutefois discerner pourquoi je me sentais menacé.

En dînant, je voulus lui offrir de la bière, il déclara ne jamais boire d'alcool, même pas de la bière. Au fond de moi-même je riais : comment le croire alors que l'ami qui nous avait présentés prétendait que le « vieux était la plupart du temps bourré à mort ». Qu'il ait menti ne me dérangeait pas. Je l'aimais bien, quelque chose de très apaisant émanait de sa personne.

Peut-être devina-t-il mon doute, car il expliqua que s'il avait bu dans sa jeunesse, il s'était arrêté un jour pour de bon.

« Les gens ne se rendent pas compte qu'ils peuvent abandonner n'importe quand n'importe quoi dans leur vie, simplement comme ça, dit-il en claquant des doigts.

— Pensez-vous qu'on puisse facilement cesser de fumer ou de boire?

— Certainement! affirma-t-il d'un ton convaincu. Fumer ou boire ce n'est rien. Rien pour qui veut s'en débarrasser. »

A ce moment le percolateur émit un sifflement aigu.

« Écoute! s'écria-t-il avec un éclair dans les yeux. L'eau qui bout est d'accord avec moi. »

Après un silence il ajouta :

« Un homme peut avoir l'accord de tout ce qui l'entoure. »

Du percolateur jaillit un gargouillement vraiment obscène. Il regarda l'instrument et doucement dit : « Merci », puis il hocha la tête et éclata de rire.

Cela me surprit. Il avait un rire vraiment bruyant; mais il m'amusait quand même.

Ainsi se termina ma première séance avec mon nouvel informateur. En sortant du restaurant il me dit au revoir, je déclarai avoir à rendre visite à des amis, mais que je serais heureux de pouvoir revenir chez lui vers la fin de la semaine suivante.

« Quand serez-vous chez vous? »

Il me dévisagea en exprimant une curiosité certaine.

« Lorsque tu viendras.

— Mais j'ignore quand je reviendrai.

— Viens, et ne te fais aucun souci.

— Mais si vous n'êtes pas là?

— J'y serai, dit-il en souriant. » Et il s'éloigna.

Je me précipitai derrière lui pour lui demander si je pourrais amener un appareil photo pour prendre quelques clichés, lui, sa maison.

« Ça, pas question, dit-il en fronçant les sourcils.

— Et un magnétophone?

— Je crois bien que cela n'est pas possible, ni l'un ni l'autre. »

Cette attitude m'ennuyait et me tracassait. Je ne comprenais pas son refus. Il secoua négativement la tête.

« Ça suffit, dit-il d'un ton ferme. Si tu veux me revoir que je n'entende plus jamais parler de cela. »

J'émis néanmoins une dernière et faible plainte : ces photos et ces enregistrements étaient indispensables pour mon travail. Il répondit qu'il n'y avait qu'une seule chose indispensable pour tout ce que nous entreprenions. Il la nomma « l'esprit ».

« On ne peut rien faire sans esprit. Et tu n'en as pas. Soucie-toi de cela, et non des photos.

— Que voulez-vous...? »

D'un geste de la main il coupa court. Il recula de quelques pas.

« Sois certain de revenir », dit-il avec gentillesse. Et il fit un signe d'au revoir.

2

Effacer sa propre-histoire

Jeudi 22 janvier 1960

Adossé au mur de sa maison, don Juan était assis par terre près de la porte. Il retourna une caisse en bois et me pria de m'installer confortablement, comme chez moi. Je lui offris quelques paquets de cigarettes; il répondit qu'il ne fumait pas mais acceptait le cadeau. Nous parlâmes du froid qui, la nuit, tombe sur le désert, et ainsi de suite.

Je voulus savoir si ma présence dérangeait ses habitudes. Il me regarda en fronçant les sourcils et déclara qu'il n'avait pas d'habitudes, que si bon me semblait je pouvais rester en sa compagnie tout l'après-midi.

Je sortis quelques fiches de généalogie et de parenté pour l'interroger à ce sujet. En compulsant la littérature ethnographique j'avais aussi établi une longue liste des traits culturels propres aux Indiens de cette région, et j'aurais voulu les passer en revue pour qu'il m'indique tout ce qui lui était familier.

Je décidai de commencer par les fiches de parenté.

« Comment nommiez-vous votre père?

— Je l'appelais papa », répondit-il avec beaucoup de sérieux.

Cette réponse m'ennuyait, mais je décidai de poursuivre en considérant qu'il n'avait pas compris.

Je lui montrai la fiche, un côté pour le père, un côté pour la mère, et je citai comme exemple les différents noms qu'on utilise en anglais pour désigner son père et sa mère.

Peut-être aurais-je dû commencer par la mère.

« Comment appeliez-vous votre mère?

— Je l'appelais mam, répondit-il avec naïveté.

« — Ce que je voudrais savoir c'est s'il y avait d'autres mots dont vous vous serviez pour appeler votre père ou votre mère. Comment les appeliez-vous? » J'essayais de garder mon calme et surtout de rester poli.

Il se gratta la tête et me regarda stupidement.

« Mon Dieu! En voilà une question. Laisse-moi réfléchir. »

Un moment passa, il semblait enfin se souvenir. Je me préparai à écrire.

« Eh bien, commença-t-il comme absorbé par sa recherche. Comment les appelais-je? Je leur disais : Hé, hé, pap! Hé, hé, mam! »

Sans le vouloir j'éclatai de rire. L'expression de son visage était réellement comique et j'ignorais s'il s'agissait d'un extravagant vieillard qui se jouait de moi ou bien d'un simplet. Avec toute la patience dont je pouvais faire preuve je lui expliquai le sérieux de telles questions et l'importance qu'avait pour moi le fait de remplir ces fiches. Je tentai de lui inculquer l'idée de généalogie et d'histoire personnelle.

« Quels étaient les noms de votre père et de votre mère? » Il posa sur moi des yeux parfaitement lucides.

« Ne perds pas de temps avec cette merde », déclara-t-il doucement mais avec une force inattendue.

J'en restai bouche bée. C'était comme si quelqu'un d'autre avait prononcé ces mots. L'instant précédent j'avais vu un Indien gauche et stupide se grattant la tête, et soudain il avait inversé les rôles. Je me sentais stupide et il me dévisageait d'une façon indescriptible, mais pas d'un regard arrogant, défiant, chargé de haine ou de mépris. Ses yeux brillaient de gentillesse, ils étaient clairs et perçants.

« Je n'ai aucune histoire personnelle, dit-il après un long silence, un jour j'ai appris que l'histoire personnelle ne m'était plus nécessaire et comme pour l'alcool, je l'ai laissée tomber. »

Cette déclaration me paraissait incompréhensible. Soudain je ressentis un malaise, comme une impression de danger. Je lui rappelai qu'il m'avait affirmé que mes questions ne le dérangeaient pas. Il me le confirma, elles ne le gênaient pas le moins du monde.

« Je n'ai plus d'histoire personnelle, reprit-il en me jetant un regard inquisiteur, un jour, lorsque j'ai eu la sensation qu'elle n'était plus nécessaire, je l'ai laissée tomber. »

Ne pas le quitter des yeux me laissait espérer de pouvoir le comprendre.

« Comment peut-on laisser tomber sa propre histoire?

— En tout premier lieu il faut avoir envie de la laisser tomber, et alors il faut harmonieusement, petit à petit, la trancher de soi.

— Pourquoi peut-on éprouver cette envie? »

Ma propre histoire me retenait énormément Mon enracinement familial était profond. Sincèrement, je pensais que sans cela ma vie n'aurait eu ni sens ni continuité.

« Peut-être devriez-vous m'expliquer ce que vous entendez par laisser tomber sa propre histoire.

— S'en débarrasser, voilà ce que j'ai voulu dire », répondit-il sèchement.

J'intervins à nouveau pour préciser que j'avais sans doute mal compris sa déclaration.

« Prenez pour exemple votre cas. Vous êtes yaqui et vous ne pouvez rien y changer.

— Suis-je yaqui? répliqua-t-il en souriant. Comment le sais-tu?

— C'est vrai. Je n'ai pas la possibilité de m'en assurer; mais vous, vous le savez, et c'est ce qui compte. C'est ce qui constitue votre propre histoire. »

Le point me paraissait indiscutable.

« Le fait que je sache si je suis ou non yaqui n'en fait pas ma propre histoire. Cela devient ma propre histoire dès l'instant où quelqu'un d'autre le sait. Je puis te garantir que personne ne pourra jamais en être certain. »

Maladroitement je prenais tout en note. Puis je le regardai. Je n'arrivais pas à le définir et passais mentalement en revue les différentes impressions qu'il m'avait laissées : ce regard mystérieux et entièrement nouveau qui me transperça lors de notre première rencontre, ce charme avec lequel il prétendait avoir l'accord des choses qui l'entouraient, son humeur irritante et sa vivacité, son apparence de réelle stupidité pendant que je l'interrogeais sur ses parents, et surtout la force inattendue de ses déclarations, force qui m'ébranlait redoutablement.

« Tu ignores ce que je suis, n'est-ce pas? reprit-il exactement comme s'il avait pu suivre le cours de mes pensées. Jamais tu ne sauras qui ou ce que je suis parce que je n'ai pas d'histoire personnelle. »

Il me demanda si j'avais un père, et sur ma réponse affirmative ajouta que mon père représentait exactement ce dont il avait parlé. Il insista pour que je me souvienne de la façon dont ce père me jugeait.

« Ton père te connaît dans les moindres détails, et il a de toi une image définitive. Il sait qui tu es et ce que tu fais, et rien sur cette terre ne lui fera changer l'idée qu'il s'est faite de toi. »

Don Juan précisa que tous ceux qui me connaissaient avaient une idée de ce que j'étais, et que par tout ce que j'accomplissais je confirmais cette idée qu'ils avaient de moi : « Ne t'en rends-tu pas compte? Lança-

t-il d'un ton dramatique. Tu es obligé de renouveler ton histoire personnelle en racontant à tes parents, à ta famille, et à tes amis tout ce que
tu fais. Par contre, si tu n'avais pas d'histoire personnelle, il n'y aurait
pas une seule explication à fournir à qui que ce soit, personne ne serait
déçu ou irrité par tes actes. Mais surtout, personne n'essaie de te
contraindre avec ses propres pensées. »

Soudain tout devint clair. Sans jamais l'avoir examiné en détail,
je l'avais toujours su. Être sans histoire devenait une idée intéressante,
tout au moins du point de vue intellectuel; mais malgré tout elle créait
en moi une sensation de solitude que je considérais comme dangereuse
et mal venue. J'avais envie d'en parler avec don Juan, mais je me retins;
cette situation particulière présentant une incongruité terrible. Je me
sentais ridicule parce que j'envisageais de m'engager dans une discussion
philosophique avec un vieil Indien qui, sans l'ombre d'un doute, ne
possédait pas le « raffinement » d'un étudiant. D'une certaine façon il
avait réussi à me détourner de mon intention première qui était de le
questionner sur sa généalogie.

« J'ignore comment nous en arrivons à aborder ce sujet, lui avouai-je,
alors que je désire seulement quelques noms pour remplir mes fiches.

— C'est d'une simplicité effrayante, répondit-il. Nous en sommes
arrivés à ce point parce que j'ai dit que questionner quelqu'un sur son
passé constitue une énorme connerie. »

Le ton restait ferme. Je compris qu'il n'y aurait aucun moyen de
changer son point de vue, par conséquent je modifiai mon approche.

« Cette idée de ne pas avoir d'histoire personnelle, est-elle particulière aux Yaquis?

— C'est ce que moi je fais.

— Où donc avez-vous appris cela?

— Je l'ai appris pendant toute ma vie.

— Votre père vous l'a-t-il enseigné?

— Non. Disons que je l'ai appris par moi-même et que maintenant
je vais t'en révéler le secret pour qu'aujourd'hui tu ne partes pas les
mains vides. »

Sa voix se mua en un murmure dramatique. J'éclatai de rire. Je
dus reconnaître son prodigieux don comique, j'étais en présence d'un
acteur né.

« Écris tout cela, me pressa-t-il d'un ton professoral. Pourquoi pas?
Tu sembles plus à l'aise pendant que tu écris. »

Je levai la tête et sans aucun doute il remarqua dans mes yeux ma
profonde confusion. Il claqua ses mains contre ses cuisses et éclata d'un
rire joyeux.

« Il est préférable d'effacer toute histoire personnelle, énonça-t-il lentement comme pour me laisser le temps d'écrire, parce que cela nous libère des encombrantes pensées de nos semblables. »

Cette déclaration me parut incroyable, une confusion extrême m'envahit. Mon visage traduisit mon émoi intérieur et il en profita sur-le-champ.

« Toi, par exemple, tu ne sais pas quoi penser de moi parce que j'ai effacé ma propre histoire. Petit à petit, autour de moi et de ma vie j'ai créé un brouillard. Maintenant personne ne peut savoir avec certitude qui je suis ou ce que je fais.

— Mais vous, vous n'ignorez pas qui vous êtes?

— Bien sûr que je l'... ignore », s'exclama-t-il en se roulant par terre de rire à cause de mon expression de totale surprise.

Comme pour me laisser croire qu'il allait néanmoins avouer bien se connaître, il observa un long silence. Par cette ruse il me menaçait. La frayeur me gagna.

« Voilà le petit secret que je te révèle aujourd'hui, me confia-t-il à voix basse. Personne ne connaît ma propre-histoire. Pas même moi. »

Il loucha. Il ne me regardait pas, ses yeux restaient fixés au-delà de moi, par-dessus mon épaule gauche. Assis les jambes croisées, le dos droit, il semblait cependant détendu. A ce moment il était l'image même de la violence. Je l'imaginais en chef indien, en « guerrier peau-rouge » des histoires de mon enfance, et ce romantisme facile me conduisit à d'insidieuses et ambivalentes sensations. Sincèrement je pouvais dire que je l'aimais et du même souffle avouer qu'il m'inspirait une frayeur mortelle.

Il conserva son étrange regard pendant un moment.

« Comment savoir qui je suis alors que je suis tout cela, dit-il en désignant de la tête tout ce qui l'entourait. »

Il me jeta un coup d'œil en souriant.

« Petit à petit tu dois créer un brouillard autour de toi. Il faut que tu effaces tout autour de toi jusqu'à ce que rien ne puisse plus être certain, jusqu'à ce que rien n'ait plus aucune certitude, aucune réalité. Actuellement ton problème réside en ce que tu es trop réel. Tes entreprises sont trop réelles, tes humeurs sont trop réelles. Ne prends absolument rien comme allant de soi. Il faut que tu commences par t'effacer toi-même.

— Et dans quel but? demandai-je agressivement. »

A ce point, il était clair qu'il m'indiquait la conduite à suivre. Au cours de ma vie j'avais été tenté de rompre chaque fois que quelqu'un se permettait de me dire comment je devais agir, et la seule pensée d'un conseil de ce genre me mettait instantanément sur la défensive.

« Tu déclaras vouloir apprendre ce qui touche aux plantes, continua-t-il calmement. Espères-tu avoir quelque chose pour rien? Où
donc penses-tu être? Nous avons été d'accord, tu pouvais me questionner, je te disais ce que je savais. Si cette situation ne te plaît pas nous
n'avons plus rien à nous dire. »

Sa terrible franchise m'irritait, à regret je devais admettre qu'il
avait raison.

« En somme, tu veux en savoir plus sur les plantes, mais puisqu'on
ne peut rien en dire il faut, entre autres choses, que tu effaces ta propre
histoire.

— Et comment?

— Commence par les choses simples. Par exemple ne dis pas ce que
tu fais. Ensuite il faut que tu abandonnes tous ceux qui te connaissent
bien. Ainsi tu créeras un brouillard autour de toi.

— Mais c'est absurde. Pourquoi les gens ne devraient-ils pas me
connaître? Qu'y a-t-il de mal à cela?

— Le mal est qu'une fois qu'ils te connaissent tu deviens pour eux
quelque chose qui va de soi, et alors tu n'es plus capable de trancher le
cours de leurs pensées. Personnellement, j'aime l'ultime liberté de rester
inconnu. Personne par exemple ne me connaît avec certitude à la
manière dont les gens te connaissent.

— Mais cela revient à mentir.

— Mensonge ou vérité m'importent peu, trancha-t-il avec sévérité.
Les mensonges sont des mensonges seulement pour qui a une histoire
personnelle. »

Je débattis ce point en avançant que je n'aimais pas mystifier les
gens, ni les tromper délibérément. Il répondit que de toute façon je
trompais tout le monde.

Le vieil homme avait mis le doigt sur une plaie purulente de ma vie.
Je ne pris pas le temps de lui demander ce qu'il voulait dire, ni comment
il savait que je trompais les gens en permanence, je réagis en essayant
de me défendre par une explication. Je déclarai savoir parfaitement, et
cela me causait une profonde peine, que mes parents et mes amis ne me
faisaient aucune confiance alors que jamais dans ma vie je n'avais menti.

« Tu as toujours su mentir. Il te manquait seulement de savoir
pourquoi. Maintenant tu le sais. »

Je m'insurgeai.

« Ne voyez-vous pas combien j'en ai assez de constater que les gens
ne me font jamais confiance?

— Mais on ne peut pas compter sur toi, répliqua-t-il d'un ton
convaincu.

— Nom de Dieu! On peut compter sur moi!

Mon humeur, au lieu de le rendre sérieux, le jeta dans un rire quasi hystérique. Je haïs ce vieux plein de suffisance. Malheureusement, il avait raison.

Lorsque je repris mon calme, il continua :

« Si on n'a pas d'histoire personnelle, rien de ce qu'on dit ne peut être considéré comme un mensonge. Ton problème est de tout vouloir expliquer à tout le monde, mais du même coup tu voudrais garder la fraîcheur, la nouveauté de ce que tu fais. Eh bien, une fois que tu as expliqué tout ce que tu fais, tu n'arrives plus à te passionner et pour pouvoir continuer, tu mens. »

La tournure de notre conversation me déroutait. Je notai de mon mieux tous les détails de notre échange, en me concentrant sur ce qu'il disait, plutôt que de l'interrompre pour discuter de mes torts ou du sens de ses propos.

« A partir de maintenant, continua-t-il, il faut que tu ne révèles aux gens que ce que tu as envie de leur dire, mais jamais tu ne dois leur raconter exactement comment tu y es parvenu.

— Je ne sais pas comment garder un secret, ce que vous me conseillez est donc inutile.

— Alors, change! lança-t-il sèchement avec un éclair de violence dans les yeux. »

Il ressemblait à un étrange animal sauvage, et malgré tout ses pensées et ses déclarations restaient parfaitement cohérentes. Mon ennui fit place à une confusion des plus énervantes.

« Vois-tu, reprit-il, nous avons une seule alternative. Ou bien nous prenons tout comme allant de soi, comme réel, ou bien nous adoptons le point de vue contraire. Si nous suivons la première proposition nous parvenons à l'ennui mortel, du monde et de nous-mêmes. Avec le second choix, ce qui suppose que nous effacions notre propre-histoire, nous créons le brouillard autour de nous. C'est une situation mystérieuse et passionnante; personne ne sait d'où va sortir le lapin, pas même nous. »

J'avançai l'idée qu'effacer sa propre-histoire risquait d'accroître notre impression d'insécurité.

« Lorsque rien n'est certain, nous restons en alerte, nous sommes en permanence prêts au départ. Il est plus excitant de ne pas savoir dans quel buisson se cache le lapin que de se conduire comme si nous savions tout. »

Il garda le silence pendant assez longtemps, au moins une heure durant. Je ne savais que dire. Enfin il se leva et me demanda de le conduire à la ville voisine.

Cette conversation m'avait curieusement épuisé. Le sommeil m'envahissait. En chemin il me fit stopper et me dit que si je désirais me détendre il me fallait aller sur le plateau qui formait le sommet d'une proche colline, et là m'allonger à plat ventre, la tête dirigée vers l'est. Il semblait pressé, je n'avais pas envie de protester et j'étais peut-être trop fatigué pour parler. Je grimpai la pente et fis ainsi qu'il me l'avait ordonné.

Mon sommeil ne dura que deux à trois minutes mais assez pour renouveler mes énergies.

Nous allâmes jusqu'au centre de la ville. Là il me demanda de le laisser.

« Reviens, dit-il en descendant de la voiture. Sois sûr de revenir. »

3

Perdre sa propre-importance

Je racontai en détail à l'ami qui m'avait dirigé vers don Juan les conversations que nous avions eues au cours de ces deux rencontres. Selon lui je perdais mon temps, et il pensait aussi que j'exagérais jusqu'à me laisser aller à un romantisme facile à propos de ce vieux fada.

Pourtant le vieil homme et ses absurdités étaient peu faits pour alimenter une atmosphère romantique. En toute sincérité je constatais qu'il avait sérieusement miné l'élan d'amitié qui me portait vers lui lorsqu'il se permit de critiquer ma personnalité. Cependant il me fallait admettre la rigueur, la précision et la justesse de ses remarques.

Mon dilemme résidait dans le fait que je n'étais pas prêt à accepter l'indiscutable capacité de don Juan pour déranger mes préconceptions du monde, même si je rejetais l'opinion de mon ami pour qui « le vieil Indien était cinglé ».

Afin d'éclaircir cela j'eus envie de lui rendre visite au moins encore une fois.

Mercredi 28 décembre 1960

Dès mon arrivée chez lui il me proposa une marche dans le désert. Il n'eut même pas un regard pour les provisions que je lui amenais. Il semblait m'attendre, comme s'il avait su que j'arriverais juste ce jour-là.

Des heures durant nous marchâmes. Il ne cueillit aucune plante, il ne m'en désigna pas une seule. Cependant il m'enseigna une « forme appropriée de marche ». Il me conseilla de courber légèrement mes doigts vers la paume des mains pendant que je marchais; ainsi, prétendit-il, je prêterais plus d'attention à la piste et aux environs. Selon lui, ma marche était débilitante et il précisa qu'on ne devait jamais rien porter dans ses mains. Pour les transports il concevait d'employer un filet passé sur le dos ou un bissac. Son idée était qu'en maintenant les doigts dans cette position particulière on avait plus de force et on bénéficiait d'une attention bien plus soutenue.

Pourquoi discuter? Je plaçai mes doigts selon ses instructions et je le suivis. Ni mon attention ni mon énergie ne me semblèrent s'en trouver modifiées.

Nous marchâmes tout le matin pour ne marquer un arrêt que vers midi. Je transpirais. Je voulus boire à ma gourde, mais il m'arrêta pour me conseiller de ne prendre qu'une seule gorgée d'eau. Il alla à un buisson jaunâtre, cueillit quelques feuilles et les mâcha. Il m'en tendit quelques-unes en soulignant leur vertu désaltérante lorsqu'on les mâchait très lentement. La soif persista mais je me sentis revigoré.

Sans doute avait-il lu mes pensées. En effet il expliqua que je n'avais pas ressenti les avantages de la « juste manière de marcher », ou ceux du masticage des feuilles, parce que j'étais encore jeune et fort, que mon corps ne s'apercevait de rien puisqu'il demeurait en quelque sorte assez stupide.

Il se mit à rire. Je n'avais aucune envie de l'imiter ce qui sembla l'amuser encore plus. Il précisa sa déclaration en ajoutant que mon corps n'était pas vraiment stupide mais d'une certaine façon assoupi.

Un énorme corbeau passa au-dessus de nous et croassa juste à ce moment-là. Je sursautai et fus pris d'un fou rire. La coïncidence me semblait propice à cet éclat de rire, mais à mon grand étonnement il saisit et secoua vigoureusement mon bras pour me faire taire. Son visage restait parfaitement sérieux.

« Il ne s'agissait pas d'une plaisanterie », dit-il avec sévérité comme si je pouvais comprendre sa remarque.

Je demandai une explication. Je lui fis part de ma surprise de le voir se mettre en colère lorsque je riais d'un croassement de corbeau, alors que lui s'était esclaffé au gargouillement d'un percolateur.

« Ce que tu as vu n'était pas simplement un corbeau.

— Mais je l'ai bien vu, c'était un corbeau.

— Imbécile, tu n'as rien vu », rétorqua-t-il d'un ton bourru.

Sa rudesse me semblait incongrue, je lui déclarai que je n'aimais pas irriter autrui et que s'il n'était pas d'humeur sociable, il serait sans aucun doute préférable que je m'en aille sur-le-champ.

Il fut pris d'un éclat de rire majestueux, exactement comme on rit d'un clown, comme si j'étais ce clown. L'énervement et l'embarras me dominèrent.

« Tu es très violent, commenta-t-il d'un ton banal. Tu te prends trop au sérieux.

— Mais vous aussi, n'est-ce pas? Vous vous preniez très au sérieux lorsque vous vous êtes mis en colère contre moi. »

Il déclara n'avoir pas eu la moindre intention de s'irriter à mon propos. Il me transperça du regard.

« Ce que tu as vu n'était pas un signe d'accord du monde. Les corbeaux en vol ou croassants ne sont jamais un signe d'accord. Ce sont des présages.

— Présages de quoi?

— Une indication extrêmement importante qui te concerne », lança-t-il énigmatiquement.

A l'instant même, juste à nos pieds, le vent arracha une branche sèche d'un buisson.

« Ça c'est un accord », s'exclama-t-il. Il me fixa de ses yeux brillants et s'esclaffa.

J'eus l'impression très nette qu'il se moquait de moi. Il établissait les règles de cet étrange jeu au fur et à mesure que nous avancions. Il pouvait rire et je n'en avais pas le droit. A force de contenir ma contrariété je finis par exploser, et dis ce que je pensai de lui.

Il ne fut ni vexé ni blessé. Il ne s'arrêta pas de rire ce qui ne fit qu'amplifier mon anxiété et ma frustration. Maintenant je savais qu'il m'humiliait sciemment. Je compris que « j'en avais ma claque » de ce travail de terrain.

Je me levai et déclarai que je voulais rentrer chez lui, puis me rendre à Los Angeles.

« Assieds-toi, m'ordonna-t-il. Tu t'énerves comme une vieille demoiselle. Tu ne peux pas partir maintenant parce que nous n'en avons pas fini. »

Je le haïssais. Il n'était qu'un Indien gonflé de mépris. Il entonna une chanson populaire mexicaine idiote. Il imitait un chanteur à la mode, mais il faisait traîner certaines syllabes, en contractait d'autres, et ainsi transformait la chanson en une parodie extrêmement burlesque. Je me mis à rire.

« Vois-tu, tu ris de cette stupide chanson, mais le chanteur qui l'interprète et ceux qui payent pour l'écouter ne rient pas le moins du monde, ils pensent que c'est vraiment sérieux.

— Que voulez-vous dire par là? »

A mon avis il avait soigneusement choisi son exemple pour me faire observer que j'avais ri du corbeau parce que je ne l'avais pas pris au sérieux, pas plus que cette chanson même. Mais à nouveau il me déconcertait. Il prétendait que j'étais comme le chanteur et ses admirateurs, pétri d'amour-propre et mortellement sérieux pour une absurdité dont aucun individu de bon sens ne se soucierait si peu que ce soit.

Alors, sans doute pour rafraîchir ma mémoire, il entreprit de récapituler tout ce qu'il avait déjà dit sur « apprendre ce qui touche aux plantes ». Il insista sur le fait que si je désirais vraiment apprendre il me fallait pratiquement changer toute ma ligne de conduite.

Mon sentiment de contrariété allait croissant et je dus m'obliger à un effort considérable pour ne pas cesser de prendre des notes.

« Tu te prends trop au sérieux, reprit-il lentement. Tu es sacrément trop important, au moins d'après l'idée que tu te fais de toi-même. C'est ça qui doit changer! Tu es tellement important que tu peux te permettre de partir lorsque les choses ne vont pas à ta guise. Tu es tellement important que tu crois normal d'être contrarié par tout. Peut-être crois-tu que c'est le signe d'une forte personnalité. C'est absurde! Tu es faible, tu es vaniteux. »

Malgré mes protestations il n'en démordit pas. Il me fit remarquer qu'au cours de ma vie je n'avais rien achevé à cause du sentiment d'extrême importance dont je m'affublais.

La certitude avec laquelle il plaçait ses coups me sidérait. Bien sûr, il avait raison; c'est d'ailleurs ce qui m'irritait jusqu'à la colère et m'inquiétait parce que je me sentais menacé.

« La propre-importance est aussi une chose à laisser tomber, tout comme la propre-histoire », dit-il avec emphase.

En aucun cas je ne désirai aborder ce genre d'argument; mon désavantage s'avérait par trop considérable. Il ne se déciderait pas à revenir chez lui tant que je ne serais pas prêt, et j'ignorais tout du chemin de retour. Il fallait que je reste en sa compagnie.

Soudain il fit un mouvement étrange. Il reniflait l'air tout autour de lui et sa tête oscillait à un rythme presque imperceptible. Il semblait dans un état de vigilance inhabituel. Il se tourna vers moi et me regarda d'un air ahuri et investigateur. Ses yeux balayaient mon corps de haut en bas comme à la recherche de quelque chose en particulier. Tout d'un coup il se leva et d'un pas rapide s'en alla. Il courait presque; je le suivis. Cette marche effrénée se prolongea au moins pendant une heure.

Enfin il s'arrêta pour s'asseoir près d'une colline rocheuse à l'ombre de quelques buissons. Cette course m'avait vidé, mais je me sentais mieux. Le changement était d'ailleurs surprenant; j'exultai presque alors qu'au moment de me mettre à courir j'étais furieux contre lui.

« Curieux quand même, dis-je, mais je me sens en forme. »

Au loin croassa un corbeau. Don Juan leva un doigt à son oreille gauche et eut un sourire.

« C'était un présage. »

Un caillou roula au flanc de la colline et en arrivant dans les broussailles produisit un froissement sec. Il éclata de rire et du doigt désigna l'endroit d'où venait le bruit.

« Et ça, c'était un accord », précisa-t-il.

Il me demanda si j'étais prêt à parler de ma propre-importance. Un rire me secoua, ma colère semblait si lointaine, je ne savais plus comment il avait réussi à tant m'irriter.

« Je ne comprends pas ce qui m'arrive, dis-je. Je me suis mis en colère et maintenant j'ignore comment elle a disparu.

— Autour de nous le monde est extrêmement mystérieux, déclara-t-il. Il ne livre pas facilement ses secrets. »

Ses déclarations m'enchantaient, elles étaient provocantes et impénétrables. Je n'arrivais pas à savoir si elles contenaient une signification cachée ou si elles n'étaient que de parfaites absurdités.

« Si jamais tu reviens dans ce désert, me dit-il, n'approche pas de la colline rocheuse où nous avons fait étape. Évite-la comme la peste.

— Pourquoi? Pour quelle raison?

— Ce n'est pas le moment d'expliquer pourquoi, ce que nous disions c'est qu'il faut perdre sa propre-importance. Aussi longtemps que tu croiras que tu es la plus importante des choses de ce monde tu ne pourras pas réellement apprécier le monde qui t'entoure. Tu seras comme un cheval avec des œillères, tu ne verras que toi séparé de tout le reste. »

Il m'examina.

« Je vais parler à ma petite amie, dit-il en désignant du doigt une petite plante. »

Il s'agenouilla devant la plante et tout en la caressant lui parla. Au début je ne compris pas ce qu'il lui disait, mais il poursuivit en espagnol. Pendant un certain temps il balbutia des inepties, puis il se leva.

« Ce que tu lui racontes importe peu. Tu peux tout aussi bien fabriquer des mots. Ce qui est important est la sensation d'amour que tu lui portes, tu dois la traiter d'égal à égal. »

Il expliqua qu'en récoltant des plantes, il faut chaque fois s'excuser avant de les cueillir et leur affirmer qu'un jour notre propre corps leur servira de nourriture.

« Ainsi, l'un dans l'autre, la plante et l'homme sont quittes. Ni lui ni elle ne sont plus importants.

— Vas-y, parle à la petite plante, me pressa-t-il. Dis-lui que tu ne te sens plus important du tout. »

Je m'agenouillai devant la plante, mais je ne parvins pas à sortir un seul mot. Je me sentais ridicule et le rire me gagna. Cependant je n'éprouvai aucune colère.

Don Juan me tapota le dos et me dit que tout allait bien puisque j'avais réussi à dominer mon humeur.

« Parle de temps à autre aux plantes, continua-t-il. Parle-leur jusqu'à ce que tu perdes toute sensation d'importance. Parle-leur jusqu'à ce que tu arrives à le faire en présence d'autres hommes.

« Va dans les collines et entraîne-toi seul »

Je voulus savoir s'il suffisait de parler silencieusement aux plantes. Il éclata de rire et me tapa légèrement sur la tête.

« Non ! Tu dois leur parler à haute et intelligible voix si tu as envie qu'elles te répondent. »

Je me dirigeai vers l'endroit désigné tout en riant au fond de moi à cause de ses excentricités. Je tentai même de parler aux plantes mais le ridicule de la situation me dominait.

Après une attente que je jugeai suffisante je revins vers don Juan, certain qu'il savait que je n'avais pas parlé aux plantes.

Il ne me regarda pas et d'un signe me fit asseoir à côté de lui.

« Regarde-moi bien. Je vais discuter avec ma petite amie. »

Il s'agenouilla devant une petite plante et pendant quelques minutes s'agita et se contorsionna tout en parlant et riant.

Je crus qu'il était cinglé.

« Cette petite plante me charge de te dire qu'elle est bonne à manger, annonça-t-il en se relevant. Elle dit qu'une poignée suffit à assurer la santé d'un homme. Elle m'a aussi révélé qu'il y en avait un tas qui pousse là-bas. »

Il désigna une zone à flanc de colline, deux cents mètres plus loin.

« Allons-y nous verrons bien », continua-t-il.

Ses clowneries m'obligèrent à rire. J'étais persuadé que nous allions trouver les plantes puisqu'il connaissait ce terrain à la perfection et savait où trouver toutes les plantes comestibles et médicinales.

Tout en marchant il m'informa que je devais bien me souvenir de cette plante car elle était bonne à manger et aussi un excellent remède.

Mi-figue, mi-raisin, je lui demandai si la plante venait de lui apprendre tout cela. Il s'arrêta, me regarda et pour exprimer son incrédulité, balança la tête de droite à gauche.

« Ah ! s'exclama-t-il en riant. Ton intelligence te rend plus bête que je ne l'aurais pensé. Comment la petite plante peut-elle m'apprendre ce que j'ai su ma vie tout entière ? »

Il précisa qu'il connaissait parfaitement toutes les propriétés de cette plante particulière, et qu'elle lui avait seulement indiqué qu'il y en avait une touffe à l'endroit où nous allions; elle lui avait aussi confié qu'elle ne voyait aucun inconvénient à ce qu'il me mette dans le secret.

En arrivant au flanc de la colline je découvris les plantes. J'allais me mettre à rire, mais il ne m'en laissa pas le temps car il voulut que je remercie ces plantes. Un atroce embarrassement me saisit. Je riais nerveusement et ne parvenais pas à me calmer.

Il eut un sourire bienveillant suivi d'une de ses énigmatiques déclarations, et pour me laisser le temps d'en extraire le sens il la répéta à trois ou quatre reprises :

« Autour de nous le monde est un mystère. Et les hommes ne valent pas mieux que n'importe quoi d'autre. Lorsqu'une plante est généreuse avec nous, il faut que nous la remerciions. Sinon il se peut qu'elle ne nous laisse pas partir. »

Son regard me donna des frissons dans le dos. Je me précipitai vers les plantes, m'agenouillai et à haute voix dis :

« Merci. »

Il fut secoué d'un rire volontairement saccadé.

Nous reprîmes la marche pendant une heure, puis il fit demi-tour. A un moment donné je traînais en arrière et il dut m'attendre. Il vérifia la position de mes doigts, ils n'étaient pas courbés. Il me pria fermement d'observer et de pratiquer les manières qu'il m'enseignait chaque fois que je marcherais avec lui dans le désert. Sinon il vaudrait mieux que je ne revienne plus jamais.

« Je ne peux pas t'attendre comme si tu étais un gosse. »

Cette remarque me plongea dans un embarras et une perplexité considérables. Comment se pouvait-il qu'un vieil homme comme lui marche mieux que moi? Je me croyais fort, musclé, et il devait m'attendre, me laisser le temps de le rattraper.

Je courbais mes doigts, et aussi curieux que cela puisse paraître, je n'eus aucune peine à le suivre dans sa foulée pourtant rapide.

J'exultais, je bouillonnais, tout naturellement heureux de déambuler avec cet étrange vieil Indien. Je me mis à parler, et à plusieurs reprises lui demandai de me montrer des peyotls. Il me regarda mais resta bouche cousue.

4

La mort est un conseiller

Mercredi 25 janvier 1961

« M'enseignerez-vous un jour la connaissance du peyotl? »

Il ne me répondit pas, et comme bien d'autres fois il me dévisagea comme si j'étais fou à lier.

Chaque fois que j'avais mentionné le sujet, il fronçait les sourcils et hochait la tête, geste ni d'affirmation ni de négation mais plutôt de désespoir et d'incrédulité.

Brusquement il se leva. Nous étions assis par terre devant sa maison. D'un geste presque imperceptible du chef, il m'invita à le suivre.

Nous allâmes vers le sud, dans le désert de broussailles. A plusieurs reprises et sans cesser d'avancer il répéta qu'il me fallait devenir conscient de l'inutilité de ma propre-importance et de mon histoire personnelle. Se tournant vers moi il déclara soudain :

« Tes amis, ceux qui te connaissent depuis longtemps, tu dois les quitter au plus vite. »

Je pensai qu'il était fou, et que son insistance était stupide, mais je ne dis rien.

Après une longue marche nous fîmes un arrêt. J'allais m'asseoir pour me reposer lorsqu'il m'ordonna de m'avancer vingt mètres plus loin et là de parler à haute et intelligible voix à un bouquet de plantes. Je me sentis plein d'appréhension et de malaise. Cette étrange demande dépassait ce que je pouvais supporter, aussi lui déclarai-je que je n'arrivais pas à parler aux plantes, que je me sentais ridicule. Il remarqua que le sentiment de ma propre-importance demeurait vraiment incroyable. Il sembla avoir pris une soudaine décision, car il déclara que tant que je ne me sentirais pas à l'aise je ne devrais pas tenter de le faire, parler aux plantes devait être très naturel.

« Tu veux apprendre ce qui les concerne, et néanmoins tu ne veux faire aucun effort, m'accusa-t-il. Que veux-tu donc? »

J'expliquai que je désirais des informations adéquates sur les plantes, ce pourquoi je lui avais demandé de devenir mon informateur, et proposé même rémunération pour son temps et sa peine.

« Vous devriez accepter l'argent, plaidai-je. Ainsi nous nous sentirions plus à l'aise. Je pourrais vous poser toutes les questions que je désire vous poser puisque vous travailleriez pour moi, et en revanche je vous payerais. Qu'en pensez-vous? »

Il me dévisagea dédaigneusement, et de sa bouche jaillit un son obscène qu'il produisit en soufflant fortement entre sa langue et sa lèvre pour les faire vibrer toutes deux.

« Voilà ce que j'en pense », et, me voyant saisi de surprise, il fut envahi d'un fou rire hystérique.

Il me fallait me rendre à l'évidence, il était difficile de discuter avec cet homme. Malgré son âge, il débordait de vie et révélait une force incroyable. J'avais cru que son âge même en ferait un parfait informateur. Les vieillards, trop faibles pour faire autre chose que parler, devaient être selon moi les meilleurs informateurs. Lui, cependant se révélait un piètre auxiliaire. D'ailleurs il devenait intolérable et dangereux. L'ami qui nous avait réunis s'était montré bon juge, il s'agissait d'un vieil Indien excentrique et bien qu'il ne fût pas bourré à mort la plupart du temps, il était fou à lier, chose pire encore. Ce terrible doute et cette appréhension n'avaient rien de nouveau, mais ils resurgissaient alors même que je croyais les avoir dominés, car je n'avais pas eu de peine à me convaincre de mon désir de le revoir. Étais-je moi aussi un peu cinglé puisque j'appréciais sa compagnie? Son idée que le sentiment que j'avais de ma propre-importance constituait un obstacle majeur m'avait fortement frappé. Cependant tout cela ne me semblait qu'un exercice intellectuel de ma part, puisque dès l'instant où je retrouvais sa bizarre façon d'agir je plongeais à nouveau dans un gouffre d'appréhension; et alors je n'éprouvais plus qu'un seul besoin, m'enfuir.

J'avançai l'idée que le fait d'être tellement différents nous interdisait toute possibilité d'entente.

« L'un de nous deux doit changer, dit-il en gardant les yeux au sol. Et tu sais pertinemment qui. »

Il se mit à fredonner un air populaire mexicain, et soudain releva la tête pour me regarder. Ses yeux étaient pleins de feu et de violence. Je voulus tourner la tête ou baisser les paupières, mais à mon extrême surprise je n'arrivais pas à me détacher de son regard.

Il me demanda de lui dire ce que j'avais vu dans ses yeux. Je répondis que je n'avais rien vu, mais il insista sur la nécessité d'exprimer ce que ce regard suscitait en moi. Ce fut délicat de lui faire comprendre que ses yeux n'avaient fait qu'augmenter mon embarras et que son regard me mettait mal à l'aise.

Il ne se contenta pas d'une telle réponse, son regard demeurait inchangé. Il ne s'agissait pas d'un regard franchement méchant ou menaçant, mais plutôt d'un regard mystérieux et déplaisant. De toute façon je supportais mal que l'on me regarde droit dans les yeux.

Il voulut savoir s'il n'évoquait pas pour moi un oiseau.

« Un oiseau », m'exclamai-je.

Il pouffa de rire à la manière d'un enfant et me libéra de son regard.

« Oui, dit-il avec douceur. Un oiseau, un très drôle d'oiseau. »

Tout en m'ordonnant de tenter de me souvenir il me fixa à nouveau. Avec une extraordinaire insistance il déclara qu'il « savait » que j'avais déjà vu ce regard.

Le vieux me provoquait ; je le savais, car chaque fois qu'il ouvrait la bouche c'était pour contrer mon sincère désir d'honnêteté. Je lui jetai un coup d'œil plutôt hostile. Au lieu de s'irriter il éclata de rire. Il claqua de la main sur ses cuisses et hurla comme s'il montait un cheval sauvage. Enfin il reprit son sérieux et déclara qu'il devenait extrêmement important de ne pas m'opposer à son action et de me souvenir de ce curieux oiseau.

« Regarde dans mes yeux », précisa-t-il.

Il en émanait une intensité extraordinaire mêlée de quelque chose que je sentais avoir déjà vu sans toutefois pouvoir la définir. Je réfléchis, et soudain je sus : ce n'étaient ni la forme des yeux, ni celle de sa tête mais la froide audace du regard qui me rappelait celui d'un faucon. A l'instant même de cette découverte il me regardait de biais, et je connus un bref moment de chaos. Je crus avoir réellement vu un faucon à sa place. L'image fut instantanée, et trop irrité je n'y prêtais que peu d'attention.

Bouleversé, je déclarai que j'avais aperçu en un éclair une tête de faucon à la place de la sienne. Il eut une nouvelle crise de rire.

Je connais bien le regard des faucons. Enfant je les chassais avec l'approbation et l'encouragement de mon grand-père qui, éleveur de poules, les considérait comme des ennemis personnels. Les tirer n'était pas simplement normal, mais surtout « bon ». Et jusqu'à ce moment j'avais oublié que des années durant leur regard audacieux m'avait hanté. Il s'agissait d'un souvenir enfoui si loin dans le passé qu'il s'y **était** perdu.

« Autrefois, je chassais les faucons, dis-je.

— Je sais », répondit-il tout naturellement.

Son ton d'absolue certitude me fit rire. Je retrouvais là son habituelle absurdité. Il allait jusqu'à prétendre qu'il savait parfaitement ce que la chasse aux faucons avait été pour moi. Il m'écœurait.

« Pourquoi te mettre dans une telle colère? » demanda-t-il avec un intérêt sincère.

Je n'en savais rien. Il procéda selon sa méthode habituelle d'investigation. Il me demanda de le regarder et de lui dire ce que me rappelait ce « curieux oiseau ». Je refusai et déclarai avec mépris que je n'avais rien à dire. Mais aussitôt j'éprouvais le besoin irrésistible de lui demander comment il savait que j'avais chassé les faucons. Au lieu de me répondre il recommença à critiquer mon attitude. Selon lui, j'étais un bonhomme violent susceptible de « montrer les dents » à la moindre occasion. Je m'insurgeai; au contraire je pensais être plutôt sympathique et facile à vivre, et c'est à lui qu'incombait la responsabilité d'avoir suscité ma colère par ses mots et ses actes imprévisibles.

« Pourquoi la colère? »

Je me repris. Je n'avais vraiment pas la moindre raison d'être en colère contre lui.

A nouveau il voulut que je le regarde dans les yeux pour lui raconter quelque chose sur cet « étrange faucon ». Il venait de changer d'expression puisque jusqu'à présent il avait toujours parlé de « très drôle d'oiseau ». Ce changement affecta mon humeur, tout d'un coup la tristesse m'envahit.

Il ferma ses paupières pour ne laisser ouvertes que deux minces fentes, et d'un ton théâtral déclara qu'il « voyait » un très étrange faucon. Par trois fois il répéta la même chose, comme s'il voyait effectivement un faucon devant lui.

« Ne t'en souviens-tu pas? »

Cela n'éveillait aucun souvenir en moi.

« Qu'y a-t-il donc de si étrange avec ce faucon? demandai-je.

— C'est toi qui dois me le dire », répliqua-t-il.

Je n'avais pas la moindre idée de ce dont il parlait; comment aurais-je pu lui répondre?

« Ne te bats pas contre moi. Combats ta mollesse, et souviens-toi. »

De tout mon cœur je tentai de savoir où il voulait en venir, mais je n'eus même pas l'idée de chercher à me souvenir d'un événement du passé qui aurait été lié à sa question.

« Une fois, tu as vu beaucoup d'oiseaux », intervint-il comme pour me proposer une piste.

Je lui expliquai que j'avais passé mon enfance dans une ferme et chassé des centaines d'oiseaux. Il répliqua que, dans ce cas, je ne devais pas avoir de peine à me souvenir de tous les drôles d'oiseaux que je chassais.

De son regard fixé sur moi émanait une sorte d'interrogation, comme s'il venait de me livrer la dernière pièce de puzzle.

« J'en ai chassé tellement qu'il m'est impossible de me souvenir de quelque chose en particulier.

— Cet oiseau est très particulier, dit-il dans un murmure. Cet oiseau est un faucon. »

A nouveau je m'efforçai de découvrir où il voulait en venir. Se moquait-il de moi? Pouvait-il être sérieux? Un long moment s'écoula, puis il insista une fois de plus. Je devais tenter de me rappeler. Il s'avérait inutile de s'opposer à son jeu, alors autant s'y prêter.

« S'agit-il d'un faucon que j'aurais chassé?

— Oui, laissa-t-il tomber dans un murmure, en gardant les yeux clos.

— Donc c'était au cours de mon enfance?

— Oui.

— Mais vous dites que vous voyez un faucon devant vous.

— Oui. Je le vois.

— Que voulez-vous donc me faire?

— J'essaie de te faire souvenir.

— Mais de quoi, nom d'un chien?

— D'un faucon rapide comme l'éclair », répondit-il en me regardant droit dans les yeux. Je sentis mon cœur s'arrêter.

« Maintenant, regarde-moi. »

Mais je n'en fis rien. Sa voix me parvenait très assourdie. Un prodigieux souvenir s'emparait de moi : le faucon blanc!

Tout commença un jour après que mon grand-père compta ses poulets, des poulets au plumage blanc. De manière déconcertante et régulière il en disparaissait. Il établit une surveillance attentive et après bien des jours d'observation soutenue il vit enfin un immense oiseau blanc s'envoler avec un petit poulet dans ses serres. C'était un oiseau rapide et qui apparemment connaissait son chemin. Il s'était glissé entre les arbres, avait saisi un poulet et s'enfuyait par un passage entre deux branches, tout cela si rapidement que mon grand-père avait à peine pu le voir; mais je l'avais bien suivi des yeux et sans l'ombre d'un doute je savais qu'il s'agissait d'un faucon. Dans ce cas, précisa mon grand-père, il s'agissait d'un faucon blanc.

Nous partîmes en campagne contre ce faucon albinos, et par deux fois je crus l'avoir. Il dut abandonner sa proie mais réussit à m'échapper. Il volait trop rapidement pour moi. Il devait être intelligent puisqu'il ne revint plus jamais.

Si mon grand-père ne m'avait pas poussé à le chasser, j'aurais certainement oublié cet oiseau. Pendant deux mois je le poursuivis partout dans la vallée où nous habitions. Ainsi j'appris à connaître toutes ses habitudes, et presque intuitivement j'en arrivais à deviner son itinéraire de vol. Malgré tout il me surprenait chaque fois par la soudaineté de sa présence et la célérité de son vol. A chacune de nos rencontres je pouvais me vanter de l'avoir empêché de saisir sa proie, mais jamais je ne réussis à l'attraper.

Au cours des deux mois de cette chasse curieuse, je ne fus vraiment proche du faucon albinos qu'une seule fois. L'ayant poursuivi toute la journée, je m'allongeai sous un eucalyptus pour me reposer, et je m'endormis. Soudain le cri d'un faucon me réveilla. Je vis un oiseau blanc perché au sommet de l'arbre, notre faucon blanc. La chasse prenait fin. Il allait être difficile de tirer, car j'étais couché sur le dos et l'oiseau regardait dans la direction opposée. Il y eut un souffle de vent, j'en profitai pour lever ma carabine. Je voulais attendre le moment où il se retournerait ou celui où il s'envolerait. Mais il restait immobile. Pour avoir un meilleur angle de tir j'aurais dû me déplacer, mais vu la rapidité de cet oiseau il valait mieux ne pas bouger et attendre le moment favorable. C'est ce que je fis. Cela dura longtemps, très longtemps. Que se passa-t-il? Peut-être cette interminable attente influença-t-elle sur moi. Ou alors ce fut l'isolement de l'endroit, le fait d'être seul avec l'oiseau, mais à un moment donné un frisson parcourut mon échine et sans même réfléchir je me levai et partis. Je ne me souciai pas de savoir si le faucon s'envolait, je ne le regardai pas.

Jamais je n'avais attaché une importance quelconque à cet événement, et pourtant ne pas avoir tiré cet oiseau était de ma part un acte étrange. J'avais tiré des dizaines de faucons; à la ferme de mon grand-père chasser les oiseaux ou n'importe quel animal était chose courante.

Don Juan demeura attentif pendant tout mon récit. Je lui demandai :

« Comment connaissiez-vous cette histoire du faucon blanc?

— Je l'ai vue.

— Où donc?

— Là, juste devant toi. »

Je n'avais plus aucune envie de discuter.

« Que signifie tout cela, don Juan?

— Un oiseau tel que celui-là constituait un présage, dit-il, et ne pas l'avoir tiré avait été la seule et la meilleure chose à faire.

« Ta mort te donna un petit avertissement, continua-t-il d'un air mystérieux. Elle se signale toujours par un frisson.

— De quoi parlez-vous? », dis-je nerveusement.

Ses effrayantes déclarations me mettaient les nerfs à fleur de peau.

« Tu connais bien les oiseaux. Tu en as trop tué. Tu sais aussi attendre. Pendant des heures tu as attendu. Je sais cela. Je le vois. »

Un émoi considérable m'agita. Ce qui m'ennuyait le plus était, pensai-je, sa constante certitude. Je ne pouvais absolument pas supporter sa sûreté dogmatique lorsqu'il évoquait ma propre vie, surtout à propos d'aspects dont moi-même je n'étais pas certain. Cela me préoccupait tant que je ne le vis pas se pencher vers moi, si ce n'est au moment où il murmura à mon oreille quelque chose que je ne compris pas. Il répéta. Il me demandait de me retourner sans me presser, tout naturellement, et d'observer un rocher à ma gauche. Il ajouta que ma mort s'y trouvait, qu'elle me regardait, et que si à son signe je me tournais je serais peut-être capable de l'apercevoir.

Des yeux il me fit le signal. Je me retournai et crus voir, en un éclair, quelque chose sur le rocher. Un frisson secoua mon corps tout entier. Une contraction involontaire tordit les muscles de mon abdomen, et une décharge, un spasme, me traversa. Un moment plus tard je repris mon calme. Pour m'expliquer le fait d'avoir aperçu une ombre le temps d'un éclair, je me dis que j'avais été victime d'une illusion d'optique due au brusque mouvement de ma tête.

« La mort est notre éternel compagnon, déclara don Juan avec un sérieux évident. Elle est toujours à notre gauche, à une longueur de bras. Pendant que tu observais le faucon, elle te regardait, elle murmurait à ton oreille, et exactement comme maintenant tu as éprouvé un frisson. Elle t'a observé, ainsi en sera-t-il jusqu'au jour où elle te touchera. »

Il étendit le bras, me toucha légèrement à l'épaule et au même instant émit un claquement de langue. Le résultat fut foudroyant, je fus pris d'une envie de vomir.

« Tu es ce garçon qui traquait le gibier et patiemment attendait. Tout comme la mort. Tu sais bien qu'elle est là, à ta gauche, exactement comme tu étais à gauche du faucon blanc. »

Ses mots, par leur étrange puissance, me plongèrent dans une terreur incontrôlable; je n'avais pas d'autre défense que de m'obliger à écrire tout ce qu'il disait.

« Comment peut-on se sentir tellement important quand on sait que la mort nous traque? » dit-il.

Sa question ne réclamait pas ma réponse, je le sentais, et de toute façon jamais je n'aurais pu desserrer mes dents.

« Lorsque tu t'impatientes, tourne-toi simplement vers ta gauche et demandes un conseil à la mort. Tout ce qui n'est que mesquineries s'oublie à l'instant où la mort s'avance vers toi, ou quand tu l'aperçois d'un coup d'œil, ou seulement quand tu as l'impression que ce compagnon est là, t'observant sans cesse. »

Il se pencha à nouveau vers moi pour me confier à mi-voix que si je me tournais à son signal je pourrais une fois encore voir ma mort sur le rocher.

Des yeux il lança un signe presque imperceptible, mais je n'osai bouger.

Je lui lâchai d'un trait que je croyais sans peine tout ce qu'il avançait, et qu'il n'avait pas besoin d'insister car j'étais terrifié. Un rire tonitruant jaillit du tréfonds de son ventre.

« Tu es bourré de saloperies! s'exclama-t-il. La mort est le seul conseiller valable que nous ayons. Chaque fois que tu crois — et pour toi c'est permanent — que tout va mal et que tu vas être détruit, alors tourne-toi vers ta mort et demande-lui si tu as raison. Ta mort te dira que tu as tort, que rien n'est important à l'exception de son contact. Et ta mort ajoutera : je ne t'ai pas encore touché. »

Il secoua sa tête, il semblait attendre une réponse. Elle ne vint pas. Mes pensées volaient à ras de terre. Il venait de porter un coup sérieux à mon amour-propre. A la lumière de ma mort, être ennuyé par sa présence apparaissait comme une monstrueuse petitesse de ma part.

Je sentais qu'il était parfaitement conscient de mon changement d'humeur. Il avait tourné le vent en sa faveur. Il sourit et se mit à fredonner un air mexicain.

« Oui, dit-il après un long silence, l'un de nous deux doit changer, et très vite. L'un de nous deux doit apprendre que la mort est le chasseur, et qu'elle est toujours à sa gauche. L'un de nous deux doit demander à la mort de le conseiller et laisser tomber toutes les mesquineries courantes des hommes qui vivent leur vie comme si la mort n'allait jamais les toucher. »

Une heure s'écoula en silence, puis nous reprîmes notre marche. Nous déambulâmes pendant plusieurs heures dans le désert. Je ne le questionnai pas sur la raison de cette errance, elle importait peu. D'une certaine manière il m'avait permis de retrouver une sensation de mon passé, quelque chose de presque totalement oublié : le simple plaisir d'errer sans y attacher un quelconque but intellectuel.

J'aurais bien voulu qu'il me laisse jeter un coup d'œil sur ce que j'avais entrevu perché sur le rocher.

« Laissez-moi voir cette ombre une fois de plus.

— C'est de ta mort que tu parles, n'est-ce pas? », répondit-il avec une nuance d'ironie dans la voix.

Pendant un instant je n'osai dire le mot.

« Oui. Laissez-moi voir ma mort une fois de plus.

— Pas maintenant, tu es trop solide.

— Qu'est-ce à dire? »

Il se mit à rire, et pour une raison inconnue son rire avait perdu ce caractère agressif et insidieux qui m'avait tant irrité peu auparavant. Ce rire ne différait vraiment pas de l'autre que ce soit par le son, l'intensité, ou la nature. La nouveauté, c'était mon humeur. Le fait de considérer l'imminence de ma mort rendaient absurdes mes peurs et mes soucis.

« Alors laissez-moi parler aux plantes », proposai-je.

Il éclata de rire.

« Maintenant tu es trop décidé. Tu vas d'un extrême à l'autre. Calme-toi. Sauf si tu veux savoir leurs secrets il est inutile de parler aux plantes, et pour cela tu dois faire preuve de l'intention la plus inflexible. Économise tes bonnes résolutions. D'ailleurs tu n'as pas besoin de voir ta mort. Il suffit que tu sentes sa présence autour de toi. »

5

Assumer une totale responsabilité

Mardi 11 avril 1961

J'arrivai chez don Juan tôt le dimanche matin 9 avril.

« Bonjour, don Juan, vous revoir me fait bien plaisir. »

Il me regarda et rit aux anges. Venu à ma rencontre pendant que je garais ma voiture, il en maintenait la porte ouverte tandis que j'en sortais les provisions achetées pour lui.

Lentement nous allâmes à sa maison, puis nous nous assîmes à côté de la porte.

C'était la première fois que j'arrivais chez lui en sachant pertinemment ce que je venais y faire. Avant de revenir sur le « terrain » j'avais attendu impatiemment pendant trois mois. Un peu comme si une bombe à retardement placée dans ma tête avait explosé, je m'étais soudain souvenu de quelque chose de transcendantal : une fois dans ma vie j'avais été extrêmement patient et remarquablement efficace.

Avant qu'il n'ait eu la chance d'ouvrir la bouche, je lui lançai la question qui me tourmentait. Trois mois durant le souvenir du faucon blanc m'avait obsédé. Mais comment connaissait-il l'existence de cet oiseau alors que je l'avais moi-même oubliée?

Il se mit à rire mais ne répondit pas. Je le priai de satisfaire ma curiosité.

« Ça n'est rien, dit-il avec son habituelle assurance. N'importe qui pourrait te dire que tu es un petit peu étrange. Tu es simplement engourdi, c'est tout. »

Une fois de plus j'eus l'impression qu'il me désarçonnait et me repoussait dans un coin où je n'avais aucune envie d'aller.

« Est-il possible de voir sa mort? demandai-je afin de reprendre les rênes en main.

— Bien sûr, dit-il en riant. Elle est là, avec nous.

— Comment le savez-vous?

— Je suis un vieil homme et avec l'âge on apprend toutes sortes de choses.

— Je connais des tas de personnes âgées, mais jamais elles n'ont appris cela. Alors, pourquoi vous?

— Eh bien, disons que je connais toutes sortes de choses parce que je n'ai pas d'histoire personnelle; et parce que je ne me sens pas plus important que n'importe quoi d'autre; et parce que ma mort est assise avec moi, là. »

Il tendit son bras gauche et bougea des doigts comme s'il caressait quelque chose.

Je ris. Maintenant je savais où il m'entraînait. Une fois de plus le vieux malin allait m'assener un coup, sans doute à propos de ma propre importance; mais je ne lui en voulais pas. Savoir que j'avais autrefois possédé une remarquable patience me remplissait d'une étrange et douce euphorie qui fondait mes sensations de nervosité et d'hostilité envers don Juan pour faire place à une impression d'émerveillement illimité à l'égard de ses actes.

« Sincèrement, qui êtes-vous? demandai-je. »

Il sembla surpris. Ses yeux s'agrandirent énormément et il les cligna à la façon d'un oiseau, c'est-à-dire en fermant ses paupières jusqu'à ne laisser qu'une étroite fente ouverte; puis elles descendirent, remontèrent sans que son regard change. Je sursautai et reculai. Il éclata de rire avec l'aisance et l'abandon d'un enfant.

« Pour toi je reste Juan Matus, à ton service », dit-il avec une politesse excessive.

Je ne pus m'empêcher de poser mon autre question.

« Lors de notre première rencontre, que m'aviez-vous fait? »

Je faisais allusion à ce surprenant regard par lequel il m'avait subjugué.

« Moi? Rien du tout », répondit-il d'un ton de parfaite innocence.

Je lui décrivis ce que j'avais ressenti alors et combien la sensation d'avoir la bouche cousue par ce regard m'avait paru étrange.

Il rit tant que des larmes roulèrent sur ses joues. A nouveau je m'insurgeai car je croyais être sérieux et attentif alors qu'avec ses manières rudes il s'avérait tellement « indien ». Il saisit sans doute mon changement d'humeur, car d'un seul coup il cessa de rire.

Après de longues hésitations je lui confiai l'irritation que son rire m'avait donnée pendant que je m'efforçai sérieusement de comprendre ce qui m'arrivait.

« Il n'y a rien à comprendre », rétorqua-t-il.

Je me lançai dans une récapitulation de tout ce qui, depuis notre première rencontre, semblait pour le moins inhabituel; du regard mystérieux posé sur moi en passant par l'évocation du faucon albinos jusqu'à voir cette ombre sur le rocher où il avait prétendu voir ma mort.

« Pourquoi me faites-vous tout cela? », dis-je sans la moindre agressivité. J'étais seulement curieux de savoir ce qui me valait d'être le sujet de ces événements.

« Tu m'as demandé de t'enseigner ce que je sais des plantes, dit-il d'un ton sarcastique, un peu comme s'il se moquait de moi.

— Mais, rien de ce que vous m'avez dit ne concerne les plantes. »

Il répondit que ce genre d'étude prenait beaucoup de temps.

Il était inutile de discuter avec lui, j'en restais convaincu et l'imbécillité des décisions absurdes que j'avais prises me frappa. Chez moi j'avais décidé de ne jamais perdre mon sang-froid, de ne jamais m'emporter contre don Juan. En fait, dès l'instant où il me contredit je fus profondément irrité, et c'est cette impression de ne pas pouvoir réagir autrement qui me poussait à la colère.

« Pense à ta mort, intervint-il soudainement. Elle est à une longueur de bras. Elle peut te toucher à n'importe quel moment. Ainsi tu n'as vraiment pas de temps pour ces humeurs et ces pensées morveuses. Aucun de nous n'a de temps pour cela.

« Tu veux savoir ce que je t'ai fait lors de notre première rencontre? Je t'ai *vu* et j'ai *vu* que tu pensais que tu mentais. Mais tu ne mentais pas, pas vraiment. »

Ses explications, dus-je lui avouer, me troublaient encore plus. Il répliqua que c'était la raison pour laquelle il ne désirait pas expliquer ses actions; d'ailleurs les explications ne servaient à rien, seule comptait l'action, il fallait agir au lieu de parler.

Il déroula une natte de paille et s'allongea en posant un ballot sous sa tête en guise d'oreiller. Il s'installa confortablement et m'annonça que si je voulais vraiment apprendre ce qui touche aux plantes, il me fallait accomplir quelque chose de plus.

« Ce qui chez toi n'allait pas lorsque je t'ai *vu*, et ce qui maintenant ne va pas, est que tu n'aimes pas prendre la responsabilité de ce que tu fais », dit-il avec lenteur, comme pour me laisser le temps d'assimiler ses paroles.

« A la gare routière, pendant que tu me racontais tous ces bobards, tu savais parfaitement que tu mentais. Alors, pourquoi? »

Je lui rappelai que mon but avait été de trouver un « informateur de premier ordre » pour mon travail.

Il eut un sourire et se mit à fredonner un air mexicain.

« Lorsqu'un homme décide d'entreprendre quelque chose, il doit s'y engager jusqu'au bout, mais il doit avoir la pleine responsabilité de ce qu'il fait. Peu importe ce qu'il fait, il doit en tout premier lieu savoir pourquoi il le fait, et ensuite il lui faut accomplir ce que cela suppose sans jamais avoir le moindre doute, sans le moindre remords. »

Il me dévisageait. Je ne savais que dire. Enfin j'avançai une opinion, plutôt une protestation.

« C'est impossible, absolument impossible. »

Il voulut savoir pourquoi. Je répondis qu'idéalement c'était peut-être ce que tout homme pensait faire, mais qu'en pratique aucun moyen ne permettait d'éviter les doutes et les remords.

« Bien sûr qu'il en existe un, rétorqua-t-il avec cette conviction qui lui était particulière.

« Considère mon cas personnel, je n'éprouve ni doutes ni remords. Tout ce que j'accomplis, je le décide et j'en prends l'entière responsabilité. La plus simple des choses que j'entreprends, par exemple t'emmener pour une marche dans le désert, peut parfaitement signifier ma mort. La mort me traque. Par conséquent je n'ai ni le temps du doute ni celui du remords. Si je dois mourir parce que je t'ai conduit dans le désert, alors que je meure. Toi, à l'opposé, tu as l'impression d'être immortel, et les décisions d'un immortel peuvent s'annuler, être regrettées, faire l'objet du doute. Mon ami, dans un monde où la mort est un chasseur il n'y a de temps ni pour regret ni pour doute. Il y a seulement le temps de décider. »

En toute sincérité, je déclarai qu'à mon avis tout cela constituait un monde irréel puisqu'il n'existait qu'arbitrairement lorsqu'on adoptait une conduite idéale, tout en proclamant qu'il s'agissait de la seule direction à suivre.

Je citai mon père comme exemple. Sans cesse il me sermonnait sur les vertus d'un esprit sain dans un corps sain, et ajoutait que les jeunes garçons devaient en durcir leur corps en s'adonnant au travail et aux sports de compétition. Alors que j'avais huit ans il était encore un jeune homme de vingt-sept ans, et l'été il quittait la ville où il enseignait pour venir à la campagne, chez mon grand-père avec qui je vivais. Ce mois était pour moi un cauchemar. Voici une attitude de mon père qui illustre bien mon point de vue.

Dès son arrivée, il insistait pour que nous allions faire une longue marche côte à côte pendant laquelle il décidait de notre programme journalier pendant son séjour. Il débutait à six heures du matin par une séance de natation, et il fallait chaque soir mettre l'aiguille du réveil sur cinq heures et demie car à six heures sonnantes nous devions être dans l'eau. Le matin, il sautait du lit, mettait ses lunettes, allait à la fenêtre observer le temps.

Son monologue m'est resté en mémoire.

« Hum... Un peu nuageux aujourd'hui. Voyons, je vais m'allonger cinq minutes de plus. D'accord ! Cinq, pas une de plus. Seulement le temps de m'étirer pour me réveiller parfaitement. »

Et chaque fois, immanquablement, il se rendormait jusqu'à dix heures, parfois même jusqu'à midi.

Ce qui m'irritait surtout était son refus d'abandonner ses résolutions visiblement fantaisistes. Et chaque matin le rituel se répétait jusqu'au jour où en refusant de remonter le réveille-matin, je le vexai profondément.

« Ses résolutions n'avaient rien de fantaisiste, dit don Juan. Il ne savait pas comment sortir de son lit, c'est tout.

— Quoi qu'il en soit, je me suis toujours méfié de ce genre de résolutions irréelles.

— Qu'est-ce donc qu'une résolution réelle, dis-moi ? répliqua-t-il avec un sourire narquois.

— Si mon père s'était enfin convaincu qu'il ne devait pas décider de nager à six heures du matin, mais plutôt à trois heures de l'après-midi.

— Tes résolutions sont une insulte à l'esprit », dit-il avec le plus grand sérieux.

Dans sa voix je crus percevoir une certaine tristesse. Notre silence se prolongea longtemps. Le calme m'était revenu. Je pensais à mon père.

« Il ne voulait pas aller nager à trois heures de l'après-midi. Ne t'en rends-tu pas compte ? »

Ses mots me firent sursauter. Je répliquai que mon père était un homme faible, à l'image de son monde d'actes parfaits jamais accomplis. Je criai plus que je ne parlai.

Don Juan demeura silencieux. Il hocha la tête rythmiquement. La tristesse me submergea, comme chaque fois que je pensais à mon père.

« Tu penses que tu étais plus fort que lui, n'est-ce pas ? »

Je répondis par l'affirmative et je lui confiai les troubles émotionnels que m'avait causés mon père. Il m'interrompit :

« Ton père était-il méchant avec toi ?

— Non.

— Était-il mesquin ?

— Non.

— Faisait-il pour toi tout ce qu'il pouvait?

— Oui.

— Alors, qu'est-ce qui n'allait pas avec lui? »

A nouveau je criai qu'il était faible, mais je me repris et baissai la voix. L'interrogatoire de don Juan me semblait assez comique.

« Pourquoi tout cela? intervins-je. Nous devions parler des plantes. »

Plus que jamais, je me sentis embarrassé et découragé. Je précisai qu'il n'avait ni le droit ni les qualifications requises pour juger de ma conduite. Il fut pris d'un de ses formidables rires issus, me semblait-il, de ses entrailles mêmes.

« Chaque fois que tu es en colère, tu te sens vertueux. Pas vrai? », s'exclama-t-il en clignant les yeux à la façon d'un oiseau.

Il avait raison. Je croyais toujours ma colère justifiée.

« Ne parlons plus de mon père, dis-je en feignant de revenir à la bonne humeur. Parlons plutôt des plantes.

— Non. Parlons de ton père. C'est par là qu'il faut commencer. Si tu crois que tu étais plus fort que lui, pourquoi n'es-tu jamais allé nager à sa place, à six heures du matin? »

Je lui déclarai que je ne pouvais prendre au sérieux sa proposition. Aller nager à six heures du matin avait été la lubie de mon père, pas la mienne.

« Dès l'instant où tu en avais accepté l'idée, c'était aussi la tienne », rétorqua-t-il sèchement.

Je dis que je n'avais jamais accepté cette idée, mais que j'avais toujours su mon père peu conséquent avec lui-même. Il voulut savoir pourquoi je n'avais jamais exprimé ma position de vive voix.

« On ne peut pas dire à son propre père de telles choses, dis-je en guise d'excuse.

— Et pourquoi pas?

— Chez moi, jamais on ne l'aurait fait, c'est tout.

— Chez toi, tu as fait bien pire, déclara-t-il tel un juge au prétoire. La seule chose que tu n'as jamais entreprise, c'est de polir ton esprit. »

Ses mots possédaient une telle charge dévastatrice qu'ils s'incrustèrent profondément en moi. Toutes mes défenses s'en trouvèrent neutralisées. Je ne parvenais pas à discuter avec lui. Mon seul refuge était de prendre des notes.

Malgré cela j'osai me lancer dans une dernière explication, pourtant bien fragile. Ma vie durant, expliquai-je, j'avais rencontré des gens comme mon père, des gens qui comme lui m'entraînaient dans leurs projets; et la plupart du temps ils m'avaient laissé tomber en route.

« Tu te plains, dit-il gentiment. Toute ta vie tu t'es plaint, ceci parce que tu n'as jamais assumé l'entière responsabilité de tes décisions. Si tu t'étais chargé de l'idée de ton père, nager à six heures du matin, tu serais allé nager, seul au besoin. Ou sinon, tu lui aurais dit d'aller se faire pendre, dès la première fois puisque tu le connaissais si bien. Par conséquent tu es aussi faible que ton père.

« Prendre la responsabilité des décisions d'un autre, c'est être prêt à mourir pour elles.

— Un moment, un moment ! Vous renversez les rôles. »

Il ne me laissa pas terminer. J'aurais voulu lui dire que l'attitude de mon père m'avait servi d'exemple quant à une façon irréelle d'agir et que, dans ce cas particulier, pas une seule personne n'accepterait de mourir pour quelque chose d'aussi absurde.

« Peu importe la décision, reprit-il. Rien n'est plus sérieux ni moins sérieux que n'importe quoi d'autre. Ne t'en rends-tu pas compte ? Dans un monde où la mort est le chasseur, il n'y a ni grande ni petite décision. Il n'y a que des décisions prises devant notre inévitable mort. »

Je n'avais rien à dire. Une heure s'écoula. Bien que parfaitement éveillé don Juan reposait absolument immobile sur sa natte.

« Don Juan, pourquoi me dire tout cela ? Pourquoi me faites-vous subir tout cela ?

— Tu vins vers moi, déclara-t-il. Non, ce n'est pas vrai, tu as été guidé vers moi. Et j'ai eu un geste envers toi.

— Je ne comprends pas.

— Tu aurais pu faire un geste envers ton père en allant nager pour lui, mais tu n'en as rien fait peut-être parce que tu étais trop jeune. Ma vie est plus longue que la tienne. Tout y a été mené à sa fin. Dans ma vie être pressé n'existe pas, donc je peux parfaitement accomplir un geste envers toi. »

L'après-midi nous allâmes marcher dans le désert. Je le suivis sans peine, et à nouveau ses prodigieuses capacités physiques m'émerveillèrent. Il marchait avec tellement d'aisance et de sûreté qu'à son côté j'avais l'impression d'être un petit enfant. Nous avancions vers l'est. Je me rendis compte qu'il n'aimait pas parler en marchant, et lorsque je le questionnais il s'arrêtait pour me répondre.

Deux heures plus tard nous arrivâmes au pied d'une butte.

Il s'assit et me fit signe de l'imiter. Puis d'un ton à la fois moqueur et dramatique il annonça qu'il allait me raconter une histoire.

Il était une fois, commença-t-il, un jeune homme, un Indien sans ressources, qui vivait chez les Blancs, dans une ville. Il n'avait ni maison, ni parents, ni amis. Il était venu à la ville chercher fortune, et n'y avait trouvé que peine et misère. En travaillant comme une mule il arrivait parfois à gagner un peu d'argent, à peine assez pour avoir de quoi manger; sinon il lui fallait mendier ou voler sa nourriture.

Un jour ce jeune homme alla au marché. Hagard il arpentait la rue de haut en bas, affolé par toutes les bonnes choses étalées partout. Il était tellement excité qu'il ne regardait plus où il marchait; ainsi il renversa des paniers et trébucha sur un vieillard.

Ce dernier portait quatre énormes gourdes, et il venait de s'asseoir pour se reposer et manger. Avec un sourire de connivence don Juan précisa que le vieillard fut bien étonné de rencontrer le jeune homme de manière aussi fortuite, mais que ce dérangement ne l'irrita pas, car il était curieux de savoir pourquoi ce jeune homme avait trébuché sur lui. Le jeune homme, lui, éclata de colère et maugréa que le vieux n'aurait pas dû se trouver sur son chemin. La raison ultime de leur rencontre ne le concernait absolument pas, il ne pouvait même pas se rendre compte que leurs chemins venaient de se croiser.

Don Juan imita quelqu'un qui poursuit un objet roulant au sol. Puis il dit que sous l'effet du choc les gourdes du vieillard avaient roulé le long de la ruelle. En les voyant le jeune homme crut avoir enfin trouvé à manger. Il aida le vieillard et insista pour porter les gourdes. Le vieillard dit qu'il s'en allait chez lui dans les montagnes; le jeune homme s'offrit pour l'accompagner ne fût-ce que sur une partie du chemin.

Le vieillard s'engagea dans le sentier qui conduisait vers les montagnes et tout en marchant partagea avec son compagnon une partie de la nourriture qu'il venait d'acheter au marché. Le jeune homme se remplit la panse, et une fois repu réalisa que ces gourdes semblaient vraiment lourdes. Il les tint solidement.

Don Juan ouvrit ses yeux tout grands et eut un sourire malicieux en racontant que le jeune homme demanda : « Que portez-vous donc dans ces gourdes? » Le vieillard ne répondit pas, mais déclara qu'il allait lui donner la chance de rencontrer un compagnon ou un ami qui pourrait l'aider à adoucir ses misères et qui lui ferait acquérir la sagesse et la connaissance des choses du monde.

D'un geste majestueux des deux mains don Juan montra comment le vieillard fit venir le plus beau cerf qu'il fût jamais donné de voir au jeune homme. Ce cerf était si confiant qu'il s'approcha et tourna autour de lui. Il resplendissait. Le jeune homme fut subjugué, et comprit sur-le-champ qu'il s'agissait d'un « esprit-cerf ». Le vieillard lui confia que s'il désirait cet ami et sa sagesse, il n'avait qu'à poser les gourdes.

Le visage de don Juan exprima l'ambition. Il dit que les mauvais désirs du jeune homme furent aiguillonnés par ces mots. Il posa la question du jeune homme tout en rétrécissant ses yeux qui laissèrent passer une lueur diabolique : « Qu'y a-t-il dans ces gourdes? »

Don Juan dit que le vieillard répondit calmement qu'il les avait remplies avec la nourriture qu'il transportait, des graines de pin et de l'eau. Puis il interrompit son récit et à plusieurs reprises fit un cercle en marchant; je ne compris pas ce que cela signifiait, c'était apparemment une partie de l'histoire. Le cercle semblait exprimer les délibérations silencieuses du jeune homme.

Bien sûr, reprit don Juan, le jeune homme n'en croyait pas un mot. Il réfléchit que si le vieillard, qui était manifestement un sage, était prêt à donner son « esprit-cerf » au lieu de ses gourdes, c'était bien parce que ces dernières contenaient un pouvoir incommensurable.

Il fit une grimace diabolique puis raconta que le jeune homme déclara vouloir les gourdes.

Un long silence suivit. Je crus l'histoire terminée. Don Juan se tenait coi, mais je sentais qu'il attendait ma question :

« Qu'est-il advenu de ce jeune homme?

— Il a pris les gourdes », répondit-il avec un sourire satisfait.

A nouveau un long silence. Je me mis à rire. A mon avis, il s'agissait d'une vraie « histoire indienne ».

Les yeux de don Juan brillaient. Il me sourit. Un air d'innocence émanait de lui. Il eut quelques faibles éclats de rire, puis me demanda :

« N'as-tu pas envie de savoir ce qu'il y avait dans ces gourdes?

— Évidemment. Je croyais l'histoire terminée.

— Oh non! dit-il avec une lueur espiègle dans les yeux. Le jeune homme saisit les gourdes et partit en courant à la recherche d'un endroit isolé où les ouvrir.

— Que contenaient-elles? »

Don Juan me lança un regard et j'eus l'impression qu'il savait ce que j'avais en tête. Il opina du chef et rit sous cape.

« Et alors, le pressai-je, étaient-elles vides?

— Dans les gourdes il n'y avait que de l'eau et de la nourriture. Le jeune homme, aveuglé de rage, les lança contre les rochers où elles éclatèrent. »

Je lui fis remarquer qu'une telle réaction semblait parfaitement normale, n'importe qui aurait agi de même.

Don Juan rétorqua que ce jeune homme était un imbécile qui ignorait ce qu'il cherchait. Il ne savait pas ce qu'un « pouvoir » pouvait être, et par conséquent il lui était impossible de se rendre compte s'il en avait trouvé un ou non. Il ne prenait pas l'entière responsabilité de son choix, donc sa gaffe le poussait à la rage. Il avait espéré acquérir quelque chose et n'avait rien eu. Si j'avais été ce jeune homme, précisa don Juan, et si je m'étais laissé aller à mon penchant naturel, j'aurais aussi terminé par la colère et les regrets, et sans aucun doute durant ma vie tout entière je me serais lamenté d'avoir ainsi tout perdu.

Puis il enchaîna pour expliquer la conduite du vieillard. Intelligemment, il avait nourri le jeune homme jusqu'à lui donner l' « audace de la panse pleine », ce pourquoi le jeune homme détruisit les gourdes lorsqu'il les découvrit pleines de nourriture seulement.

« Si dans son choix il avait été pleinement conscient et responsable, il aurait pris cette nourriture et cela l'aurait plus que satisfait. Peut-être ainsi se serait-il rendu compte que la nourriture c'est aussi du pouvoir. »

6

Devenir chasseur

Aussitôt assis, j'assaillis don Juan de mes questions. Il ne répondit pas et d'un geste impatient de la main m'ordonna le silence. Il semblait ne pas être d'humeur à plaisanter.

« Je pensais au fait que depuis le jour où tu as essayé d'apprendre ce qui concerne les plantes tu n'as pas changé du tout, dit-il d'un ton accusateur. »

A haute voix il énuméra tous les changements de personnalité qu'il me recommandait d'entreprendre. Je lui déclarai avoir très sérieusement envisagé la question et aussi découvert l'impossibilité d'adopter ces changements puisque tous allaient à l'encontre de ma nature. Il répliqua qu'il ne suffisait pas de les étudier et que tout cela ne constituait en aucun cas une plaisanterie. J'insistai sur le fait que bien qu'ayant peu fait pour modifier ma vie personnelle selon ses idées, je désirais sincèrement apprendre l'usage des plantes.

Après un long silence tendu, je jetai :

« M'apprendrez-vous ce qui touche au peyotl? »

Il précisa que mes intentions, mes intentions seules, ne suffisaient pas, et que connaître le peyotl — pour la première fois il le nomma *Mescalito* — était une affaire des plus sérieuses.

Malgré cela le soir même il me soumit à un test, il me posa un problème sans me donner le moindre indice directeur : il s'agissait de trouver un lieu bénéfique, une « place », dans l'aire du porche d'entrée où nous allions toujours nous asseoir pour discuter, un endroit où, selon lui je devais me trouver parfaitement heureux et régénéré. Pendant cette nuit, tout en cherchant cette « place » en me roulant par terre

dans tous les sens, je remarquai par deux fois un changement de colo-
ration à la surface du porche de terre battue noire.

Cette recherche m'avait épuisé et je m'endormis sur un de ces
endroits où j'avais décelé le changement de couleur. Au matin, don Juan
me réveilla pour m'annoncer le succès de l'expérience, j'avais découvert
ma place bénéfique et de plus son contraire, une place néfaste ou enne-
mie, ainsi que les couleurs associées à ces qualités.

Samedi 24 juin 1961

Très tôt nous partîmes dans le désert qui s'étendait autour de sa
maison. Tout en marchant, don Juan m'expliqua combien il était
important pour un homme vivant dans le milieu naturel de savoir
découvrir si un endroit était « bénéfique » ou « ennemi ». Je tentai de
dévier la conversation sur le peyotl, mais il refusa sèchement. Il me
recommanda de ne jamais en faire mention, sauf s'il abordait lui-même
le sujet.

Nous nous assîmes à l'ombre de hauts arbustes, dans une zone
d'épaisse végétation. Autour de nous la broussaille désertique n'avait
pas encore entièrement séché. Il faisait très chaud, les mouches m'aga-
çaient, mais, bizarrement, ne semblaient pas l'importuner. J'étais en
train de me demander s'il les ignorait sciemment, lorsque je remarquai
qu'elles ne se posaient jamais sur son visage.

« Parfois il est indispensable de découvrir d'urgence une place
bénéfique, reprit-il. Ou peut-être est-il nécessaire de se rendre compte
rapidement si l'endroit où l'on va s'arrêter est mauvais. Un jour nous
nous sommes assis près d'une colline et tu t'es fâché. Cet endroit-là
était ton ennemi. Souviens-toi, un petit corbeau t'avait prévenu. »

Je me souvenais de l'insistance avec laquelle il m'avait enjoint
d'éviter à l'avenir cet endroit. Cependant c'est parce qu'il ne m'avait
pas laissé rire que je m'étais mis en colère.

« J'ai cru alors que ce corbeau volant au-dessus de nous était un
présage uniquement à mon intention, continua-t-il. Jamais je n'aurais
pu supposer que les corbeaux étaient aussi tes amis.

— De quoi parlez-vous donc?

— Le corbeau a été un présage. Si tu connaissais les corbeaux
tu aurais évité cet endroit pire que la peste. Cependant il n'y a pas
toujours un corbeau pour te prévenir, et c'est la raison pour laquelle
tu dois apprendre à trouver toi-même un lieu ou un camp adéquat
pour t'y reposer. »

Un silence se prolongea. Tout à coup il se tourna vers moi et déclara que pour trouver la place bénéfique il suffisait de croiser les yeux. Il me fit un signe complice et d'un ton confidentiel m'informa que c'était précisément ce que j'avais fait pendant que je me roulais par terre sur son porche, et que cela m'avait permis de découvrir les deux lieux et leurs couleurs respectives. Il avoua être impressionné par ma réussite.

« Sincèrement, j'ignore ce que j'ai fait, dis-je.

— Tu as croisé les yeux, insista-t-il. Voilà le moyen. Tu as appliqué cette technique; seulement tu ne t'en souviens plus. »

Il se lança dans la description de cette technique qui, précisa-t-il, ne se maîtrisait pas en moins de deux ans et consistait à forcer graduellement les yeux à voir séparément la même image. La divergence permettait une double perception du monde, et c'est cette perception qui, d'après lui, donnait la possibilité d'apprécier des changements dans le milieu environnant qui restaient imperceptibles à la vision normale.

Il m'incita vivement à essayer en certifiant que cet exercice ne pouvait nuire en rien à mes yeux. Au début, expliqua-t-il, je devais jeter de rapides coups d'œil comme des regards en coin. Il désigna un gros buisson et me montra comment procéder. Ses yeux ressemblaient à ceux d'un animal sournois qui ne pourrait pas regarder en face.

Pendant une heure, tout en marchant, je tentai de ne pas diriger mon regard sur un point précis. Puis don Juan me conseilla de commencer à séparer les images perçues par chaque œil. Je dus cesser à cause d'un terrible mal de tête.

« Te sens-tu capable de nous trouver un " endroit adéquat "? » demanda-t-il.

Les critères définissant un « endroit adéquat » me manquaient. Il expliqua patiemment que regarder par de rapides coups d'œil donnait aux yeux la possibilité de saisir des vues inhabituelles.

« De quelle genre? intervins-je.

— A proprement parler, il ne s'agit pas de vues. Plutôt des sensations. En regardant un buisson ou un arbre ou un rocher où l'on veut s'arrêter, les yeux peuvent te faire sentir si cet endroit est ou non le meilleur pour s'y reposer. »

Je lui demandai de décrire ces sensations, mais soit il ne pouvait les exprimer soit il ne désirait pas le faire. Il me dit seulement de m'entraîner en choisissant un endroit; il me signalerait si mes yeux travaillaient efficacement ou non.

Il y eut bien un moment où je perçus ce qui me sembla être un galet réfléchissant de la lumière, galet que je n'arrivais plus à voir lorsque je concentrais mon regard dans sa direction, mais qui me devenait visible lorsque je balayais l'endroit de rapides coups d'œil. Alors j'apercevais un faible scintillement. Je désignai l'endroit à don Juan, au milieu d'un replat sans végétation et sans ombre. Avant de me demander pourquoi j'avais choisi cet endroit, il fut pris d'un rire tonitruant. Je lui expliquai que j'avais vu un scintillement.

« Peu importe ce que tu vois. Tu pourrais même voir un éléphant. L'important est ce que tu sens. »

Je ne ressentais absolument rien. Il me lança un regard mystérieux puis déclara qu'il souhaiterait me faire plaisir en restant en ma compagnie, mais qu'il allait s'asseoir ailleurs pendant que je ferais l'expérience de l'endroit détecté.

A deux mètres de moi, il m'observait. Je m'assis. Quelques minutes plus tard il éclata de rire. Son rire me mettait les nerfs à fleur de peau. J'eus l'impression qu'il se moquait de moi et cela m'irrita. Je me demandai ce que je pouvais bien faire là dans le désert, car, à tout prendre, il y avait sans aucun doute quelque chose qui ne marchait pas dans ce que j'avais entrepris de faire avec don Juan. Je n'étais plus qu'un pion entre ses mains.

Soudain il se précipita dans ma direction, me saisit par le bras et me traîna trois ou quatre mètres plus loin. Il m'aida à me relever puis, du revers de la main, essuya les gouttelettes de sueur qui couvraient son front.

Je me rendis compte qu'il paraissait exténué. Il me tapota le dos et me confia que j'avais choisi la mauvaise place et qu'il avait dû venir à mon secours à toute vitesse lorsqu'il avait vu que la place où j'étais assis allait entièrement dominer mes sensations. Je ne pus m'empêcher de rire. Le spectacle avait été vraiment comique. Il avait couru comme un jeune homme, ses pieds se déplaçant comme s'ils agrippaient la terre rouge du désert de manière à le propulser vers moi. Je l'avais vu rire, et la seconde suivante il me traînait par le bras.

Peu après il insista pour que je recommence à chercher un endroit adéquat pour nous y reposer. Nous marchâmes longtemps, mais je ne vis ni ne sentis rien de particulier. Plus détendu il est possible que j'aurais vu ou senti, mais au moins je n'éprouvais plus de colère à son égard.

« Ne sois pas déçu, dit-il. Pour entraîner correctement les yeux il faut beaucoup de temps. »

Je n'avais rien à dire. Comment être déçu par ce qu'on ne comprend même pas? Cependant je devais admettre qu'à trois reprises la colère ou l'énervement m'avait dominé au point d'en être malade lorsque j'étais assis à des endroits qu'il caractérisa de mauvais pour moi.

« L'astuce, c'est de sentir avec tes yeux. Ton problème vient de ce que tu ignores ce qu'il faut sentir. Ça viendra quand même, en t'entraînant.

— Don Juan, ne devriez-vous pas me préciser ce que je dois sentir?

— Impossible.

— Pourquoi?

— Personne ne peut savoir ce que tu dois sentir. Ça n'est ni de la chaleur, ni de la lumière, ni une lueur, ni une couleur. C'est quelque chose d'autre.

— Pourriez-vous le décrire?

— Non. Je ne puis que t'en fournir la technique. Une fois que tu auras séparé les images, tu devras faire attention à la région entre les deux images. C'est là que tout changement digne d'être noté se produira.

— Quelle sorte de changement?

— Cela est sans importance. C'est la sensation qui compte. Chaque homme est différent. Aujourd'hui tu as vu un scintillement, mais sans signification car il manquait la sensation. Je ne peux pas te dire comment sentir. Tu dois l'apprendre toi-même. »

Nous nous reposâmes en silence. Il plaça son chapeau sur son visage et demeura immobile, comme endormi. Je m'absorbai dans la prise de notes et lorsqu'il remua je sursautai. Il s'assit promptement et me dévisagea en fronçant les sourcils.

« Tu as un don pour la chasse, et c'est ce que tu dois apprendre, la chasse. Nous ne parlerons plus jamais des plantes. »

Il gonfla ses joues et pendant un instant souffla, puis avec une feinte innocence reprit :

« Je ne crois pas que nous en ayons jamais parlé. Qu'en penses-tu? »

Et il éclata de rire.

Pendant le reste de la journée nous marchâmes dans toutes les directions sans but apparent, et il me fit des descriptions extraordinairement détaillées de la vie des crotales, de leur façon de gîter, de se déplacer, de leurs habitudes saisonnières, des particularités de leur conduite. Puis il corrobora chacun des points qu'il avait mentionnés et pour finir attrapa et tua un grand serpent. Il coupa la tête, vida les entrailles, retourna la peau et grilla la viande. Il y avait dans ses mouvements une telle grâce que c'était un vrai plaisir de l'observer. Comme subjugué par son magnétisme, je l'avais écouté avec tant d'intensité que pendant ce temps-là le reste du monde s'était pratiquement évanoui pour moi.

Manger le serpent à sonnettes fut un dur retour au monde ordinaire. J'eus envie de vomir en mâchant le premier morceau, mais le malaise s'avéra incongru, car la chair était délicieuse. Cependant mon estomac se comportait comme s'il était indépendant de moi : je parvenais à peine à avaler la viande. Don Juan riait tant que je crus qu'il allait mourir de rire.

Le repas terminé nous allâmes nous reposer à l'ombre de quelques rochers. Je me mis à travailler sur mes notes et pus me rendre compte alors de l'étonnante quantité d'informations que don Juan m'avait fournies sur les crotales.

« Ton esprit de chasseur te revient, dit-il tout à coup le visage extrêmement sérieux. Maintenant tu es accroché.

— Comment ? »

J'aurais voulu qu'il précise sa déclaration, surtout ce « tu es accroché ». Mais il la répéta en riant.

« Comment suis-je accroché ?

— Les chasseurs chasseront toujours, dit-il. Moi aussi je suis un chasseur.

— Voulez-vous dire que vous chassez pour vous nourrir ?

— Je chasse pour vivre. Je peux survivre n'importe où dans le milieu naturel. »

D'un geste de la main il désigna tout ce qui nous entourait.

« Être chasseur suppose que l'on connaisse beaucoup de choses, reprit-il. Cela suppose que l'on puisse voir le monde de plusieurs façons. Pour être chasseur il faut être en parfait accord avec tout le reste, sinon la chasse deviendrait une corvée sans intérêt. Par exemple aujourd'hui nous avons capturé un petit serpent. J'ai dû lui présenter mes excuses pour lui ôter la vie si soudainement et si définitivement. J'ai fait ce que j'ai fait en sachant que ma propre vie sera aussi un jour tranchée, de façon très semblable, soudainement et définitivement. Par conséquent, en tout et pour tout, hommes et serpents sont sur le même plan. Aujourd'hui l'un d'eux nous a nourris.

— Au temps où je chassais je n'ai jamais tenu compte de ces choses, dis-je.

— Ce n'est pas vrai. Tu ne t'es pas contenté de tuer des animaux, tu les as mangés avec ta famille. »

Il avait dit cela avec la conviction d'un témoin du fait, et bien sûr, il avait raison; mon gibier avait quelquefois approvisionné la table familiale.

Après quelques hésitations je lui demandai :

« Comment saviez-vous cela?

— Il y a des choses que je sais tout simplement. Cependant je ne peux pas te dire comment je les sais. »

Je lui racontai que mes oncles et mes tantes nommaient très sérieusement tous ces oiseaux des « faisans ».

Don Juan remarqua qu'il pouvait facilement les imaginer désignant une hirondelle comme « un petit faisan », et imita avec talent la façon dont il la mangeait. L'extraordinaire mouvement de ses mâchoires me donnait l'impression qu'il était vraiment en train de mâcher un oiseau d'une seule bouchée, chair et os en même temps.

« Sincèrement, je crois que tu as un flair pour la chasse, dit-il en me fixant. Et nous avons mordu au mauvais fruit. Peut-être que pour devenir chasseur tu seras plus enclin à changer ta vie. »

Il me rappela que, sans trop fournir d'efforts, j'avais découvert qu'il existait dans le monde de bons et de mauvais endroits, ainsi que les couleurs spécifiques qui leur sont associées.

« Ce qui signifie que tu as du flair pour la chasse. Rares sont ceux qui découvrent du premier coup leurs couleurs et leurs places. »

Être un chasseur semblait agréable, en quelque sorte romantique, mais à mon avis cela restait absurde puisque je n'avais pas la moindre envie de chasser.

« Tu n'as pas besoin d'avoir envie de chasser, ou même d'aimer chasser, rétorqua-t-il. Tu as une disposition naturelle. Je pense que les meilleurs chasseurs n'aiment jamais chasser, ils chassent bien, c'est tout. »

J'avais l'impression que don Juan parvenait toujours à se tirer d'affaire dans la discussion, et cela alors même qu'il prétendait ne pas aimer parler.

« C'est comme ce que je t'ai dit des chasseurs. Ce n'est pas que j'aie envie de parler. J'ai le flair pour cela et je le fais bien, c'est tout. »

Son agilité mentale m'amusait énormément.

« Les chasseurs doivent être des hommes exceptionnellement en possession d'eux-mêmes, continua-t-il. Ils laissent le moins de choses possible au hasard. Depuis le début j'ai tenté de te persuader de vivre d'une autre manière. Jusqu'à présent je n'ai pas réussi. Il n'y avait rien à quoi tu aurais pu t'accrocher. Maintenant, c'est différent. Je t'ai rendu ton vieil esprit de chasseur et peut-être qu'à travers cela tu changeras. »

Je me défendis de vouloir devenir un chasseur. Je lui remis en mémoire le fait qu'au début je n'avais eu que l'intention de l'entendre parler des plantes, et qu'il m'avait détourné de mon but à un point tel que je ne savais plus exactement si j'avais vraiment désiré apprendre ce qui concerne les plantes.

« Bien, c'est très bien, dit-il. Puisque tu ne sais pas exactement ce que tu veux, il y a une chance pour que tu deviennes un petit peu plus humble.

« Partons de ce point de vue. Dans tes projets il importe peu que tu apprennes ce qui touche aux plantes ou à chasser. Tu l'as toi-même avoué. Tu t'intéresses à tout ce que quelqu'un peut te raconter. N'est-ce pas vrai? »

C'est bien ce que je lui avais déclaré, en tentant de définir l'entreprise de l'anthropologue, du temps où je voulais en faire mon informateur.

Don Juan riait sous cape, manifestement conscient de dominer la situation.

« Je suis chasseur, dit-il comme s'il avait lu dans mes pensées. Je laisse bien peu de choses au hasard. Sans doute faut-il que je te précise que j'ai appris à être chasseur; je n'ai pas toujours aimé ce que je fais maintenant. Il y a eu dans ma vie un moment où il a fallu que je change. Aujourd'hui je te montre la direction, je te guide. Je connais parfaitement ce dont je parle, quelqu'un m'a appris tout cela. Je ne l'ai pas échafaudé par moi-même.

— Voulez-vous dire que vous avez eu un maître?

— Disons que quelqu'un m'a enseigné la chasse comme maintenant je veux te l'enseigner », répondit-il, et immédiatement il changea de sujet de conversation.

« Je pense qu'il fut un temps où chasser était une des plus importantes activités qu'un homme puisse accomplir. Tous les chasseurs étaient des hommes puissants. En fait, pour supporter les rigueurs d'une telle vie, un chasseur devait en tout premier lieu être puissant. »

Soudain la curiosité me gagna. Faisait-il allusion à une époque pré-espagnole?

« De quelle époque parlez-vous?

— D'une fois.

— Quand? Que veut dire ce " une fois "?

— Il veut dire une fois, ou peut-être signifie-t-il maintenant, aujourd'hui, cela n'a aucune importance. Il y eut un temps où tout le monde savait qu'un chasseur était le meilleur des hommes. De nos jours, tous les hommes ne le savent pas, mais il en a assez qui le savent. Je sais qu'un jour tu seras un de ceux-là. Comprends-tu?

— Les Indiens Yaquis ont-ils cette opinion sur les chasseurs? C'est ce que je désire savoir.

— Pas nécessairement.

— Et les Indiens Pimas?

— Pas tous. Mais certains. »

Je citai plusieurs groupes locaux. J'aurais voulu l'entendre déclarer que la chasse constituait une croyance et une pratique partagées par un ensemble particulier de gens. Mais il évitait habilement de me répondre. Je changeai de sujet.

« Pourquoi faites-vous tout ça pour moi? »

Il ôta son chapeau et se gratta les tempes dans un geste de feinte perplexité.

« Je fais un geste pour toi, dit-il doucement. D'autres ont eu envers moi de semblables gestes. Un jour tu auras toi-même de tels gestes pour d'autres. Disons que c'est mon tour. Un jour j'ai découvert que si je voulais être un chasseur qui se respecte, il fallait que je change ma manière de vivre. Auparavant je geignais et me plaignais en permanence. J'avais toujours de bonnes raisons de me croire lésé. Je suis indien et on traite les Indiens comme des chiens. A cela, je ne pouvais rien changer, par conséquent il ne me restait que ma tristesse et mon chagrin. Mais alors ma bonne chance m'a épargné et quelqu'un m'a appris à chasser. Je me suis rendu compte que ma manière de vivre ne valait pas la peine d'être vécue... donc je l'ai changée.

— Mais, don Juan, je suis heureux dans ma peau. Pourquoi changer de vie? »

D'une voix douce il entonna une chanson mexicaine, puis il en fredonna l'air. Sa tête allait d'avant en arrière au rythme du chant.

« Penses-tu que nous soyons égaux, toi et moi? », demanda-t-il d'un ton tranchant.

Sa question me prenait au dépourvu. J'entendis un bourdonnement dans mes oreilles, comme s'il avait crié ces mots. Cependant sa voix contenait un son métallique qui résonnait dans mes oreilles.

Du petit doigt de la main gauche je fourrageai dans mon oreille gauche. Ayant des démangeaisons permanentes j'avais pris l'habitude d'user de mon petit doigt pour gratter le conduit, et ce mouvement devenait en fait une vibration de tout mon bras.

Don Juan m'observait avec une évidente fascination.

« Eh bien... sommes-nous égaux?

— Bien sûr que nous le sommes. »

Très naturellement j'étais condescendant. J'éprouvai pour lui beaucoup d'amitié, bien que parfois il fût insupportable, néanmoins je conservais bien au fond de moi-même la certitude, que pourtant je n'avais jamais exprimée, qu'un étudiant, donc un homme civilisé du monde occidental, restait supérieur à un Indien.

« Non, dit-il calmement. Nous ne le sommes pas.

— Et pourquoi? Il est évident que nous le sommes.

— Non, répliqua-t-il d'une voix douce. Je suis un chasseur et un guerrier; toi tu es un maquereau. »

J'en restai bouche bée. Je n'arrivais pas à croire ce qu'il venait de dire. Je laissai tomber mon carnet de notes et le regardai, abasourdi. Puis, naturellement, la fureur me gagna.

Il me regardait calmement, droit dans les yeux. J'évitais son regard. Alors il se mit à parler. Il prononçait clairement ses mots. Ils jaillissaient lentement mais mortellement. Il dit que je maquereautais pour quelqu'un d'autre, que je ne combattais pas mes propres combats mais ceux d'inconnus, que je ne désirais pas apprendre ce qui touche aux plantes, ni chasser, ni n'importe quoi d'autre, et que son monde d'actions précises, de sensations, de résolutions, était infiniment plus efficace que la stupide idiotie que je nommais « ma vie ».

J'étais interloqué. Il avait parlé sans agressivité et sans mépris, mais avec une telle puissance et un tel calme que je n'étais même plus en colère.

Un long silence suivit. Embarrassé à l'extrême, je ne savais que dire. J'attendais qu'il parle. Les heures passèrent. Graduellement il s'immobilisa jusqu'à ce que son corps acquière une rigidité étrange et presque effrayante. Sa silhouette ne se dégageait plus qu'à peine de la nuit environnante. Lorsque l'obscurité devint totale on eût dit qu'il s'était fondu dans la noirceur des rochers. Son immobilité était si totale qu'il semblait ne plus exister du tout.

Vers minuit je me rendis compte qu'il pourrait rester et resterait certainement immobile dans ce désert, peut-être pour l'éternité s'il le voulait. Sans aucun doute son monde, un monde d'actions précises, de sensations et de résolutions, se révélait remarquablement supérieur au mien.

Calmement je touchais son bras. Les larmes jaillirent de mes yeux.

7

Être inaccessible

Une fois de plus et comme chaque jour depuis près d'une semaine, don Juan m'émerveilla par sa connaissance détaillée et précise de la conduite d'un chasseur. Il expliqua puis mit en œuvre plusieurs techniques de chasse basées sur ce qu'il nommait les « astuces des perdrix ». La journée passa en un éclair tant il me captiva par ses explications. J'oubliai même de déjeuner, ce qui suscita de sa part des remarques taquines car je manquais rarement un repas.

Le soir venu, grâce à un piège des plus ingénieux qu'il m'apprit à construire, il avait capturé cinq perdrix.

« Deux suffisent », dit-il en relâchant les trois autres.

Il m'enseigna comment rôtir une perdrix. J'aurais voulu ramasser des branches et construire un four à la façon de mon grand-père, c'est-à-dire tapissé de feuilles et de branches vertes le tout scellé avec de la terre, mais don Juan déclara qu'il était inutile d'infliger des blessures aux buissons alors que nous avions déjà porté dommage aux perdrix.

Une fois les oiseaux mangés, nous allâmes lentement vers un groupe de rochers. Nous nous installâmes sur une pente de grès. En plaisantant je déclarai que s'il m'avait laissé faire, j'aurais préparé les cinq perdrix à ma façon, selon une recette bien meilleure que la sienne.

« C'est certain, dit-il. Mais alors il est possible que nous n'aurions jamais pu quitter cet endroit sans blessures.

— Que voulez-vous dire? Qui nous aurait attaqués?

— Les broussailles, les perdrix, tout ce qui nous entoure nous aurait assaillis.

— Je n'arrive jamais à savoir si vous êtes sérieux. »

Il eut un geste d'impatience, claqua des lèvres, puis déclara :

« Tu possèdes une notion vraiment particulière de ce que signifie parler sérieusement. Je ris souvent parce que j'aime rire, cependant tout ce que je dis est terriblement sérieux, même lorsque tu ne comprends pas. Pourquoi le monde serait-il tel que tu penses qu'il est? Qui t'a jamais donné le droit de prétendre une telle chose?

— Il n'existe aucune preuve qu'il soit différent. »

La nuit tombait. Je pensais qu'il était temps de rentrer chez lui, mais il ne semblait pas pressé et par ailleurs je me sentais pleinement satisfait.

Le vent avait fraîchi. Tout à coup don Juan se leva et me dit que nous devions aller au sommet de la colline et rester debout dans un endroit sans végétation.

« Ne t'inquiète pas, continua-t-il. Je suis ton ami et je veillerai à ce que ne t'arrive rien de mal.

— De quoi parlez-vous? » demandai-je avec appréhension.

Il avait l'art de me jeter de la manière la plus insidieuse d'un état de pure joie dans une vraie frayeur.

« A cette heure du jour, le monde est extrêmement étrange, déclara-t-il. Voilà ce que j'ai voulu dire. Peu importe ce que tu verras, n'aie pas peur.

— Que vais-je donc voir?

— Pour l'instant, je n'en sais rien », dit-il tout en regardant au loin vers le sud.

Il restait parfaitement calme. Je dirigeai mon regard dans la même direction.

Soudain il sursauta et de la main gauche me désigna une zone sombre dans les broussailles du désert.

« Le voilà, s'exclama-t-il comme s'il avait longtemps attendu cette apparition.

— Qu'est-ce donc?

— Le voilà, répéta-t-il. Regarde! Regarde! »

Je ne voyais rien d'autre que des buissons.

« Maintenant il est ici, dit-il d'une voix oppressée. Il est ici. »

A l'instant même une rafale de vent me frappa et me brûla les yeux. Je fixais la zone en question. Là, il n'y avait rien de particulier.

« Je ne vois rien, avouai-je.

— Tu viens de le sentir, répliqua-t-il. A l'instant. Il est entré dans tes yeux et t'a empêché de voir.

— Mais de quoi parlez-vous donc?

— Je t'ai conduit au sommet de la colline en pleine connaissance de cause car ici nous sommes placés en évidence et quelque chose s'avance vers nous.

— Quoi? Le vent?

— Non, pas simplement le vent, dit-il sèchement. Cela te semble le vent parce que tu ne connais que le vent. »

Je me fatiguais les yeux à scruter les broussailles du désert. Don Juan demeura silencieusement à mes côtés pendant un moment puis alla dans les buissons et arracha huit longues branches dont il fit un fagot. Il m'ordonna de l'imiter et de ne pas oublier de m'excuser à haute voix auprès des plantes que j'allais mutiler.

Les deux fagots rassemblés, il m'ordonna de les transporter en courant au sommet de la colline, puis de m'allonger par terre sur le dos, entre deux gros rochers. Avec une rapidité surprenante il mit les branches en place de façon à recouvrir mon corps tout entier, puis procéda de même pour lui. Au travers des feuilles il me murmura d'observer ce soi-disant vent qui allait cesser dès que nous serions cachés.

A ma grande surprise et ainsi qu'il l'avait prédit, le vent tomba très graduellement quelques instants plus tard au point que je ne m'en serais pas rendu compte si je n'avais pas été attentif. Pendant un moment le vent siffla à mes oreilles au travers des branches, puis peu à peu un silence parfait nous entoura.

En chuchotant je signalais à don Juan que le vent était tombé et toujours à voix basse il m'ordonna de ne faire ni un geste ni un bruit car ce que je nommais le vent n'était pas du vent mais quelque chose qui possédait une volonté propre et pouvait nous reconnaître.

Un rire nerveux me secoua.

Don Juan me fit remarquer le silence qui nous enveloppait. Il murmura qu'il allait se lever et que je devais le suivre en repoussant doucement les branches de la main gauche.

Nous nous levâmes de concert. Don Juan scruta le sud pendant un moment, et tout à coup se tourna vers l'ouest.

« Malin. Vraiment malin », marmonna-t-il en désignant du doigt une zone au sud-ouest.

« Regarde! Regarde! », m'ordonna-t-il.

Je regardai de toutes mes forces, je désirais vraiment voir ce dont il parlait. Mais en vain. Ou plutôt je ne vis rien que je n'eusse déjà vu auparavant, de simples broussailles ondulant sous un faible vent.

« Il est là », annonça-t-il.

Au moment même je sentis un souffle de vent sur mon visage. Il semblait avoir repris dès que nous nous étions relevés. Il devait y avoir une explication logique pour cette coïncidence.

Don Juan rit sous cape et me dit de ne pas me fatiguer les méninges
en essayant d'expliquer raisonnablement ce qui venait de se produire.

« Allons encore une fois ramasser des branchages. Je n'aime pas
faire ça aux petites plantes, mais il faut que nous le *stoppions*. »

Il réunit les branches dont nous avions fait usage et les recouvrit
de terre et de gravier. Puis, reprenant le rituel déjà observé, chacun de
nous cassa huit branches; pendant tout ce temps le vent souffla sans
arrêt, je le sentais me soulever les cheveux autour des oreilles. Don Juan
me chuchota de ne pas bouger, de ne pas parler une fois qu'il m'aurait
couvert. Ce qu'il fit rapidement avant de s'installer lui aussi.

Nous restâmes ainsi pendant environ vingt minutes, et pendant ce
temps le phénomène le plus extraordinaire se produisit : ce vent aux
soudaines et fortes rafales se transforma à nouveau en une douce vibration.

Je retenais mon souffle dans l'attente du signal de don Juan.
A un moment donné il écarta doucement les branches. Je l'imitai et
nous nous levâmes. Tout était tranquille. Il n'y eut plus qu'une douce et
légère vibration de feuilles dans les buissons qui nous entouraient.

Don Juan observait fixement une zone située au sud de nous.

« Le voilà encore », s'exclama-t-il à haute voix.

Involontairement je sursautai et tombai presque. D'un ton impératif il m'ordonna de voir.

« Mais que dois-je donc regarder? »

Il répondit que le vent ou quoi que ce soit était comme un nuage
ou un tourbillon qui sinuait bien au-dessus des broussailles vers le
sommet où nous étions.

« Le voilà, dit-il à mon oreille. Observe comme il nous cherche. »

Sur-le-champ un vent fort et constant souffla dans mon visage,
exactement comme la première fois. La terreur s'empara de moi. Je
n'avais pas vu ce que don Juan décrivait, mais bien aperçu une effrayante
ondulation qui agitait les buissons. Je tentai de reprendre mes esprits,
et cherchai désespérément une explication quelconque qui fût appropriée
à la situation. Peut-être y avait-il dans cet endroit des mouvements d'air
fréquents que don Juan, familier du lieu, connaissait très bien puisqu'il
était capable de les prévoir? Ainsi il lui suffisait de s'allonger, de compter
et d'attendre que le vent se calme; puis de se relever un peu avant la
reprise.

La voix de don Juan me tira de mes réflexions. Il me disait qu'il
était temps de partir. Je traînais car j'aurais voulu rester pour vérifier
que le vent allait se calmer.

« Don Juan, je n'ai rien vu.

— Tu as observé malgré tout quelque chose d'inhabituel.

— Peut-être devriez-vous me décrire une fois de plus ce que j'aurais dû voir.

— Je l'ai déjà fait, dit-il. Quelque chose qui se cache dans le vent et ressemble à un tourbillon, un nuage, une brume, un visage qui tourne sur lui-même. »

D'un geste des mains il évoqua un mouvement horizontal et vertical.

« Il se déplace dans une direction particulière. Il roule ou tourbillonne. Il faut que le chasseur sache tout cela pour bien choisir sa route. »

J'eus envie de le taquiner, mais il semblait tellement s'efforcer à me convaincre que je ne m'y risquai pas. Pendant un moment il me fixa du regard, je tournai la tête.

« Croire que le monde est seulement comme tu penses qu'il est est stupide. Le monde est un endroit mystérieux, surtout au crépuscule. »

D'un geste du menton il désigna le vent.

« Ça, ça peut nous suivre. Ça peut nous épuiser et parfois même nous tuer.

— Ce vent?

— A ce moment du jour, au crépuscule, il n'y a pas de vent. A cette heure du jour il n'y a que du pouvoir. »

Pendant une heure nous demeurâmes assis au sommet de la colline. Le vent souffla durement, sans jamais s'arrêter.

Vendredi 30 juin 1961

Tard dans l'après-midi, après avoir mangé, nous nous installâmes sur le porche de sa maison. Assis à ma « place » je me mis à travailler à mes notes. Il s'allongea sur le dos et croisa les mains sur son ventre. A cause du « vent » nous étions restés chez lui toute la journée. Il m'avait expliqué que nous avions délibérément perturbé le vent, donc qu'il valait mieux ne pas trop le taquiner. Je dus passer la nuit couvert de branches.

Il y eut une soudaine rafale de vent. D'un bond incroyablement agile don Juan fut en un instant sur pied.

« Sacré nom ! le vent te cherche.

— Don Juan, ça ne prend pas, dis-je en riant. C'est vraiment trop pour y croire. »

Par mon entêtement je manifestais qu'il m'était impossible d'accepter l'idée que le vent pût avoir une volonté propre, aussi bien que l'idée qu'il nous avait repérés en haut de la colline pour se précipiter sur nous.

Je proclamai que l'idée d'un « vent doué de volonté » constituait une manière de voir le monde plutôt simplette.

« Le vent, qu'est-ce donc? » répliqua-t-il.

Sans perdre mon calme je lui expliquai que les masses d'air chaud et froid provoquaient des zones de pression différente, et que cela causait les mouvements horizontaux et verticaux de l'air. Il me fallut un certain temps pour détailler ces notions élémentaires de météorologie.

« Tu veux dire que le vent n'est que de l'air chaud ou froid? questionna-t-il d'un ton perplexe.

— Je crois bien que oui », répondis-je en savourant ma victoire.

Don Juan semblait perdu, mais alors il me regarda et éclata d'un rire tonitruant.

« Tes opinions sont des opinions définitives, déclara-t-il d'un ton sarcastique. C'est ton dernier mot, n'est-ce pas? Cependant pour un chasseur, tes opinions c'est de la merde. Peu importe si la pression est de un ou de deux ou de dix, car si tu vivais ici dans le désert tu saurais qu'au crépuscule le vent devient pouvoir. Un chasseur qui vaut quelque chose sait cela, et il agit en conséquence.

— Comment agit-il?

— Il se sert du crépuscule et du pouvoir caché dans le vent.

— Comment?

— Si cela lui est utile il se cache en se couvrant et il reste immobile jusqu'à ce que le crépuscule soit terminé et que le pouvoir l'ait enrobé de sa protection. »

Il fit un geste des mains, comme s'il enveloppait quelque chose.

« Sa protection est comme... »

Il s'arrêta comme en quête d'un mot. Je suggérai « cocon ».

« C'est exact, reprit-il. La protection du pouvoir enrobe comme un cocon. Alors un chasseur peut rester dehors sans prendre de précautions, car ni le puma ni le coyote ni le moindre insecte ne peuvent l'embêter. Un lion pourrait bien se trouver nez à nez avec lui, même le renifler; si le chasseur reste immobile, le lion s'en ira. Ça, je peux te le garantir.

« Par ailleurs, si le chasseur veut être remarqué, il n'a qu'à rester debout au sommet d'une colline pendant le crépuscule, et le pouvoir l'embêtera et le cherchera toute la nuit. Par conséquent, un chasseur qui désire se déplacer pendant la nuit, ou qui veut rester éveillé doit se mettre à la disposition du vent.

« C'est là le secret des grands chasseurs. Être disponible et ne pas être disponible au moment précis du tournant de la route. »

Un peu surpris je lui demandai de répéter sa déclaration. Avec une extrême patience il m'expliqua qu'il s'était servi du crépuscule et du vent pour insister sur l'importance cruciale des interactions entre se cacher et se montrer.

« Tu dois apprendre à être à volonté disponible ou indisponible. Dans le cours actuel de ta vie tu es, sans le vouloir, disponible en permanence. »

Je protestai, j'avais l'impression que ma vie devenait de plus en plus secrète. Il rétorqua que je n'avais rien compris à sa déclaration et qu'être indisponible ne signifiait en aucun cas se cacher ou être secret, mais être inaccessible.

« En d'autres mots, continua-t-il sans perdre patience, se cacher importe peu lorsque tout le monde sait que tu te caches. Tes problèmes viennent justement de là. Lorsque tu te caches tout le monde sait que tu te caches, et sinon tu es disponible au point où tout le monde peut en profiter. »

Me sentant menacé, j'essayai sur-le-champ de me défendre.

« N'explique pas qui tu es, dit-il sèchement. Ce n'est pas la peine. Nous sommes des imbéciles, nous le sommes tous et tu ne peux pas être différent. Dans ma vie il y a eu une époque où, comme toi, je me rendais disponible à tout propos jusqu'à ce qu'il ne reste plus rien en moi si ce n'est les pleurs. Et alors, comme toi maintenant, j'ai souvent pleuré. »

Il me toisa du regard, puis émit un bruyant soupir.

« Malgré tout j'étais plus jeune que toi, reprit-il. Mais un jour j'en ai eu assez et j'ai changé. Disons qu'un jour, pendant que je devenais un chasseur, j'ai appris le secret de savoir devenir disponible ou indisponible. »

J'avouai que ses explications me dépassaient. Je ne pouvais absolument pas comprendre ce qu'il voulait exprimer par être disponible. Il avait utilisé les expressions idiomatiques espagnoles *ponerse al alcance* et *ponerse en el medio del camino*, qu'on peut traduire par se mettre à l'écart et se mettre au milieu d'un chemin fréquenté.

« Il faut que tu t'arraches toi-même, expliqua-t-il. Il faut que tu te retires toi-même du milieu d'une route encombrée. Ton être tout entier est là, par conséquent ça ne sert à rien de se cacher, tu imaginerais seulement que tu te caches. Être au milieu de la rue signifie que chaque passant observe tes allées et venues. »

Sa métaphore retint mon attention, mais elle demeurait obscure.

« Vous parlez par énigmes », dis-je.

Il me regarda fixement pendant longtemps, puis il entonna un air mexicain. Je me tins le dos droit, prêt à tout. Je savais que lorsqu'il fredonnait un air mexicain il n'allait pas tarder à me matraquer.

« Hé! dit-il en souriant et sans me lâcher des yeux. Qu'est devenue ta blonde amie? Cette fille que tu aimais vraiment. »

A mon expression absolument ahurie il fut prit d'un rire franchement heureux. Je ne savais que dire.

« C'est toi qui m'en as parlé », dit-il pour me rassurer. Mais je ne me souvenais pas de lui avoir parlé d'une amie, encore moins de cette jeune fille aux cheveux blonds.

« Jamais je ne vous ai rien dit de tel.

— Bien sûr que tu me l'as dit », répliqua-t-il comme pour repousser toute protestation.

Il écarta toute intervention de ma part en précisant qu'il importait peu de savoir comment il connaissait cette jeune fille, que ce qui comptait c'était que je l'avais aimée.

Je sentis naître en moi un sentiment d'animosité à son égard.

« Ne rue pas, lança-t-il sèchement. C'est justement le moment d'effacer toute impression d'importance.

« Une fois tu as eu une femme, une femme très chère, et un jour tu l'as perdue. »

Je me demandai si malgré tout je ne lui en avais pas parlé, mais je conclus à l'impossibilité d'une telle confidence. Et pourtant chaque fois que nous roulions en voiture nous parlions sans arrêt de choses et d'autres. Je ne pouvais pas me rappeler tous nos sujets de conversations puisqu'en conduisant il m'était impossible de prendre des notes. Tout bien pesé, je n'avais aucune raison de m'affoler, et j'admis qu'une jeune fille aux cheveux blonds avait joué un rôle très important dans ma vie.

« Pourquoi n'est-elle pas avec toi?

— Elle est partie.

— Pourquoi?

— Pour bien des raisons.

— Il n'y en avait pas tant que ça. Il y en avait une seule. Tu te rendais trop disponible. »

J'avais le profond désir de le comprendre. Il m'avait porté un nouveau coup et semblait pleinement conscient de l'effet obtenu. Une moue cacha son sourire espiègle.

« Tout le monde savait tout à votre propos, reprit-il avec une formidable assurance.

— Était-ce une erreur?

— Une erreur fatale. Pourtant elle était quelqu'un de bien. »

Je lui fis part sans détour de mon écœurement à le voir ainsi tâtonner dans le noir, particulièrement parce qu'il avançait des choses

exactement comme s'il avait été présent lorsqu'elles s'étaient pro-
duites.

« Mais c'est vrai, s'exclama-t-il d'une manière déconcertante. J'ai
tout *vu*. C'était quelqu'un de bien. »

Je savais qu'il était inutile de discuter, mais j'étais en colère car
il venait de toucher du doigt une blessure profonde. D'ailleurs, à mon
avis cette jeune fille n'était pas quelqu'un de si bien que ça car elle était
plutôt faible.

« Et toi aussi, dit-il calmement. Mais cela n'est pas important. Ce
qui compte c'est que tu l'as cherchée partout; c'est cela qui en fait une
personne très particulière de ton monde, et pour quelqu'un de particulier il faudrait toujours avoir des mots gentils. »

Je me sentais embarrassé; une grande tristesse commençait à
m'envahir.

« Don Juan, que me faites-vous donc? Vous réussissez toujours à me
rendre triste. Pourquoi?

— Ça y est, tu te laisses aller à un excès de sentimentalité, m'accusa-
t-il.

— Mais dans quel but tout cela?

— Être inaccessible, voilà ce dont il est question. J'ai ravivé le
souvenir de cette personne seulement comme un moyen pour te montrer
directement ce que je n'arrivais pas à te faire voir avec le vent.

« Tu l'as perdue parce que tu étais accessible, tu restais toujours à sa
portée, votre vie n'était que routine.

— Non! rétorquai-je, vous avez tort. Jamais ma vie n'a été que
routine.

— C'était et cela reste une routine, énonça-t-il catégoriquement.
C'est une routine inhabituelle, qui te donne l'impression que ce n'est pas
une routine, mais crois-moi, c'en est une. »

J'avais envie de bouder et de m'enfoncer dans une humeur morose,
mais ses yeux m'observaient d'une manière indéfinissable. Ils semblaient
me pousser et me pousser encore.

« L'art du chasseur, c'est de devenir inaccessible. Dans le cas de cette
jeune fille blonde cela aurait voulu dire que tu devais devenir chasseur
et la rencontrer rarement. Et non pas comme tu l'as fait. Jour après jour
tu restais en sa compagnie jusqu'à ce que vous n'éprouviez plus d'autre
sentiment que l'ennui. N'est-ce pas vrai? »

Je ne répondis pas. Je savais que c'était inutile. Il avait raison.

« Être inaccessible signifie que l'on touche le monde environnant
avec sobriété. Tu ne manges pas cinq perdrix; une seule suffit. Tu ne
t'exposes pas au pouvoir du vent si ça n'est pas indispensable. Tu

n'utilises pas et ne presses pas les gens jusqu'à les réduire à la peau et aux pépins, particulièrement ceux que tu aimes.

— Honnêtement, je n'ai jamais abusé de personne. »

Mais il affirma le contraire, et en ces occasions, précisa-t-il, je me déclarais brusquement fatigué et ennuyé par les gens.

« N'être pas disponible signifie que tu évites délibérément de fatiguer toi-même et les autres. Cela signifie que tu n'es ni affamé ni désespéré comme ce pauvre diable qui croit qu'il ne mangera jamais plus et qui dévore tout ce qu'il peut, cinq perdrix! »

C'était pour le moins un coup bas. J'en ris et cela sembla lui faire plaisir. Il me toucha légèrement dans le dos.

« Un chasseur sait qu'il attirera toujours du gibier dans ses pièges, par conséquent il ne se soucie de rien. Se faire du souci c'est devenir accessible. Une fois que tu es inquiet, tu t'accroches à n'importe quoi de manière désespérée, et une fois que tu t'accroches tu t'épuises et tu épuiseras inévitablement ce à quoi tu t'accroches. »

Je répliquai que dans ma vie de tous les jours il était inconcevable d'être inaccessible; je désirais souligner ainsi que pour être capable d'agir il me fallait avoir la possibilité d'être en contact avec tous ceux qui avaient affaire avec moi.

« Je t'ai déjà précisé qu'être inaccessible ne signifie en aucun cas se cacher ou faire des secrets, répondit-il. Cela ne signifie pas que tu ne puisses plus avoir affaire avec les autres. Un chasseur utilise son monde avec frugalité et avec tendresse, peu importe ce qu'est ce monde, choses, animaux, gens, ou pouvoir. Un chasseur est intimement en rapport avec son monde et cependant il demeure inaccessible à ce monde même.

— C'est contradictoire, dis-je. Il ne peut pas être inaccessible si heure après heure, jour après jour il est là, dans son monde.

— Tu n'as pas compris, remarqua-t-il avec beaucoup de patience. Il est inaccessible parce qu'il ne déforme pas son monde en le pressant. Il le capte un tout petit peu, y reste aussi longtemps qu'il en a besoin, et alors s'en va rapidement en laissant à peine la trace de son passage. »

8

Briser les routines de la vie

Dimanche 16 juillet 1961

Toute la matinée nous observâmes des rongeurs semblables à des écureuils que don Juan nommait des rats d'eau. Il me fit remarquer combien ils étaient rapides en cas de danger, mais qu'une fois à distance du prédateur ils avaient la terrible habitude de s'arrêter, ou même de grimper sur un rocher, de se dresser sur leurs pattes de derrière pour regarder les environs et de prendre soin de leur pelage.

« Ils ont de très bons yeux, dit-il. Il faut se déplacer uniquement lorsqu'ils courent et par conséquent bien prévoir le moment où ils s'arrêteront, de manière à se figer instantanément sur place. »

Cette observation m'absorba entièrement et je fis ce qui pour un chasseur aurait constitué une journée de chasse. Je repérai ces animaux, j'arrivai au point de pouvoir prédire presque assurément leurs mouvements.

Ensuite don Juan me montra comment confectionner des pièges pour les attraper. Il expliqua qu'un chasseur devait toujours prendre le temps d'observer attentivement son gibier, les lieux où il mange, se repose, pour déterminer ainsi l'emplacement des pièges. Il fallait les poser de nuit de façon à n'avoir qu'à effrayer le gibier le lendemain ; il ne restait qu'à les voir s'y précipiter.

Il chercha quelques bâtons et se mit à construire les instruments de notre chasse. Le mien était pratiquement terminé et avec quelque anxiété je me demandai s'il fonctionnerait lorsque don Juan s'arrêta soudain, jeta un coup d'œil à son poignet gauche sur une montre qu'il n'avait jamais possédée, et déclara qu'il était l'heure de déjeuner. Je tenais un long bâton que je me proposais de courber, et machinalement je le posai par terre avec tout mon attirail.

Don Juan me regardait sans cacher sa curiosité. Il imita le son d'une sirène d'usine. J'éclatai de rire, son imitation était absolument remarquable. J'allais m'avancer vers lui lorsque je vis qu'il me fixait du regard en balançant la tête d'un côté à l'autre.

« Sacré nom! dit-il.

— Qu'est-ce qui ne va pas? »

A nouveau il émit le son de la sirène.

« Le déjeuner est fini, dit-il. Retourne à ton travail. »

Confus, je restai figé sur place; je crus qu'il plaisantait d'autant plus que nous n'avions rien à manger. L'observation de ces rongeurs m'avait fait oublier le repas. Je repris mon bâton et m'efforçai de le courber. Un moment plus tard, il imita de nouveau la sirène.

« Il est temps de rentrer », annonça-t-il.

Il jeta un coup d'œil sur sa montre imaginaire, me regarda et cligna des yeux.

« Il est cinq heures », me confia-t-il mystérieusement. Je crus qu'il devait en avoir assez de cette chasse, qu'il annulait le projet en cours. Je reposai tout par terre et me préparai au départ. Je ne faisais aucune attention à lui. Une fois prêt je levai les yeux et le découvris assis en tailleur non loin de moi.

« Je suis prêt, dis-je. Nous pouvons y aller quand vous voudrez. »

Il se leva, grimpa sur un rocher, s'immobilisa pour me regarder, mis ses mains en cornet devant sa bouche et lança un son perçant et prolongé, comme celui d'une énorme sirène. Il fit un tour sur lui-même tout en continuant ce hululement.

« Don Juan, que faites-vous? »

Il me répondit qu'il venait de lancer au monde entier le signal d'arrêt du travail. J'étais abasourdi. Je me demandai s'il plaisantait ou s'il avait perdu la boule. Je l'observais attentivement dans l'espoir de déceler une relation quelconque entre ce qu'il faisait et ce qu'il aurait bien pu avoir dit une fois. Mais ce matin-là nous n'avions pratiquement pas échangé un seul mot et en tout cas rien de bien important.

Il demeurait perché sur son rocher. Il me regarda, sourit et cligna de l'œil. Je commençai à m'alarmer. Don Juan leva ses mains autour de sa bouche et émit un autre son prolongé de sirène.

Il déclara qu'il était huit heures du matin, que je devais préparer à nouveau mon attirail car nous avions une journée entière devant nous.

Je n'y comprenais plus rien. En un rien de temps ma frayeur se changea en une irrésistible envie de prendre les jambes à mon cou:

il devait être cinglé. Je me préparai à partir lorsqu'il descendit de son piédestal et vint vers moi en souriant.

« Tu penses que je suis cinglé? Pas vrai? »

Je lui avouai que sa conduite insolite suscitait ma frayeur.

Il déclara qu'il pouvait en dire autant. Je n'y compris rien, je remarquai surtout que ses actions semblaient absolument démentes. Il expliqua avoir délibérément tenté de m'effrayer par la lourdeur de son attitude inattendue parce que la lourdeur de ma conduite sans surprise l'horripilait. Mes routines étaient aussi démentes que son rôle de sirène.

Choqué, je déclarai ne pas vraiment avoir de routines; ce pourquoi d'ailleurs ma vie restait une pagaille épouvantable.

Il éclata de rire puis me fit signe de prendre place à côté de lui. Une fois de plus la situation était bouleversée mystérieusement, et dès qu'il commença à parler mes craintes disparurent.

« Quelles sont mes routines?

— Tout ce que tu fais est routine.

— Mais n'en est-il pas de même pour nous tous?

— Non. Pas pour tout le monde. Je n'accomplis rien qui soit routine.

— Don Juan, qu'est-ce qui a provoqué cette scène? Qu'ai-je fait ou dit pour susciter votre comportement?

— Tu te faisais du souci pour le déjeuner.

— Je ne vous en ai rien dit, comment le savez-vous?

— Chaque jour, vers midi et vers six heures du soir et vers huit heures du matin tu t'inquiètes parce que pour toi c'est l'heure de manger, même si tu n'as pas faim, précisa-t-il malicieusement.

« Pour te révéler tes routines il m'a suffi de faire la sirène. Tu as été entraîné pour faire ton travail à un signal donné. »

Il me dévisagea comme s'il attendait une question; je ne pouvais vraiment pas me défendre.

« Et maintenant, continua-t-il, de la chasse tu fais une routine. Tu t'es déjà établi dans une habitude de chasse. Tu parles à certains moments, tu manges à d'autres, et à une heure précise tu t'endors. »

Pourquoi protester? Don Juan décrivait ainsi exactement ma vie et j'usai du même principe pour tout ce que j'entreprenais. Malgré tout j'avais la conviction d'avoir une vie moins routinière que la plupart de mes amis et connaissances.

« Tu en sais un bon bout sur la chasse, reprit-il, et pour toi il doit être facile de comprendre qu'un bon chasseur connaît avant toutes choses les routines de son gibier. C'est d'ailleurs ce qui en fait un excellent chasseur.

« Si tu te souviens du cheminement que j'ai emprunté pour t'enseigner la chasse, alors tu dois pouvoir comprendre cela. En tout premier lieu je t'ai appris à fabriquer des pièges, à les installer, et alors je t'ai montré les routines de l'animal à chasser; enfin nous avons vérifié l'efficacité de nos pièges contre leurs routines. C'est ce qui constitue les formes extérieures de la chasse.

« Maintenant il me faut t'enseigner la dernière et sans doute la plus difficile partie de la chasse. Avant que tu ne puisses vraiment la saisir et prétendre être un chasseur, il s'écoulera bien des années. »

Il marqua une pause pour m'accorder un répit. Il ôta son chapeau et imita les rats d'eau dressés sur leurs pattes arrière et faisant leur toilette. Il était comique avec sa tête ronde semblable à celle des rongeurs.

« Être un chasseur n'est pas simplement une question de pièges. Un chasseur qui vaut son pesant d'or n'attrape pas son gibier parce qu'il pose des pièges ou parce qu'il connaît les routines de ses proies, mais parce que lui-même n'a pas de routines. C'est là son suprême avantage. Il n'est absolument pas comme les animaux qu'il traque, ordonnés selon de pesantes routines et des astuces facilement prévisibles. Il est libre, fluide, imprévisible. »

A mon avis une telle déclaration ressortait d'une idéalisation aussi arbitraire qu'irrationnelle. Je n'arrivais pas à concevoir une vie sans routines. Désirant plus que tout rester honnête. je ne pouvais pas me contenter d'accepter ou de refuser simplement ce qu'il me disait. Je considérais que ce qu'il demandait était impossible à accomplir aussi bien par moi que par un autre.

« Tes réactions m'importent peu, dit-il. Si tu veux être un chasseur, il faut que tu brises les routines de ta vie. Tu t'es bien débrouillé pour chasser. Tu as appris très vite et maintenant tu sais que tu ressembles à ta proie, tu es facile à prévoir. »

Je lui demandai de citer des exemples plus concrets.

« Je parle de chasse, dit-il calmement. Par conséquent je m'occupe de ce que font les animaux, de l'endroit où ils mangent, du lieu, de la façon, de l'heure de leur repos, de l'endroit où ils nichent, de la manière dont ils se déplacent. Ce sont ces routines que je te fais remarquer afin que tu puisses les déceler intuitivement.

« Tu as observé les habitudes des animaux du désert. Ils mangent et boivent à certains endroits, ils nichent en des lieux bien définis, chacun laisse une trace bien particulière. En fait un bon chasseur peut prévoir ou déduire tout ce qu'ils font.

« Comme je te l'ai déjà dit, tu te conduis à mon avis comme ta proie. Une fois dans ma vie quelqu'un m'a fait la même remarque, donc ton cas n'est pas unique. Tous nous agissons à l'instar des proies que nous poursuivons, ce qui, bien évidemment, fait de nous la proie de quelque chose ou de quelqu'un d'autre. Par conséquent un chasseur qui sait cela n'a qu'une idée en tête : ne plus être lui-même une proie. Vois-tu ce que je veux dire? »

Je maintins que ce but est impossible à atteindre.

« Cela prend du temps, dit-il. Tu pourrais simplement commencer par ne pas déjeuner tous les jours à midi sonnant. »

Il me regarda avec un sourire bienveillant. Son expression m'amusa et j'éclatai de rire.

« Cependant il existe des animaux impossibles à pister, reprit-il. Par exemple certains genres de cerfs qui, par une chance extraordinaire, croisent la route d'un chasseur heureux, mais jamais qu'une seule fois dans la vie d'un chasseur. »

Il fit une pause à effet dramatique puis me jeta un regard perçant comme pour susciter une question de ma part, mais je n'en avais aucune.

« A ton avis, qu'est-ce qui les rend si difficiles à trouver et tellement exceptionnels? »

Ne sachant que répondre je haussai les épaules.

« Ils n'ont aucune routine, dit-il avec emphase. C'est ce qui les rend magiques.

— Un cerf doit dormir la nuit, dis-je. N'est-ce pas là une routine?

— Sans aucun doute si le cerf s'endort chaque nuit à une heure donnée à un endroit particulier. Mais ces êtres magiques n'agissent pas ainsi. D'ailleurs un jour tu t'en rendras compte. Peut-être ta destinée sera-t-elle d'en chasser un pour le reste de tes jours.

— Que voulez-vous dire?

— Tu aimes chasser. Peut-être qu'un jour, quelque part dans le monde, tu croiseras la trace d'un de ces êtres magiques. Alors tu pourrais le prendre en chasse.

« Voir un être magique est quelque chose d'inoubliable. J'ai eu la chance d'en rencontrer un, quand j'avais déjà appris et beaucoup pratiqué la chasse. J'étais dans une épaisse forêt des montagnes du centre du Mexique lorsque soudain j'entends un sifflement discret. Jamais pendant toutes ces années de chasse je n'avais rien entendu de tel. Je n'arrivais pas à identifier l'origine de ce son car il venait de partout à la fois. Je croyais être entouré par une meute ou un troupeau d'animaux inconnus.

« Une fois encore j'ai perçu ce sifflement captivant; il venait de partout à la fois. Alors j'ai compris ma chance, j'ai su qu'il s'agissait d'un être magique, d'un cerf magique. Je savais bien que le cerf magique n'est pas sans connaître toutes les routines des hommes ordinaires, et aussi celles des chasseurs.

« Il est facile de savoir ce que le premier venu ferait en pareille circonstance. Sa peur le condamnerait à devenir une proie et se sachant une proie facile il ne lui resterait que deux issues. Ou bien s'enfuir, ou bien résister. Sans armes et pour sauver sa chère vie, il prendrait sans aucun doute ses jambes à son cou. Sinon, il préparerait son arme et attendrait soit en s'immobilisant sur place soit en tombant sur le sol.

« Par contre un chasseur qui s'aventure dans la nature ne se risquerait jamais nulle part sans avoir auparavant prévu ses points de protection. Donc, il se mettrait sur-le-champ à couvert. Il abandonnerait son poncho par terre ou bien le pendrait à une branche en guise de leurre, puis il se cacherait en attendant le prochain mouvement du gibier.

« Cependant en présence du cerf magique je me suis conduit tout autrement. En un éclair j'ai fait l'arbre droit et je me suis mis à gémir. En fait j'ai pleuré et sangloté pendant si longtemps que j'ai cru m'évanouir. Soudain je sens un souffle chaud. Quelque chose renifle mes cheveux juste derrière mon oreille droite. Je veux tourner la tête pour voir ce que c'est, et je m'écroule. Le cerf me regardait, je lui ai dit de ne me faire aucun mal. Et le cerf m'a parlé. »

Il arrêta net son récit et me dévisagea. J'eus un sourire involontaire. Cette histoire de cerf qui parle me paraissait peu croyable, pour m'exprimer avec modération.

« Il m'a parlé, insista don Juan avec un large sourire.

— Le cerf a parlé?

— Oui. »

Don Juan se leva et prit son attirail de chasse.

« A-t-il vraiment parlé? », dis-je d'un ton perplexe.

Il éclata de rire.

« Que dit-il? », ajoutai-je à moitié sérieux.

J'étais persuadé qu'il se moquait de moi. Pendant un moment il resta muet, un peu comme s'il tentait de se souvenir. Ses yeux brillèrent et il déclara :

« Le cerf magique m'a dit : Salut mon ami, et j'ai répondu : Salut. Puis il m'a demandé : Pourquoi pleures-tu?, et j'ai répondu : Parce que je suis triste. Alors l'être magique s'est approché de mon oreille et tout aussi clairement que je te parle il m'a dit : Ne sois pas triste. »

Don Juan me regardait droit dans les yeux. Un éclair de pure espièglerie passa dans les siens. Il se mit à rire de plus en plus fort.

Pour moi cette conversation avec le cerf était plutôt niaise.

« Qu'attendais-tu? dit-il en riant. Je suis indien. »

Son sens de l'humour me surprit tant que je ris avec lui.

« Tu n'arrives pas à croire qu'un cerf magique puisse parler?

— Désolé, mais il m'est impossible de croire à ces choses-là.

— Je ne peux pas t'en vouloir, dit-il d'un ton rassurant, c'est une sacrée foutue chose. »

9

La dernière bataille sur terre

Lundi 24 juillet 1961

Vers la mi-après-midi don Juan choisit un coin à l'ombre pour s'y reposer, car des heures durant nous avions déambulé dans le désert. Aussitôt installé, il se mit à parler. Il constata que j'avais beaucoup appris sur la chasse, mais pas changé autant qu'il le souhaitait.

« Savoir fabriquer et installer des pièges ne suffit pas. Pour tirer le plus possible de sa vie, un chasseur doit vivre comme un chasseur. Malheureusement tout changement est difficile et très lent. Parfois même il faut à un homme des années pour se convaincre qu'il a besoin de changer. Cela m'a pris des années, mais peut-être n'avais-je pas le don pour la chasse. Cependant je crois que pour moi la chose la plus difficile a été de vraiment vouloir changer. »

Je l'assurai que je comprenais cela. D'ailleurs depuis qu'il avait commencé à m'apprendre la chasse j'avais entamé un processus de réévaluation de mes actions. La découverte la plus dramatique fut sans aucun doute de constater que j'appréciais la façon de vivre de don Juan. Je l'aimais lui-même. Sa conduite avait quelque chose de monolithique et la manière dont il agissait ne laissait aucun doute sur son entière maîtrise, mais jamais il n'en profita pour exiger quelque chose de ma part. A mon avis son désir de voir ma vie changer restait une suggestion impersonnelle ou peut-être était-elle issue d'une analyse adéquate de mes échecs par un connaisseur? Il m'avait rendu conscient de mes échecs, mais je n'arrivais pas à voir comment sa manière de vivre pourrait changer cet aspect de ma vie. Sachant ce que je voulais en faire, je pensais très sincèrement que ses propositions ne m'amèneraient que peine et misère, c'est-à-dire me conduiraient à l'impasse. Cependant j'avais appris à respecter sa maîtrise qui se signalait toujours par la précision et la beauté.

« J'ai décidé de changer de tactique », dit-il.

Je réclamai quelques explications, car le vague de sa déclaration ne me permettait pas de savoir s'il faisait ou non allusion à ma personne.

« Un bon chasseur change ses manières d'agir aussi souvent qu'il le faut. Tu en sais quelque chose.

— A quoi pensez-vous?

— Un chasseur ne doit pas seulement connaître les habitudes de ses proies. Il doit aussi savoir qu'il y a sur cette terre des pouvoirs qui guident les hommes, les animaux et tout ce qui vit. »

Il se tut. Je patientai, mais il semblait en avoir fini.

« De quel genre de pouvoir s'agit-il? demandai-je en brisant ce long silence.

— De pouvoirs qui guident notre vie et notre mort. »

Il s'interrompit et sembla avoir beaucoup de peine à se décider à poursuivre. Il se frotta les mains et secoua la tête en gonflant ses joues. Par deux fois il me fit signe de me taire, quand j'allais le prier d'expliquer ses énigmatiques déclarations.

« Tu ne vas pas être si facilement capable de t'arrêter, dit-il finalement. Je sais que tu es têtu, mais cela importe peu. Plus tu seras têtu, meilleur tu deviendras quand enfin tu auras réussi à te changer.

— Je m'y efforce de mon mieux.

— Non, je n'en crois rien. Tu ne fais pas de ton mieux. Tu dis cela parce que tu as l'impression que ça sonne bien, mais en fait tu en dis autant à propos de tout ce que tu fais. Pendant des années tu t'es efforcé de ton mieux, inutilement. Il faut faire quelque chose pour que ça change. »

Comme d'habitude, je voulus me défendre. Don Juan semblait, en règle générale, viser mes points les plus vulnérables. Je me souvins alors que chaque fois que j'avais tenté de m'élever contre ses critiques, j'avais terminé avec la sensation de n'être qu'un imbécile, et je me tus au milieu d'une longue explication.

Don Juan me dévisagea avec curiosité, puis éclata de rire. Avec beaucoup de gentillesse il déclara qu'il m'avait déjà confié que nous étions tous des imbéciles et qu'en aucun cas je ne constituai une exception.

« Tu te sens toujours poussé à expliquer tes actes exactement comme si sur cette terre tu étais le seul à mal faire, reprit-il. C'est le vieux sentiment de ton importance. Tu en as trop, tu as aussi trop d'histoire personnelle. Et par ailleurs tu ne prends pas la responsabilité de tes propres actions. Tu n'utilises pas ta mort comme conseiller, et par-dessus tout tu es beaucoup trop disponible. Autant dire que ta vie est le même gâchis qu'auparavant, avant que je te rencontre. »

Un sentiment de fierté m'obligeait à intervenir, à lui dire qu'il se trompait. D'un signe il me fit taire.

« On doit prendre la responsabilité d'être là, dans un monde étrange. Tu sais, nous sommes dans un monde étrange. »

J'acquiesçai de la tête.

« Nous ne parlons pas de la même chose, reprit-il. Pour toi le monde est étrange parce que s'il ne t'ennuie pas tu es en désaccord avec lui. Pour moi le monde est étrange parce que prodigieux, effrayant, mysté-rieux, incommensurable. L'intérêt que je te porte consiste à tenter de te convaincre qu'il faut que tu apprennes à faire en sorte que chaque acte accompli compte, car tu ne vas rester que peu de temps sur cette terre, en fait trop peu de temps pour découvrir toutes les merveilles qu'il contient. »

J'insistai sur le fait qu'être ennuyé par le monde ou ne pas être d'accord avec lui était immanent à la condition humaine.

« Alors change-la, rétorqua-t-il sèchement. Si tu ne relèves pas ce défi, tu ne vaux pas mieux que mort. »

Il exigea que je cherche une idée, une activité qui dans ma vie avait absorbé la totalité de mes pensées. L'art, lui dis-je. J'aurais tou-jours voulu devenir un artiste et pendant des années j'avais mis la main à la pâte, mais je me souvenais encore de mes pénibles échecs.

« Jamais tu n'as pris la responsabilité d'être dans ce monde incom-mensurable, m'accusa-t-il. Par conséquent tu n'as jamais été un artiste, et peut-être ne seras-tu jamais un chasseur.

— Don Juan je fais tout ce qui m'est possible.

— Non. Tu ignores le meilleur de tes possibilités.

— Je fais tout ce que je peux.

— Une fois encore, ce n'est pas vrai. Tu peux faire mieux. Il n'existe qu'une seule chose mauvaise en toi, tu crois que tu as l'éternité devant toi. »

Il s'interrompit et me regarda comme dans l'attente de ma réac-tion.

« Tu crois que tu as l'éternité devant toi.

— L'éternité pour quoi, don Juan?

— Tu crois que tu vivras éternellement.

— Non, ce n'est pas vrai.

— Alors, si tu ne crois pas ta vie éternelle, qu'attends-tu? Pour-quoi hésiter à changer?

— Don Juan, n'avez-vous jamais pensé que peut-être je ne désire pas changer?

— Bien sûr. D'ailleurs, comme toi, je ne voulais pas changer. Pourtant je n'aimais pas ma vie, j'en avais marre, tout comme toi. Maintenant, je n'en ai pas suffisamment. »

Avec véhémence je lui assurai que son insistance à vouloir changer ma vie m'effrayait et me paraissait arbitraire. A un certain point de vue je pouvais être d'accord avec lui, mais le simple fait qu'il fût toujours le maître qui décidait de tout m'avait rendu la situation intenable.

« Imbécile, tu n'as pas le temps pour de tels caprices, dit-il sévèrement. Ça, ce que tu es en train de faire, juste à cet instant, est peut-être ton dernier acte sur cette terre. Il est possible que ce soit ta dernière bataille. Il n'existe pas un seul pouvoir capable de garantir que tu vas vivre une minute encore.

— Je sais bien, dis-je avec une colère contenue.

— Non. Tu l'ignores. Si tu savais cela tu deviendrais un chasseur. »

Je soutins que j'étais conscient de l'imminence de ma mort, mais qu'il était inutile d'en parler ou d'y penser puisqu'il n'y avait rien à faire pour l'éviter. Il éclata de rire et déclara que je n'étais qu'un comédien jouant mécaniquement son rôle.

« Si ce que tu fais maintenant constituait ton dernier combat sur cette terre, je dirais que tu es un idiot, constata-t-il calmement. Par ton humeur stupide tu gâches ton dernier acte sur la terre. »

Nous restâmes muets pendant un moment. Mes pensées volaient à ras de terre. Sans aucun doute il avait encore raison.

« Mon ami, tu n'as pas de temps. Aucun de nous n'a de temps.

— D'accord don Juan, mais...

— Pas besoin d'être d'accord avec moi, rétorqua-t-il. Au lieu d'approuver aussi facilement tu dois agir avec à-propos. Relève le défi. Change.

— Comme ça, tout d'un coup?

— Parfaitement. Le changement dont je parle n'arrive pas graduellement, il se fait tout à coup. Et tu ne fais rien pour te préparer à cet acte soudain qui changera totalement ta vie. »

Je crus qu'il se contredisait. Je lui fis constater que si je devais me préparer au changement, c'était déjà changer graduellement.

« Tu n'as absolument pas changé. C'est la raison pour laquelle tu crois encore pouvoir changer petit à petit. Cependant peut-être qu'un jour tu seras le premier surpris de changer tout d'un coup, sans le moindre signe prémonitoire. Je sais qu'il en est ainsi et c'est pourquoi je ne perds pas de vue mon but qui est de te convaincre. »

Qu'aurais-je pu dire? Je ne savais pas exactement comment présenter mon argumentation. Après un silence don Juan reprit ses explications.

« Peut-être devrais-je m'exprimer d'une autre façon. Ce que je te recommande est de constater que rien ne permet d'être certain que nos vies vont se prolonger indéfiniment. Je viens de dire que le changement survenait de manière soudaine et inattendue, tout comme la mort. Que penses-tu que nous puissions faire? »

A mon avis sa question restait pure rhétorique, mais d'un mouvement de sourcils il m'incita à répondre.

« Vivre aussi heureux que possible, dis-je.

— Parfaitement! Mais peux-tu me citer quelqu'un qui vit heureux? »

Mon premier mouvement fut de répondre par l'affirmative; je croyais pouvoir donner en exemples des gens de ma connaissance. Cependant, réflexion faite, je me rendis compte qu'une telle réponse constituerait une vaine tentative pour me justifier moi-même.

« Non. Je n'en connais pas.

— J'en connais, dit-il. Il existe des gens extrêmement attentifs à la nature de leurs actes. Leur bonheur est d'agir en pleine connaissance du fait qu'ils n'ont pas le temps. Par conséquent leurs actes ont un pouvoir spécial, leurs actes ont un sens de... »

Il semblait à court de mots. Il se gratta les tempes et me sourit. Puis soudain, comme si la conversation venait de prendre fin, il se leva. Je le suppliai de terminer sa phrase. Il se rassit et plissa les lèvres.

« Les actes ont un pouvoir. Particulièrement lorsque celui qui agit sait qu'ils sont sa dernière bataille sur terre. Il existe un étrange et brûlant bonheur dans le fait d'agir en sachant parfaitement que cet acte peut tout aussi bien être le dernier de la vie. Je te recommande de reconsidérer la tienne et d'accomplir tes actions en pensant à cela. »

J'exprimai mon désaccord. Le bonheur consistait, à mon avis, à supposer qu'il y avait une continuité inhérente à mes actes et aussi à être certain que je serais capable de continuer volontairement à faire tout ce que je faisais, particulièrement si cela me procurait du plaisir. J'insistai sur le fait que mon désaccord était crucial puisqu'il prenait naissance dans ma conviction que le monde ainsi que moi-même avions une continuité définissable.

Mes efforts pour arriver à m'exprimer clairement amusaient don Juan. Il rit, hocha la tête, se gratta le crâne, et lorsque je parlai de « continuité définissable », il jeta son chapeau par terre et le piétina.

Ses clowneries me firent rire.

« Mon ami, tu n'as pas le temps. C'est là le malheur des hommes.

Aucun de nous n'a suffisamment de temps, et dans ce monde effrayant, dans ce monde mystérieux, ta continuité ne signifie rien.

« Ta continuité ne sert qu'à te rendre timide. Tes actes ne peuvent avoir ni le flair, ni le pouvoir, ni la force contraignante des actes d'un homme qui sait qu'il entre dans sa dernière bataille sur terre. En d'autres mots, ta continuité ne te rend ni heureux ni puissant. »

Je dus admettre que l'idée de mourir m'effrayait, et je l'accusai d'avoir créé en moi une extrême appréhension par ses continuelles déclarations sur la mort.

« Mais nous allons tous mourir », remarqua-t-il.

Il désigna les collines lointaines.

« A coup sûr il y a là-bas quelque chose qui m'attend, et à coup sûr je vais le rejoindre. Peut-être es-tu différent et alors la mort ne t'attend pas du tout. »

Mon geste désespéré l'amusa.

« Don Juan, je ne veux pas y penser.

— Pourquoi pas?

— Ça ne veut rien dire. Si elle m'attend là-bas, pourquoi m'en soucier?

— Je n'ai jamais prétendu que tu devais t'en soucier.

— Alors, que dois-je faire?

— Sers-t'en. Concentre-toi sur ce qui te lie à ta mort, sans le moindre remords, sans la moindre tristesse, sans le moindre souci. Concentre-toi sur le fait que tu n'as pas le temps, et laisse tes actes se dérouler en conséquence. Laisse chacun de tes actes devenir ta dernière bataille sur terre. Ce n'est qu'à de telles conditions que tes actes auront leur plein pouvoir. Sinon, aussi longtemps que tu vivras, ils demeureront les actes d'un timide.

— Est-ce donc si terrible d'être timide?

— Non. Pas si tu étais immortel. Mais si tu dois mourir, tu n'as pas de temps pour la timidité, uniquement parce qu'elle fait que tu t'accroches à des choses qui n'existent que dans tes pensées. Elle t'apaise quand tout est au calme plat, mais lorsque le monde effrayant, le monde mystérieux ouvrira sa bouche pour toi — ainsi qu'il l'ouvre pour chacun de nous — tu te rendras compte que tes rassurantes manières d'agir ne sont pas sûres du tout. La timidité nous empêche d'examiner et d'exploiter ce qui nous échoit en tant qu'hommes.

— Don Juan, vivre toujours avec l'idée de la mort n'est pas normal.

— Notre mort attend, et ce que nous faisons juste à cet instant est peut-être notre dernière bataille sur terre, reprit-il avec solennité

Je dis bataille car il s'agit d'un combat. La plupart des gens passent d'un acte à un autre sans se battre ni penser. Au contraire un chasseur juge chaque acte et, puisqu'il a une parfaite connaissance de sa mort, il l'accomplit judicieusement, comme si chaque acte était son dernier combat. Seul un imbécile ne voit pas l'avantage qu'un chasseur a sur ses semblables. Il est parfaitement naturel que son dernier acte sur terre soit le meilleur de lui-même. C'est ainsi qu'il procure du plaisir. Cela émousse sa frayeur.

— Vous avez raison, concédai-je. C'est vraiment dur à accepter.

— Il te faudra des années pour arriver à t'en convaincre et ensuite des années pour agir en conséquence. J'espère seulement qu'il te reste assez de temps.

— A vous écouter, j'ai des frissons dans le dos. »

Il me dévisagea avec une expression de grand sérieux.

« Je te l'ai déjà dit, c'est un monde étrange. Les forces qui guident les hommes sont imprévisibles, effrayantes, et malgré tout leur splendeur vaut la peine d'être vue. »

Il s'interrompit pour me regarder, comme s'il allait me révéler quelque chose. Mais il se reprit et eut un sourire.

« Y a-t-il quelque chose qui nous guide? demandai-je.

— Certainement. Il y a des pouvoirs qui nous guident.

— Pouvez-vous les décrire?

— Pas vraiment sinon pour les nommer forces, esprits, airs, vents, ou des choses comme ça. »

J'aurais voulu l'interroger encore, mais il se leva avant que je n'ouvre la bouche. Stupéfait je le regardai les yeux grands ouverts. Il s'était relevé d'un seul mouvement, son corps avait sursauté et voilà qu'il était sur pied.

Je m'émerveillai encore de l'adresse exceptionnelle qu'il faut à un homme pour se dresser avec une telle rapidité, lorsqu'il m'ordonna d'un ton sec de traquer un lapin, de l'attraper, de le tuer, de le dépouiller et de le rôtir avant le crépuscule.

Il jeta un coup d'œil vers le ciel et dit que j'avais assez de temps pour cela.

Je partis sans réfléchir comme je l'avais souvent fait. Don Juan restait à mon côté et ne perdait pas de vue un seul de mes mouvements. J'étais parfaitement calme, je me déplaçais précautionneusement, et j'attrapai sans peine un lapin, un mâle.

« Maintenant, tue-le! », dit-il sèchement.

Je passai ma main dans le piège pour saisir l'animal, je le pris par les oreilles pour le sortir lorsque soudain la peur s'insinua en moi.

Je venais de me rendre compte que depuis que don Juan m'enseignait la chasse il ne m'avait jamais appris à achever le gibier. D'ailleurs, au cours de ces très nombreuses aventures dans le désert, lui-même n'avait tué qu'un lapin, deux perdrix et un serpent à sonnettes.

Je lâchai le lapin et levai mes yeux vers lui.

« Je ne peux pas le tuer, avouai-je,

— Pourquoi?

— Je ne l'ai jamais fait.

— Mais tu as tué des milliers d'oiseaux et d'autres animaux.

— Avec un fusil, pas de mes mains.

— Et alors, quelle différence? La fin du lapin a sonné. »

Le ton de sa voix me choqua. Il était autoritaire et assuré. Il impliquait que la mort du lapin avait sonné.

« Tue-le, commanda-t-il avec un regard féroce.

— Je ne peux pas. »

Il hurla que le lapin devait mourir. Il précisa que les pérégrinations de l'animal dans ce magnifique désert avaient pris fin. Pourquoi hésiter alors que l'esprit qui guide les lapins avait dirigé celui-ci dans mon piège au début même du crépuscule?

Je fus bouleversé par une rapide succession de sensations et de pensées, comme si ces pensées avaient attendu que j'arrive en ce lieu pour me sauter dessus. Je sentis avec une angoissante clarté la tragédie du lapin qui était tombé dans mon piège. En quelques secondes les moments cruciaux de ma vie repassèrent dans ma mémoire, les nombreux moments où j'avais moi-même été le lapin.

Je regardai l'animal. Il leva les yeux vers moi. Il restait tassé au fond de la cage, enroulé sur lui-même, calme, immobile. Nous échangeâmes un sombre regard, et ce regard, que j'imaginai silencieusement désespéré, scella ma complète identification avec l'animal.

« Au diable! m'exclamai-je. Je ne vais pas tuer quoi que ce soit. Ce lapin s'en ira librement. »

Un frisson d'émotion me parcourut. Mes bras tremblaient pendant que je tentais d'attraper le lapin par les oreilles. Il s'esquiva et je le manquai. J'essayai à nouveau mais sans succès. J'eus envie de vomir. Pour libérer plus rapidement le lapin je cognai la cage par terre. Mais elle était plus solide que je ne pensais, elle ne s'ouvrit pas. Mon désespoir se transforma inéluctablement en une angoisse profonde. De toutes mes forces je piétinai du pied droit le bord de la cage. Les tiges craquèrent. Je sortis le lapin. J'eus un soupir de soulagement qui s'évanouit l'instant d'après. Le lapin pendait mollement dans ma main, il était **mort.**

Je ne savais plus que faire. Je voulus savoir comment il avait pu mourir. Je me tournai vers don Juan. Il me fixait des yeux. Une sensation de terreur fit frissonner mon corps tout entier.

Je m'assis près d'un groupe de rochers. J'avais un terrible mal de tête. Don Juan plaça sa main sur mon crâne et me chuchota qu'il fallait que je dépiaute et rôtisse ce lapin avant la fin du crépuscule.

L'envie de vomir me reprit. Il me parla avec beaucoup de patience, comme à un enfant. Il déclara que les pouvoirs qui guident les hommes et les animaux avaient dirigé ce lapin vers moi, exactement comme ils me guideraient vers ma mort. La mort du lapin constituait un cadeau qui m'était fait, exactement comme ma mort serait un cadeau pour quelque chose ou quelqu'un d'autre.

Je me sentais pris d'étourdissements. Les simples événements de ce jour m'avaient épuisé. Je me forçai à penser qu'il ne s'agissait que d'un lapin, mais ne parvenai pas à me libérer de l'étrange identification qui m'avait lié à lui.

Don Juan précisa qu'il me fallait manger un peu de cette viande, ne serait-ce qu'une bouchée, de façon à valider ma découverte.

« Je ne peux pas, protestai-je faiblement.

— Dans les mains de ces forces nous sommes de la lie, rétorqua-t-il. Par conséquent mets fin à ta propre-importance et sers-toi de ce cadeau de manière appropriée. »

Je saisis le lapin, il était encore chaud.

Don Juan se pencha et murmura :

« Ton piège a été son dernier combat sur terre. Je te l'ai dit, il ne lui restait plus de temps pour rôder dans ce merveilleux désert. »

10

Se rendre accessible au pouvoir

Jeudi 17 août 1961

En sortant de ma voiture je prévins don Juan que je ne me sentais pas bien.

« Assieds-toi, prends place », dit-il gentiment en me conduisant presque par la main jusqu'au porche. Il me sourit et me tapota l'épaule.

Deux semaines auparavant, le 4 août, don Juan avait, comme je l'ai dit, changé de tactique avec moi; il m'avait permis de prendre quelques boutons de peyotl. Au sommet de mes hallucinations j'avais joué avec le chien de la maison où nous étions. Pour don Juan cette relation avec le chien constituait un événement extrêmement particulier. Il prétendait qu'à certains moments de puissance, par exemple celui que j'avais vécu, le monde ordinaire n'existait plus et que rien ne pouvait être pris tel quel. Le chien n'était pas vraiment un chien mais l'incarnation de Mescalito, le pouvoir ou la divinité contenue dans le peyotl.

Les séquelles de cette expérience furent une fatigue générale et une impression de mélancolie ainsi que des rêves et des cauchemars exceptionnellement marquants.

« Où donc est ton attirail d'écrivain? », me demanda-t-il pendant que je prenais place.

Mon carnet de notes était resté dans ma voiture; il alla chercher ma serviette et la déposa à mon côté.

Il voulut savoir si je portais ma serviette en marchant. Je répondis affirmativement.

« C'est de la folie, s'exclama-t-il, je t'ai pourtant dit de ne rien avoir dans tes mains lorsque tu marches. Achète-toi un sac à dos. »

J'éclatai de rire. Porter un carnet de notes dans un sac à dos était pour le moins risible. Je lui signalai qu'en général je portais un costume et qu'un sac à dos sur complet de trois pièces ne passerait pas inaperçu.

« Alors mets la veste sur le sac. Il vaut mieux que les gens te .roient bossu que de ruiner ton corps en portant tout cela à bout de bras. »

Il me pressa de sortir mon carnet et mon crayon. Il semblait faire un effort délibéré pour me mettre à l'aise.

A nouveau je lui signalai mon malaise physique et mon étrange sensation de tristesse.

Il éclata de rire et dit : « Tu commences à apprendre. »

Alors nous eûmes une longue conversation. Il déclara que Mescalito, en me laissant jouer en sa compagnie, m'avait désigné comme un « homme choisi », et bien que confondu par ce présage parce que je n'étais pas indien, il allait me transmettre une connaissance secrète. Il précisa qu'il avait eu lui-même un benefactor qui lui avait appris à devenir « homme de connaissance ».

J'eus l'impression d'un malheur imminent. La révélation que j'étais un homme choisi s'ajoutait à sa manière d'agir vraiment étrange et à l'effet dévastateur du peyotl pour susciter en moi un insupportable état d'appréhension et d'indécision. Mais il ne fit aucun cas de mes impressions et me recommanda de ne penser qu'au fait merveilleux que constituait Mescalito jouant avec moi.

« Ne pense à rien d'autre, le reste viendra de lui-même. »

Il se leva, me tapota gentiment la tête et poursuivit d'une voix douce :

« Je vais t'apprendre à devenir un guerrier exactement comme je t'ai appris à chasser. Toutefois je dois te prévenir, apprendre la chasse ne t'a pas fait chasseur, et apprendre à devenir un guerrier ne fera pas de toi un guerrier. »

Une sensation de frustration et de malaise physique me conduisit presque à l'angoisse. Je me plaignis de mes rêves et cauchemars. Il réfléchit un instant puis s'assit.

« Ce sont d'étranges rêves, ajoutai-je.

— Tu as toujours eu des rêves étranges, répondit-il.

— Cette fois, ils sont encore plus étranges.

— Ne t'en occupe pas. Ce ne sont que des rêves. Et comme les rêves de n'importe quel rêveur, ils n'ont aucun pouvoir. Alors pourquoi s'en soucier, ou même en parler?

— Don Juan, ils me préoccupent. Que puis-je faire pour les stopper?

— Rien. Laisse-les passer. Le moment est venu pour toi de devenir accessible au pouvoir, et tu vas commencer par empoigner tes *rêves*. »

A la manière dont il avait dit « rêves », je sentis qu'il utilisait le mot dans un sens particulier. Je cherchai comment formuler une question lorsqu'il reprit :

« Jamais je ne t'ai parlé de *rêves* parce que jusqu'à aujourd'hui je me suis uniquement préoccupé de t'apprendre à devenir un chasseur. Un chasseur ne s'intéresse pas à la manipulation du pouvoir, par conséquent ses rêves ne sont que des rêves. Ils peuvent être saisissants mais ils ne sont pas *rêver*.

« Par ailleurs un guerrier recherche le pouvoir et une des avenues du pouvoir est *rêver*. On peut dire que la différence entre un chasseur et un guerrier est que ce dernier est en voie d'acquérir le pouvoir alors que le premier ignore pratiquement tout sinon tout à son propos.

« Décider qui peut être guerrier ou simplement chasseur ne dépend pas de nous. Une telle décision est du domaine des pouvoirs qui guident les hommes. C'est la raison pour laquelle jouer avec Mescalito est un présage important. Ces forces t'ont guidé vers moi; elles t'ont fait entrer dans cette gare routière, t'en souviens-tu? Un quelconque pantin t'a conduit vers moi. D'ailleurs un pantin pour te désigner à mon attention, c'est aussi un présage. Ainsi je t'ai appris à devenir un chasseur. Et maintenant un autre présage, Mescalito en personne jouant avec toi. Te rends-tu compte de ce que je veux dire? »

Son étrange logique me dépassait. Ses mots suscitaient des visions où je me voyais succombant à une chose effrayante et incompréhensible à laquelle je ne m'attendais pas, dont même dans mes imaginations les plus folles je n'avais pas supposé l'existence.

« Que me proposez-vous de faire?

— Te rendre accessible au pouvoir : empoigne tes rêves. Tu les nommes rêves parce que tu n'as pas de pouvoir. Un guerrier, parce qu'il recherche le pouvoir, ne les désigne plus par rêves, il les nomme réels.

— Voulez-vous dire qu'il considère ses rêves comme réels?

— Il ne prend pas quelque chose pour quelque chose d'autre. Ce que tu nommes rêves est réel pour un guerrier. Comprends bien qu'un guerrier n'est pas un imbécile. Un guerrier est un chasseur irréprochable qui chasse le pouvoir; il n'est ni saoul ni cinglé, et il n'a ni le temps ni l'envie de bluffer, de se mentir à lui-même ou d'agir à contresens. L'enjeu est trop risqué pour qu'il se le permette. L'enjeu est sa vie soigneusement élaguée, une vie qui réclama si longtemps pour être réduite au strict nécessaire et à la perfection. Il ne va pas perdre cela en faisant une estimation stupide, ou en prenant une chose pour une autre.

« *Rêver* est réel pour le guerrier parce qu'il peut y agir de manière délibérée. Il peut choisir et rejeter. Parmi la variété des ustensiles, il peut sélectionner ceux qui conduisent au pouvoir. Puis il peut les manipuler, les utiliser. Dans un rêve ordinaire il ne peut pas agir de manière délibérée.

— Don Juan, voulez-vous dire que *rêver* est réel?

— Bien sûr que c'est réel.

— Aussi réel que ce que nous faisons maintenant?

— Si tu veux comparer, j'irai jusqu'à dire que c'est peut-être plus réel. *Rêver*, c'est avoir du pouvoir. Tu peux changer les choses. Tu peux en extraire une infinité de faits cachés. Tu peux contrôler tout ce que tu veux. »

D'un certain point de vue les idées fondamentales de don Juan m'attiraient toujours. Je pouvais facilement concevoir qu'il aimât l'idée qu'on pût tout faire dans ses rêves, mais jamais je n'aurais pu prendre cela au sérieux. Le fossé restait bien trop large.

Nous nous regardâmes un moment face à face. Ses déclarations me semblaient insensées et néanmoins, autant que je puisse en juger, il était l'homme le plus pondéré que je connusse.

Je lui avouai ne pas croire qu'il puisse prendre ses rêves pour réels. Il rit sous cape comme s'il savait combien ma position s'avérait intenable. Puis, sans dire un mot, il se leva et rentra chez lui.

Longtemps je demeurai sur place frappé de stupeur. De derrière la maison il m'appela pour manger un gruau de maïs qu'il venait de préparer.

Je le questionnai. Comment nommait-il l'état d'éveil? avait-il un nom spécial pour cela? Soit il ne comprit pas ma question, soit il ne voulut pas me répondre.

« Comment nommez-vous ce que nous faisons maintenant? demandai-je, opposant ainsi la réalité aux rêves.

— Je nomme ça manger, dit-il en retenant un rire.

— Je nomme ça réalité, dis-je, réalité parce que le fait que nous mangeons a réellement lieu.

— *Rêver* a aussi vraiment lieu, rétorqua-t-il en se trémoussant de rire. Aussi bien que chasser, marcher, rire. »

J'abandonnai. Même en faisant preuve d'une grande largeur d'esprit je n'arrivais pas à accepter son idée. Ma perplexité semblait l'enchanter.

Aussitôt le repas terminé, il déclara que nous irions nous promener, mais cette fois-ci sans rôder dans le désert comme nous l'avions souvent fait.

« Cette fois-ci, c'est différent. A partir de maintenant nous allons aux lieux de pouvoir. Tu vas apprendre comment te rendre accessible au pouvoir. »

Je lui confiai mes craintes, je ne me sentais nullement qualifié pour une telle entreprise.

« Allons, ne t'abandonne pas à de telles peurs, dit-il à voix basse en me tapotant le dos et en souriant avec bienveillance. J'ai aiguillonné ton esprit de chasseur. Tu aimes rôder avec moi dans ce magnifique désert. Maintenant il est trop tard pour tout lâcher. »

Nous allâmes dans le désert. D'un signe de tête il m'indiqua de le suivre. J'aurais bien pu prendre ma voiture et partir, mais j'aimais vraiment rôder en sa compagnie dans ce magnifique désert. J'aimais cette impression de monde effrayant, mystérieux et néanmoins magnifique. Et cela n'existait que lorsque j'y allais avec lui. Comme il le disait j'étais accroché.

Il alla vers les collines de l'est. Ce fut une longue marche. L'accablante chaleur ne m'affecta pas le moins du monde.

Nous entrâmes assez profondément dans une gorge. Don Juan s'arrêta à l'ombre de gros rochers. Je pris quelques biscuits, mais il me dit de ne pas manger.

Il annonça que je devais m'asseoir à un endroit élevé, et à cinq mètres de là désigna un rocher isolé presque rond. Je crus qu'il allait m'y rejoindre car il m'aida à l'escalader. Mais arrivé à mi-hauteur il me tendit quelques tranches de viande séchée. Il m'indiqua qu'il s'agissait de viande-pouvoir, qu'il fallait la mâcher avec une extrême lenteur et ne la mélanger en aucun cas à d'autres aliments. Puis il redescendit s'installer à l'ombre et s'adossa contre un rocher. Il paraissait détendu, presque endormi. Tant que je n'eus pas fini de manger il garda la même position. Puis il s'assit le dos droit et se mit à balancer la tête de gauche à droite, comme s'il écoutait attentivement quelque chose. A deux ou trois reprises il me jeta un coup d'œil, et tout à coup il se redressa, se mit à scruter les environs à la manière d'un chasseur. Instinctivement je me figeai sur place sans toutefois le quitter des yeux. Avec d'infinies précautions il recula pour aller se cacher derrière des rochers, un peu comme s'il espérait le passage d'un gibier dans ce qui était, je venais de m'en rendre compte, une sorte de méandre bordé de falaises, un cirque de rochers de grès dans le canyon sans eau.

Soudain il surgit de derrière les rochers et eut un sourire; il étira ses bras, bâilla et s'avança vers moi. Je me détendis et repris ma position assise.

« Que s'est-il passé? », murmurai-je.

En hurlant il me répondit qu'il n'y avait aux alentours rien qui vaille la peine de se faire du souci.

Un tiraillement soudain tordit mon estomac. Sa réponse était inappropriée et je ne pouvais pas comprendre pourquoi il hurlait ainsi sans raison spéciale.

Je décidai de descendre du rocher, mais il me hurla d'y rester encore un moment.

« Que faites-vous? », demandai-je.

Tout en se dissimulant entre deux blocs il s'assit au pied du rocher, et d'une voix criarde me dit qu'il était allé voir aux alentours parce qu'il avait cru avoir entendu quelque chose.

Je lui demandai s'il avait entendu un animal. Il plaça sa main en cornet autour de son oreille et hurla qu'il n'arrivait pas à m'entendre, que je devais crier plus fort. Je m'égosillai pour lui dire que j'aimerais bien savoir ce qui se passait. Il brailla qu'il n'y avait absolument rien aux alentours et me demanda si du haut de mon rocher je pouvais voir quelque chose. Je hurlai que non. Il voulut alors que je lui décrive le terrain situé au sud.

Pendant un moment nous vociférâmes, puis il me dit de descendre. Il me chuchota qu'il avait fallu parler en criant pour être certain de signaler notre présence, car je devais me rendre accessible au pouvoir de ce trou d'eau particulier.

Nulle part je ne voyais un trou d'eau. D'un signe il m'indiqua que nous étions assis dessus.

« Là, il y a de l'eau, murmura-t-il, et aussi du pouvoir. Il y a là un esprit et il nous faut l'attirer. Peut-être viendra-t-il vers toi. »

Ce soi-disant esprit m'intéressait, mais il exigea un silence parfait. Il me conseilla de rester sans un geste, de ne faire ni un mouvement ni un bruit qui révéleraient notre présence.

Pour lui rien de plus facile que de rester immobile des heures durant, pour moi c'était un supplice. Mes jambes s'engourdissaient, mon dos me faisait mal, une tension insupportable gagna mes épaules et mon cou. Mon corps tout entier devint insensible et froid. J'étais vraiment mal à l'aise lorsque soudain il se releva. Il sauta sur ses pieds et pour m'aider à me relever me tendit une main.

En m'étirant je fus surpris de constater l'aisance avec laquelle il s'était relevé après des heures d'immobilité. Quant à moi, il me fallut un certain temps avant de retrouver une élasticité musculaire suffisante pour marcher.

Don Juan se dirigeait vers sa maison. Après m'avoir ordonné de le suivre à une distance de trois pas, il avançait assez lentement. Il sinua en dehors du chemin habituel qu'à trois ou quatre reprises nous traversâmes sous des angles différents. Tard dans l'après-midi nous arrivâmes chez lui.

Je voulus le questionner sur ce qui avait bien pu avoir lieu. Il déclara toute discussion inutile, et tant que nous n'étions pas revenus au lieu de pouvoir je devais m'interdire de poser des questions.

Son énigmatique réponse me tiraillait dans tous les sens. Malgré tout je me risquai à le questionner en chuchotant. D'un regard sévère et froid il me rappela qu'il ne plaisantait pas.

Pendant des heures nous restâmes assis sur le porche. Je travaillai sur mes notes. De temps à autre il me tendait une tranche de viande sèche. La nuit survint, je ne pouvais plus écrire. Alors je m'efforçai de penser à cette nouvelle aventure, mais quelque chose en moi s'y refusait. Je m'endormis.

Samedi 19 août 1961

Hier nous allâmes en ville pour prendre notre petit déjeuner au restaurant. Il me conseilla de ne pas trop changer mes habitudes alimentaires.

« Ton corps n'est pas habitué à la viande-pouvoir. Ne pas manger ta nourriture habituelle te rendrait malade. »

Il mangea de bon cœur. En réponse à une remarque taquine de ma part. il dit calmement : « Mon corps aime tout. »

Vers midi nous partîmes pour le canyon du point d'eau. Par une conversation bruyante suivie d'un silence forcé de plusieurs heures nous nous signalâmes à l'esprit.

En partant don Juan ne se dirigea pas vers sa maison mais vers les montagnes. Après avoir descendu quelques faibles pentes nous grimpâmes au sommet d'une haute colline. Là don Juan choisit un endroit à l'ombre pour notre repos. Il m'indiqua que nous devions y rester jusqu'au crépuscule, que je devais agir de la façon la plus normale, c'est-à-dire que je pouvais même poser toutes les questions qui me tourmentaient.

« Je sais que l'esprit est tapi là-bas, ajouta-t-il à voix basse.
— Où?
— Là-bas, dans les buissons.
— De quelle sorte d'esprit s'agit-il? »

Il me regarda avec une expression interrogative puis rétorqua :
« Combien de sortes en existe-t-il? »

Nous éclatâmes de rire. Mes questions avaient un effet sédatif sur ma nervosité.

« Il viendra au crépuscule, dit-il. Il suffit d'attendre. »

Je cessai de parler, le flot des questions s'était tari.

« Il faut que nous parlions sans interruption, annonça-t-il. Les voix humaines attirent les esprits. En voilà un qui se cache là-bas. Nous allons nous mettre à sa disposition, continue de parler. »

Je me sentais stupidement vide de mots, je n'arrivai même pas à penser. Il rit et me tapota le dos.

« Tu es vraiment drôle. Lorsqu'il faut parler tu perds ta langue. Allons, claque du bec ! »

Il fit un geste comique, il ouvrait et fermait sa bouche comme un bec d'oiseau.

« A partir de maintenant il y a certaines choses dont nous ne parlerons qu'aux lieux de pouvoir. Je t'ai guidé ici pour ta première expérience. C'est un lieu de pouvoir, là nous ne pouvons parler que de pouvoir.

— J'ignore ce qu'est le pouvoir.

— Le pouvoir est ce dont s'occupe le guerrier. Au début c'est une entreprise incroyable, inaccessible ; il est même difficile d'y penser. C'est ce qui t'arrive maintenant. Puis le pouvoir devient une affaire sérieuse. On ne peut pas l'avoir ou on peut ne pas vraiment se rendre compte qu'il existe, mais malgré tout on sait qu'il y a là quelque chose, quelque chose que l'on n'avait pas pu voir auparavant. Ensuite le pouvoir se manifeste comme une chose incontrôlable qui nous arrive. Il m'est impossible de dire comment il survient ou ce qu'il est réellement. Ce n'est rien et pourtant devant tes propres yeux il fait surgir des merveilles. Et enfin le pouvoir est quelque chose en nous-même, quelque chose qui contrôle nos actes et cependant nous obéit. »

Il se tut. Puis il voulut savoir si j'avais compris. Répondre par l'affirmative me parut ridicule. Il remarqua ma consternation et eut un rire sous cape.

« Ici même je vais t'enseigner la première étape du pouvoir, annonça-t-il comme s'il me dictait une lettre. Je vais t'enseigner comment *élaborer le rêve*. »

Il me regarda en me demandant si j'avais compris. Ce ne pouvait être le cas. J'arrivais à peine à le suivre. Il expliqua qu' « élaborer le rêve » signifiait avoir un contrôle précis et pragmatique sur la situation générale d'un rêve, un contrôle exactement semblable à celui que l'on a au moment d'un choix dans le désert, par exemple grimper une colline ou demeurer dans l'ombre d'un canyon.

« Il faut commencer par quelque chose de très simple, continua-t-il. Cette nuit, dans tes rêves, tu regarderas tes mains. »

J'éclatai de rire. Il venait de parler comme s'il s'agissait d'un acte des plus ordinaires.

« Pourquoi ris-tu ? demanda-t-il avec surprise.

— Comment puis-je regarder mes mains dans mes rêves ?

— C'est très simple, concentre ton regard sur tes mains, comme ça... »

Il pencha sa tête en avant et fixa ses mains, il avait la bouche grande ouverte. Son expression était tellement comique que je ne pus m'empêcher de rire.

« Sérieusement, comment dois-je faire ?

— Comme je te l'ai dit, répondit-il. Il est évident que tu peux, si bon te semble, regarder n'importe quoi d'autre, tes orteils, ton nombril, ou ton outil. J'ai mentionné les mains parce que pour moi c'est la partie du corps la plus facile à voir. Ne crois pas que je plaisante. *Rêver* est aussi sérieux que *voir* ou mourir ou n'importe quoi d'autre dans ce monde effrayant et mystérieux.

« Pense à quelque chose d'amusant. Imagine toutes les choses incroyables que tu pourrais accomplir. Un homme qui chasse le pouvoir n'a pratiquement pas de limites lorsqu'il *rêve*. »

Je lui demandai quelques tuyaux.

« Il n'y a pas de tuyaux. Tu n'as qu'à regarder tes mains.

— Vous devriez pouvoir m'en dire plus que ça. »

Il secoua la tête, cligna de l'œil, et me jeta des œillades rapides.

« Chacun de nous est différent. Ce que tu nommes des tuyaux ne pourrait être que ce que j'ai fait moi-même lorsque j'apprenais. Nous ne sommes pas semblables, même pas vaguement semblables.

— N'importe quoi pourrait m'aider.

— Ce serait bien plus simple si tu commençais par regarder tes mains. »

Il sembla mettre de l'ordre dans ses pensées. Il hocha la tête de haut en bas.

« Chaque fois que dans tes rêves tu regardes quelque chose, cette chose change, dit-il après un long silence. L'astuce pour apprendre à *élaborer le rêve* n'est pas, c'est évident, de simplement regarder les choses, mais de retenir leur vision. *Rêver* est réel quand on réussit à tout amener à devenir clair et net. Alors il n'y a plus de différence entre ce que tu fais quand tu dors et ce que tu fais quand tu ne dors pas. Comprends-tu maintenant ? »

J'avouai que même si je comprenais ce qu'il avait dit j'étais incapable d'accepter son point de départ. J'avançai l'argument que dans un monde civilisé de nombreuses personnes avaient des illusions, et ces gens ne pouvaient pas faire la différence entre ce qui se produisait dans le monde réel et dans leurs fantaisies. Ces gens étaient des malades mentaux. Par conséquent chaque fois qu'il me recommandait d'agir comme un fou j'étais excessivement troublé.

Mon exposé terminé, don Juan eut un geste comique, il porta ses mains à ses joues et soupira profondément.

« Laisse ton monde civilisé là où il est, dit-il. Qu'il soit ce qu'il est ! Personne ne te demande de te conduire comme un fou. Je te l'ai déjà dit, un guerrier doit être parfait de manière à négocier avec les pouvoirs qu'il chasse. Comment peux-tu concevoir un guerrier incapable de discerner une chose de l'autre ?

« Par ailleurs, mon ami, toi qui sais ce qu'est le monde réel, tu trébucherais et mourrais en un rien de temps s'il te fallait dépendre de ta capacité à distinguer ce qui est réel de ce qui ne l'est pas. »

Évidemment, je m'étais mal exprimé. Chaque fois que je protestais, je manifestais en fait l'insupportable frustration d'être dans une situation intenable.

« Je ne tente pas de faire de toi un malade ou un fou, continua-t-il. Tu peux arriver à cela par toi-même, tu n'as pas besoin de mon aide. Mais ces forces qui nous guident t'ont dirigé vers moi, et j'ai entrepris de t'enseigner comment changer tes stupides manières pour arriver à vivre la vie impeccable d'un guerrier. Il semble bien que tu n'y arrives pas. Mais qui sait ? Nous sommes tout aussi mystérieux et effrayants que cet incommensurable monde, donc qui pourrait savoir de quoi tu es capable ? »

Sa voix laissa passer une certaine tristesse. J'aurais voulu m'excuser de mes faiblesses, mais il continua :

« Tu n'as pas besoin de regarder tes mains. Ainsi que je te l'ai dit tu peux prendre n'importe quoi. Mais choisis d'avance quelque chose et trouve-le dans tes rêves. J'ai dit tes mains parce qu'elles seront toujours là.

« Lorsqu'elles commenceront à changer de forme, il faudra que tu déplaces ton regard pour le porter sur quelque chose d'autre, puis reviens vers tes mains. Pour parfaire cette technique il faut y consacrer énormément de temps. »

Écrire tout cela m'occupait tant que je ne remarquai pas que la nuit tombait. Le soleil venait de se coucher. Le ciel était nuageux, le crépuscule s'annonçait proche. Don Juan se leva et jeta de furtifs coups d'œil vers le sud.

« Allons-y, annonça-t-il. Nous devons marcher vers le sud jusqu'à ce que l'esprit du trou d'eau se révèle à nous. »

Environ une demi-heure plus tard le terrain changea, nous avancions dans un endroit dépourvu de végétation. C'était une grande colline ronde dont le couvert végétal avait brûlé; elle ressemblait à une tête chauve. Je crus que don Juan allait grimper le long de la faible pente, mais il s'arrêta et demeura dans une position de très grande attention. Son corps semblait s'être tendu, et pendant un instant il frémit. Puis il se détendit et resta là, mollement debout. Je n'arrivai pas à comprendre comment il pouvait se maintenir debout avec des muscles tellement relâchés.

Au même instant une très forte rafale de vent me fit sursauter. Le corps de don Juan se tourna dans la direction du vent, l'ouest. Pour se tourner il ne fit pas usage de ses muscles, en tout cas pas comme on les utilise normalement pour tourner. Le corps de don Juan sembla avoir été manipulé de l'extérieur comme si, pour faire face à une autre direction, quelqu'un d'autre l'avait déplacé.

Je ne le quittai pas des yeux, et je le vis me regarder du coin de l'œil. Son visage marquait une détermination, une intention indubitables. Son être tout entier restait attentif. Il m'émerveillait. Je n'avais jamais été dans une situation réclamant une aussi étrange concentration.

Soudain son corps frissonna comme sous l'effet d'une douche froide. Il eut un soubresaut, puis se mit à marcher comme si rien ne s'était passé.

Je le suivis. Nous traversâmes le flanc oriental de collines nues jusqu'à ce que nous fûmes au milieu d'elles. Là il s'arrêta le visage vers l'ouest.

Vu de cet endroit le sommet de la colline n'était plus aussi arrondi et régulier qu'à distance. Près du sommet il y avait une caverne ou un trou. A l'instar de don Juan je fixai ce détail. Une forte rafale de vent me fit frissonner. Don Juan se tourna vers le sud pour scruter attentivement le paysage étendu devant nous.

« Là! », chuchota-t-il, et il désigna un objet au sol.

Je m'efforçai de voir. A environ sept mètres il y avait quelque chose par terre, quelque chose de châtain qui me faisait frissonner. Je me concentrai sur cet objet presque rond, comme enroulé sur lui-même, peut-être un chien endormi.

« Qu'est-ce donc? murmurai-je.

— Je n'en sais rien, chuchota-t-il sans toutefois quitter l'objet des yeux. A ton avis, à quoi ressemble-t-il? »

Je parlai d'un chien.

« Trop gros pour un chien. »

Je m'avançai vers l'objet, mais gentiment don Juan m'arrêta. Je fixai la chose à nouveau, sans aucun doute il s'agissait d'un animal endormi ou mort. J'arrivais maintenant à distinguer sa tête aux oreilles dressées comme celles d'un loup. Dès lors je fus certain que c'était un animal roulé sur lui-même. Cela aurait pu être un veau brun.

J'en parlai à don Juan. Il remarqua que pour un veau il était trop ramassé, et d'ailleurs il avait des oreilles pointues.

L'animal trembla un moment, je compris qu'il était vivant. Maintenant je discernai sa respiration irrégulière. Son souffle ressemblait plutôt à un tremblement saccadé. Une pensée soudaine me vint à l'esprit :

« C'est un animal mourant, murmurai-je.

— Tu as raison, mais quel genre d'animal ? »

Je ne parvenais pas à en cerner les traits. Don Juan fit deux pas en avant. Je le suivis. Il faisait déjà assez noir et il nous aurait fallu être plus proches pour voir avec netteté.

« Attention, chuchota don Juan. Si c'est une bête en train de mourir elle pourrait nous sauter dessus avec ses dernières énergies. »

Quel qu'il fût, l'animal semblait proche de sa fin. Il respirait par saccades, des spasmes agitaient son corps mais il gardait sa position roulée. A un certain moment un spasme plus violent souleva son corps du sol. J'entendis un cri inhumain et brusquement il étira ses pattes. Ses griffes n'étaient pas simplement effrayantes, elles m'écœuraient. Les pattes tendues il trébucha de côté et roula sur son dos.

J'entendis un grognement formidable et don Juan hurler :

« Cours, sauve ta peau ! »

C'est exactement ce que je fis. Avec une agilité et une vitesse peu croyables je me précipitai vers le sommet de la colline. A mi-chemin je jetai un regard en arrière et vis que don Juan n'avait pas bougé. Il me fit signe de revenir. Je descendis en courant jusqu'à lui.

« Que s'est-il passé ? demandai-je le souffle court.

— Je crois qu'il est mort. »

Prudemment nous approchâmes de l'animal. Il gisait étalé, pattes en l'air. En arrivant plus près je faillis hurler de peur. Je venais de me rendre compte qu'il n'était pas tout à fait mort. Son corps tremblait toujours. Ses pattes tressaillirent une dernière fois.

Je devançai don Juan. L'animal eut un nouveau tremblement qui dégagea sa tête. Horrifié je me tournai vers don Juan. Si par son corps l'animal était sans doute un mammifère, il avait néanmoins un bec comme un oiseau.

Saisi d'une suprême et totale horreur, je regardai fixement la bête.

Je refusai d'en croire mes yeux. J'en restai bouche bée. Jamais je n'avais rien vu de semblable. Quelque chose d'absolument inconcevable se trouvait sous mes yeux. J'aurais voulu que don Juan m'explique ce que c'était, mais je ne parvenais pas à m'exprimer. Don Juan me fixait du regard. Je jetai un coup d'œil sur lui, puis sur l'animal, et tout à coup quelque chose en moi rétablit le monde. Sur-le-champ je sus ce qu'était cet animal. Je m'avançai et le saisis. J'avais entre les mains une grande branche brûlée où quelques débris poussés par le vent s'étaient accrochés; le tout pouvait créer dans l'obscurité l'apparence d'un animal étrange car la couleur brune des débris brûlés tranchait sur le vert de la végétation environnante.

Tout en riant de ma bêtise j'expliquai nerveusement à don Juan que le vent en soufflant avait donné l'illusion d'un animal vivant. J'avais résolu le mystère, j'étais certain qu'il allait être satisfait de moi. Mais il fit demi-tour et se dirigea vers le sommet de la colline. Je le suivis. Il se glissa dans la dépression qui de loin semblait une caverne. En fait il s'agissait simplement d'une faille peu profonde dans le grès.

Avec de petites branches il balaya la poussière accumulée par terre. « Il faut aussi se débarrasser des tiques », commenta-t-il.

Il me fit signe de m'asseoir et me dit de m'installer confortablement car nous allions passer la nuit à cet endroit.

Je me mis à parler de la branche mais il me rembarra.

« Tu ne peux te vanter de rien. Tu as gaspillé un magnifique pouvoir, un pouvoir qui insufflait la vie à cette branche sèche. »

La vraie victoire eût consisté à me laisser emporter par cette vision et à suivre le pouvoir jusqu'à ce que le monde cessât d'exister. Toutefois ma réaction ne semblait pas l'avoir déçu ou fâché. A plusieurs reprises il répéta qu'il ne s'agissait que d'un début, qu'il fallait beaucoup de temps pour manipuler le pouvoir. Il me tapota l'épaule et me taquina en me rappelant que ce matin même j'avais prétendu être capable de distinguer ce qui était réel de ce qui ne l'était pas.

L'embarras me gagna. Je m'excusai d'avoir toujours tendance à être sûr de moi.

« Ça n'a pas d'importance, me confia-t-il. Cette branche était un animal réel et elle vivait à l'instant où le pouvoir l'a touchée. Puisque ce qui la vivifiait était le pouvoir, l'astuce consistait, comme en *rêvant*, à en maintenir la vision. Vois-tu ce que je veux dire? »

Une autre question me brûlait les lèvres, mais il me fit taire en déclarant que je devais passer la nuit parfaitement éveillé mais sans dire un seul mot. Pendant un certain temps c'est lui qui allait parler.

Il ajouta que l'esprit connaissait bien sa voix et serait attiré par elle; ainsi il nous laisserait en paix. Il expliqua les sérieux dangers que comportait l'idée de se rendre accessible au pouvoir. Le pouvoir était une forme dévastatrice qui pouvait facilement conduire à la mort. Il fallait le traiter avec la plus grande prudence. Il fallait devenir disponible au pouvoir en suivant un processus systématique mais toujours en observant des précautions extrêmes.

On devait signaler sa présence par une manifestation prudente, conversation à haute voix ou toute autre activité bruyante suivie nécessairement d'un long et complet silence. Un éclat contrôlé et une tranquillité contrôlée étaient la marque du guerrier. En fait, précisa-t-il, j'aurais dû soutenir un peu plus longtemps la vision du monstre vivant. En me contrôlant, sans perdre la tête et ni me laisser déranger par l'énervement ou la peur, j'aurais dû m'efforcer de « stopper-le-monde ». Après avoir grimpé en courant la colline, j'avais été dans une condition parfaite pour « stopper-le-monde ». Cet état combinait la peur, le respect, le pouvoir et la mort. Il précisa qu'il me serait difficile de retrouver une telle combinaison.

Je chuchotai à son oreille :

« Stopper-le-monde, qu'est-ce que ça veut dire? »

Avant de me répondre il me lança un regard féroce. C'était une technique pratiquée par ceux qui chassaient le pouvoir, une technique grâce à laquelle le monde tel que nous le connaissions devait s'écrouler.

11

Le tempérament du guerrier

J'arrivai chez don Juan le jeudi 31 août 1961, mais avant même que je le salue, il glissa sa tête par la portière de la voiture, me fit un large sourire et dit :

« Il faut que nous allions en voiture assez loin d'ici, à un lieu de pouvoir, et il est déjà presque midi. »

Il s'installa à mon côté et me guida vers le sud à environ cent quinze kilomètres de là. Alors nous obliquâmes vers l'est en empruntant un chemin de terre allant jusqu'au pied des montagnes. Je me garai en dehors du chemin dans une dépression choisie par don Juan parce que assez profonde pour bien cacher la voiture. A partir de là, après avoir traversé une immense zone plate et désolée, nous montâmes directement au sommet de collines peu élevées.

La nuit tombait, don Juan choisit une place pour dormir. Il exigea un silence absolu.

Le lendemain avant de reprendre notre périple vers l'est, nous fîmes un repas frugal. La maigre végétation du désert fut graduellement remplacée par d'épais buissons d'altitude bien verts et de rares arbres.

Vers midi nous grimpâmes au sommet d'un gigantesque éperon de conglomérats semblable à un mur. Don Juan s'assit et me fit signe de prendre place.

« C'est un lieu de pouvoir, dit-il après une pause silencieuse. C'est un lieu où, il y a très longtemps, des guerriers ont été enterrés. »

Un corbeau nous survola en croassant à cet instant même. Don Juan suivit fixement son vol.

Je regardai autour de moi me demandant où et comment les guerriers avaient été enterrés.

« Pas ici, imbécile, dit-il en riant. Là, en bas. »

Il désigna le terrain juste à droite au-dessous de nous, au pied de éperon, vers l'est. Il précisa que ce terrain était encerclé par un mur naturel de rochers. Je vis une zone qui devait avoir cent mètres de diamètre, un cercle presque parfait. D'épais buissons recouvraient les rochers, et si don Juan ne me l'avait pas signalé, je n'aurais pris note de cette parfaite circularité.

Il déclara que dans le vieux monde des Indiens il y avait des quantités de places du même genre. En fait il ne s'agissait pas exactement d'un lieu de pouvoir comme certaines collines ou formations naturelles où gîtent les esprits, mais plutôt d'endroits de révélation où l'on pouvait apprendre, où on pouvait résoudre bien des dilemmes.

« Il suffit de venir ici, de passer la nuit sur ce rocher, tes sensations seront réajustées.

— Allons-nous y passer la nuit?

— C'est ce que j'avais décidé, mais le petit corbeau vient de me prévenir de ne pas le faire. »

Ce corbeau m'intéressait, mais d'un signe impatient de la main il me fit taire.

« Regarde ce cercle de rochers. Fixe-le dans ta mémoire et ainsi un jour un corbeau te guidera vers un autre de ces lieux. Plus il est circulaire, plus son pouvoir est grand.

— Les os des guerriers sont-ils toujours là? »

Don Juan fit un geste comique de perplexité suivi d'un large sourire.

« Ce n'est pas un cimetière. Personne n'y est enterré. J'ai dis que des guerriers étaient enterrés ici il y a longtemps. J'ai voulu dire qu'ils venaient en ce lieu pour s'y enterrer une nuit ou deux jours ou le temps nécessaire. Je n'ai pas voulu dire que des os sont enterrés ici. Les cimetières ne m'intéressent pas. Ils n'ont aucun pouvoir. Les os des guerriers ont du pouvoir mais jamais ils ne sont dans un cimetière. Et dans les os d'un homme de connaissance il y a encore plus de pouvoir, mais il est pratiquement impossible d'en trouver.

— Don Juan, qu'est-ce qu'un homme de connaissance?

— Tout guerrier peut devenir homme de connaissance. Je te l'ai déjà dit, un guerrier est un chasseur impeccable qui chasse le pouvoir. S'il réussit dans sa chasse, il peut être un homme de connaissance.

— Que faut-il...? »

Il m'interrompit d'un geste de la main. Il se leva, me fit signe de le suivre dans la raide descente de la pente orientale de l'éperon. Une piste bien marquée sinuait le long de ce versant abrupt et conduisait au cercle.

Nous descendîmes lentement ce sentier périlleux et une fois en bas, don Juan, sans s'arrêter, me précéda au travers d'épais buissons jusqu'au milieu du cercle. Là il se servit de branchages secs pour nettoyer un endroit où nous devions nous asseoir. L'espace était lui aussi parfaitement rond.

« J'avais l'intention de t'enterrer ici toute la nuit. Mais je sais que le moment n'est pas encore venu. Tu n'as pas de pouvoir. Je vais seulement t'enterrer pour peu de temps. »

L'idée d'être enfermé me déplaisait. Je lui demandai comment il allait procéder pour m'enterrer. Il gloussa comme un gamin et se mit à ramasser des branches sèches. Il refusa mon aide et insista pour que je reste assis.

Il jeta les branches sur l'aire nettoyée. Puis il me dit de m'allonger la tête vers l'est. Il plaça mon blouson sous ma nuque, et construisit une cage autour de moi en plantant des branches fourchues d'environ quatre-vingts centimètres de haut dans la surface tendre du sol et en disposant dessus de longs bâtons. L'ensemble évoquait un cercueil sans couvercle. Il ferma cette cage en disposant des brindilles et du feuillage sur les longs bâtons pour me recouvrir des épaules aux pieds. Seule ma tête dépassait.

Puis il saisit un gros morceau de bois sec et, s'en servant pour creuser, dégagea la terre tout autour et en couvrit la cage. Elle était si solide et si bien faite que la terre ne tombait pas à l'intérieur. Je pouvais remuer mes jambes et j'aurais pu rentrer et sortir en me glissant.

Don Juan me dit qu'un guerrier construisait sa cage, puis s'y glissait pour la sceller de l'intérieur.

« Mais les animaux? demandai-je. Ne peuvent-ils pas gratter la couche de terre, entrer dans la cage et mordre l'homme?

— Non, ça ne préoccupe absolument pas un guerrier. Pour toi, c'est un souci parce que tu n'as pas de pouvoir. Au contraire, un guerrier est guidé par son intention inflexible et peut détourner n'importe quoi. Pas un rat, pas un serpent, pas un puma ne peuvent le déranger.

— Pourquoi s'enterre-t-il?

— Pour avoir des révélations ou emmagasiner du pouvoir. »

J'éprouvai une sensation extrêmement plaisante de paix et de satisfaction. En ce moment même le monde semblait au repos. Ce calme était agréable et en même temps énervant. Je voulus parler mais il me fit taire. Après un certain temps la tranquillité de l'endroit agit sur mon humeur. Je me mis à penser à ma vie, à ma propre histoire; une sensation familière de tristesse et de remords m'envahit. Je lui dis que je ne méritais pas d'être là. Son monde était fort et juste, j'étais faible. Mon esprit avait été gauchi par les circonstances de ma vie.

Il éclata de rire et menaça de me recouvrir entièrement si je ne me taisais pas. Il dit que j'étais un homme, et que comme tout homme j'avais droit à tout ce qui constituait le lot des hommes : la joie, la peine, la tristesse et le combat. La nature des actes personnels restait sans importance aussi longtemps que l'on agissait comme un guerrier.

En baissant la voix jusqu'au murmure il déclara que si vraiment je croyais mon esprit gauchi, je n'avais qu'à le rectifier, le purger, le rendre parfait, car dans la vie tout entière il n'y avait pas une seule tâche qui soit plus digne d'être accomplie que celle-là. Ne pas amender son esprit était rechercher la mort, ce qui revenait à ne rien chercher du tout puisqu'en dépit de tout, la mort allait quand même nous emporter.

Il s'interrompit pendant assez longtemps, puis déclara avec l'accent d'une conviction profonde :

« Chercher à atteindre la perfection de l'esprit du guerrier est la seule tâche digne de notre âge d'homme. »

Ces mots eurent un effet catalyseur. Je sentis le poids de mes actions passées comme un fardeau, gênant et insupportable. Je reconnus qu'il n'y avait aucun espoir. Tout en pleurant je me mis à parler de ma vie. Je racontai que j'avais vagabondé pendant si longtemps que j'étais devenu insensible à la peine et à la tristesse sauf en certaines occasions, c'est-à-dire lorsque je me rendais compte de ma solitude et de ma faiblesse.

Il ne dit rien. Il me saisit sous les aisselles et me sortit de la cage. Une fois libre, je m'assis. Il fit de même. Je crus qu'il me laissait le temps de me ressaisir, car il garda le silence. Je pris mon carnet et consignai nerveusement mes notes.

« Tu te sens comme une feuille à la merci du vent, n'est-ce pas ? », dit-il en me dévisageant.

C'était exactement ce que j'éprouvais. Il me comprenait parfaitement. Il ajouta que mon humeur lui rappelait une chanson et se mit à chanter à voix basse ; il chantait d'une voix très agréable, et ses paroles me subjuguèrent :

> *Que lejos estoy del cielo donde ha nacido.*
> *Inmense nostalgia invade mi pensamiento.*
> *Ahora que estoy tan solo y triste cual hoja al viento,*
> *Quisiera llorar, quisiera reir de sentimiento* [1].

---

1. Qu'il est loin le ciel où je naquis. Mes pensées sont noyées d'une immense nostalgie. Maintenant, seul et triste comme une feuille dans le vent, je voudrais pleurer, je voudrais rire de désir.

Longtemps nous gardâmes le silence. Puis il le rompit.

« D'une manière ou d'une autre, depuis le jour où tu es né, quelqu'un a fait quelque chose pour toi.

— C'est vrai.

— Et certaines choses contre ta volonté.

— Bien vrai.

— Et maintenant tu es faible, comme une feuille dans le vent.

— Exactement. C'est bien ça. »

Je déclarai que les circonstances de ma vie avaient parfois eu des effets dévastateurs. Il me prêtait la plus grande attention, mais je n'arrivai pas à me figurer s'il était seulement gentil ou bien s'il s'intéressait vraiment à moi. A un moment donné je vis qu'il se retenait de rire.

« Peu importe à quel point tu t'attristes sur ton sort, il faut que tu changes cela, déclara-t-il doucement. Ça ne va pas avec la vie d'un guerrier. »

Il éclata de rire puis reprit la chanson en modifiant l'intonation de certains mots. Il en résulta une lamentation ridicule. Il précisa que j'avais aimé cette chanson parce que dans ma vie je n'avais rien accompli d'autre que de chercher les défauts de tout et ensuite de me lamenter d'un tel état de chose. Je ne tentai pas de le contredire puisqu'il avait raison. Malgré cela je croyais bien pouvoir justifier mon impression d'être comme une feuille dans le vent.

« Ce qu'il y a de plus difficile au monde c'est d'assumer le tempérament d'un guerrier, reprit-il. Rien ne sert d'être triste, de se plaindre, et de se sentir parfaitement justifié, même de croire que quelqu'un nous fait toujours quelque chose. Personne ne fait rien à personne, encore moins à un guerrier.

« Tu es là, avec moi, parce que tu veux être là. Maintenant tu devrais en assumer la pleine responsabilité. Et l'idée que tu es une feuille à la merci du vent serait alors inadmissible. »

Il se leva pour démonter la cage. Il replaça la terre là où il l'avait prise et dispersa soigneusement les branches dans les buissons. Enfin il recouvrit le cercle de débris de façon à laisser l'endroit comme s'il n'avait jamais été touché.

Je le complimentai. Il déclara qu'un chasseur attentif découvrirait que nous étions passés par là malgré tout notre soin pour remettre les choses en place, car les traces de l'homme ne peuvent jamais s'effacer entièrement.

Il s'assit en tailleur et m'ordonna de m'asseoir dans la position la plus confortable en face de l'endroit où il m'avait enterré, puis de m'immobiliser jusqu'à ce que mon humeur triste se dissipe.

« Un guerrier s'enterre pour découvrir le pouvoir, et non pour pleurer sur son sort. »

Je tentai une explication mais il m'arrêta d'un geste impatient de la tête. Il ajouta qu'il avait dû me sortir en vitesse de la cage parce que avec mon humeur intolérable il avait eu peur que l'endroit ne s'irrite de ma mollesse et ne me blesse.

« S'apitoyer sur son propre sort ne colle pas avec le pouvoir. Le tempérament d'un guerrier exige le contrôle de soi en même temps qu'un complet abandon de soi.

— Comment est-ce possible? Comment peut-il se contrôler et s'abandonner en même temps?

— C'est une technique difficile », répliqua-t-il.

Il sembla se demander s'il devait poursuivre ou non. Par deux fois il fut sur le point de dire quelque chose, mais il se ressaisit et eut un sourire.

« Tu n'as pas encore dominé ta tristesse. Tu te sens toujours faible, donc il est inutile de parler du tempérament d'un guerrier. »

Une heure passa. Puis tout à coup il me demanda si j'avais réussi à apprendre les techniques pour « rêver » qu'il m'avait enseignées. Les ayant pratiquées avec assiduité, j'étais parvenu après un effort prodigieux à un certain contrôle de mes rêves. Don Juan avait parfaitement raison de dire qu'on pouvait prendre ces exercices comme un divertissement, car, pour la première fois dans ma vie, j'allais me coucher avec plaisir.

Je lui fis un rapport détaillé de mes progrès.

Une fois que j'eus appris à m'obliger à regarder mes mains il avait été relativement facile d'apprendre à retenir leur image. Ces visions, qui n'étaient pas toujours celles de mes mains, semblaient durer assez longtemps, jusqu'au moment où j'en perdais le contrôle pour sombrer à nouveau dans un rêve ordinaire imprévisible. Le moment où je m'ordonnais de regarder mes mains, ou toute autre chose dans mes rêves, échappait totalement à ma volonté. Cela se produisait tout simplement. A un moment donné, je me rappelais qu'il fallait que je regarde mes mains, ensuite les alentours. Cependant certaines nuits je ne pouvais pas me souvenir si j'y étais arrivé ou non.

Cela sembla le satisfaire. Il voulut connaître les autres éléments habituels de mes visions. Je ne pouvais rien citer en particulier, mais je m'engageai dans le récit d'un rêve cauchemardesque vieux d'une nuit seulement.

« N'enjolive pas », dit-il sèchement.

Je lui confiai que j'avais pris note de tous les détails de mes rêves.

Depuis que j'avais commencé à pratiquer sa technique pour regarder mes mains, mes rêves devenaient très contraignants et j'arrivais maintenant à m'en souvenir jusque dans les moindres détails. Il déclara qu'il ne fallait pas insister dans ce sens, car la vivacité ou les détails d'un rêve n'ayant aucune importance, je perdais ainsi mon temps.

« Les rêves ordinaires deviennent très vivants dès qu'on commence à *élaborer le rêve*, continua-t-il. Cette vivacité et cette clarté constituent une formidable barrière, et toi tu es pire que tous ceux que j'ai rencontrés dans ma vie, tu as la pire des manies. Tu écris tout ce que tu peux. »

Je croyais avoir bien agi. Le fait de noter méticuleusement mes rêves me donnait une idée assez exacte de la nature des visions que j'avais en dormant.

« Laisse tomber! dit-il impérieusement. Ça ne sert à rien. Tout ce que tu réussis à faire c'est de te détourner du but de *rêver* qui est le contrôle et le pouvoir. »

Il s'allongea, plaça son chapeau sur ses yeux et continua à parler :

« Je vais récapituler toutes les techniques qui feront partie de ton entraînement. En premier lieu, tu dois fixer ton regard sur tes mains, dès le début. Puis tu passes ton regard sur d'autres éléments et tu leur jettes de rapides coups d'œil. Souviens-toi que les images ne se déplaceront pas si tu ne leur jettes qu'un coup d'œil. Alors reviens à tes mains.

« Chaque fois que tu regarderas tes mains, tu régénéreras le pouvoir dont tu as besoin pour *rêver*, par conséquent au début tu limiteras le nombre d'éléments que tu vas regarder. Quatre suffisent chaque fois. Plus tard tu pourras élargir ton champ d'action jusqu'à ce qu'il couvre tout ce que tu désires, mais aussitôt que les images commencent à bouger et que tu as l'impression d'en perdre le contrôle, reviens à tes mains.

« Lorsque tu te sentiras capable de fixer les choses indéfiniment, tu seras prêt pour une nouvelle technique. Je vais te l'enseigner maintenant, mais tu n'en feras usage que lorsque tu seras prêt. »

Pendant un moment il se tut. Enfin il s'assit et me regarda.

« L'étape suivante de *l'élaboration du rêve* est d'apprendre à voyager. De la même manière que tu as appris à regarder tes mains, tu peux utiliser ta volonté pour te déplacer, pour aller ailleurs. En premier lieu choisis l'endroit où tu veux aller. Prends un lieu bien connu, par exemple ton école, ou un parc, ou la maison d'un ami. Puis aie la volonté d'y aller.

« C'est une technique très difficile. Tu dois accomplir deux choses : avoir la volonté d'aller à ce lieu particulier, puis cela maîtrisé, apprendre à contrôler le moment exact de ton voyage. »

Tout en écrivant, j'avais l'impression de devenir fou. Fidèlement je prenais toutes ces instructions insensées, et pour arriver à suivre il fallait que j'aille à l'encontre de moi-même. J'éprouvai un vif sentiment de remords et d'embarras.

« Don Juan, que me faites-vous donc? », demandai-je sans même m'en rendre compte.

Il parut surpris. Il me dévisagea avec un sourire.

« Maintes et maintes fois tu m'as posé cette question. Je ne te fais rien. Tu te rends accessible au pouvoir; tu le chasses et je ne fais que te guider. »

Il pencha la tête de côté et m'observa. D'une main il prit mon menton, de l'autre ma nuque, puis agita ma tête d'avant en arrière. Les muscles de mon cou rigidement crispés se relâchèrent.

Il leva les yeux au ciel pendant un instant.

« Il est temps de partir », constata-t-il. Et il se leva.

Nous allâmes vers l'est jusqu'à un bosquet de petits arbres situé dans une vallée entre deux grandes collines. Il était presque cinq heures de l'après-midi. Il annonça qu'il nous faudrait probablement passer la nuit en cet endroit. Il désigna les arbres et ajouta qu'il devait y avoir de l'eau aux alentours.

Son corps se tendit et il se mit à renifler l'air, comme un animal. Je pus voir les muscles de son cou et de son estomac se contracter en spasmes très courts chaque fois qu'il inspirait et expirait l'air par le nez, en saccades rapides. Il me pressa de l'imiter et de découvrir l'endroit où il y avait de l'eau. J'essayai à contrecœur. Après cinq à six minutes de cette respiration forcenée, je fus tout étourdi; mais mes narines s'étaient extraordinairement sensibilisées car je pus détecter une odeur de saules de rivière sans parvenir toutefois à en fixer la position.

Il me conseilla quelques minutes de repos puis me dit de recommencer. Cette tentative fut plus fructueuse. Je pus distinguer une odeur de saule à ma droite. Nous allâmes dans cette direction et à environ quatre cents mètres nous découvrîmes un endroit marécageux avec de l'eau stagnante. Nous le contournâmes pour rejoindre un plateau légèrement plus élevé. Tout autour les buissons étaient extrêmement touffus.

« Cet endroit grouille de pumas et d'autres genres de petits chats », laissa-t-il tomber, comme s'il s'agissait d'une observation banale.

Je courus à ses côtés et il éclata de rire.

« En général je ne fréquente pas cet endroit, mais le corbeau nous a indiqué cette direction. Il doit avoir quelque chose de spécial.

— Don Juan, est-il vraiment indispensable de rester ici?

— Oui. Sinon j'aurais évité l'endroit. »

Je devins extrêmement nerveux. Il me demanda de l'écouter attentivement.

« Ici, il n'y a qu'une chose à faire, c'est de chasser le lion. C'est donc ce que je vais t'apprendre.

« Il existe une manière particulière de fabriquer un piège pour attraper les rats d'eau qui vivent autour des trous d'eau. Ces animaux servent d'appât. Les flancs de la cage sont faits pour s'effondrer et on les garnit de pointes très aiguës. Une fois le piège en place ces pointes sont invisibles et ce n'est qu'au moment où quelque chose tombe sur la cage que ses flancs s'effondrent et que les pointes apparaissent pour transpercer ce qui vient de tomber. »

Je n'arrivais pas à comprendre, alors il dessina sur le sol et me montra que si les bâtons qui formaient les murs de la cage étaient montés sur une encoche de la charpente faisant fonction de pivot, la trappe s'effondrerait d'un côté ou de l'autre si quelque chose pesait sur son sommet. Les pointes faites de bois dur étaient disposées sur toute l'armature de la cage.

En général, précisa-t-il, on plaçait sur un canevas de branches une lourde charge de pierre. Ce canevas restait relié à la cage et on l'installait juste au-dessus d'elle. Attiré par l'appât, le lion de montagne tentait de briser la cage à coups de patte. Les pointes transperçaient ses pattes et l'animal, pris de rage, sautait sur la cage qui s'effondrait en lâchant sur lui une avalanche de pierres.

« Un jour tu auras peut-être besoin de capturer un lion de montagne, déclara-t-il. Ils sont très intelligents et la seule façon de les attraper est de les leurrer en les blessant et en se servant de l'odeur du saule de rivière. »

Avec une adresse et une célérité étonnantes il construisit un piège, et après une longue attente nous capturâmes trois rongeurs joufflus qui ressemblaient à des écureuils.

Il me dit de casser une poignée de branches d'osier au bord du marécage et de m'en frictionner sur tout le corps. Il fit de même. Avec beaucoup d'adresse il tissa rapidement deux filets de roseaux, ramassa une masse de plantes vertes mêlées de boue et transporta le tout sur la plate-forme voisine où il se cacha.

Entre-temps les rongeurs se mirent à crier très fort. De sa cachette don Juan m'ordonna de prendre l'autre filet, de réunir un bon paquet d'herbes vertes et de boue, puis de grimper dans les branches basses d'un arbre proche de la trappe où s'agitaient les rongeurs.

Il ajouta qu'il n'avait pas l'intention de blesser le chat et les rongeurs ; par conséquent, dès que le carnassier serait à proximité du piège, il allait jeter son filet sur lui. Je devais rester en alerte et frapper le lion après lui avec mon filet, afin de l'effrayer. Il me recommanda de faire bien attention à ne pas tomber de l'arbre et en attendant le moment d'agir de bien rester immobile afin de me confondre avec les branches.

Je ne pouvais pas voir don Juan dans sa cachette. Les piaillements des rongeurs s'amplifièrent. La nuit devint si noire que je n'arrivais plus à distinguer la configuration du terrain. Soudain je perçus le bruit proche d'une marche feutrée et humai une odeur féline. Il y eut un grognement discret. Les rongeurs se turent. A ce moment j'aperçus, juste sous l'arbre où j'étais perché, une masse noire, un animal. J'aurais bien voulu vérifier qu'il s'agissait d'un lion de montagne, mais il sauta immédiatement vers la trappe. Avant de l'atteindre il reçut quelque chose qui le fit reculer. Suivant les instructions de don Juan je lançai mon filet. Je manquai l'animal, mais cela provoqua pas mal de bruit. A l'instant même don Juan se mit à pousser des hurlements si perçants que j'en eus des frissons dans le dos. Avec une extraordinaire agilité l'animal bondit vers la terrasse et s'enfuit dans la nuit.

Pendant un certain temps don Juan continua à pousser des cris perçants puis il me dit de descendre de l'arbre, de prendre la trappe contenant les rongeurs et de courir jusqu'à la terrasse pour le rejoindre dans le plus bref délai.

En un éclair je fus à ses côtés. Il me demanda d'imiter ses cris pour que le lion reste à distance, puis démonta la cage pour libérer les rongeurs.

Mes cris imitaient très mal les siens. Ma voix grinçait d'énervement. Il me dit de me laisser aller à un abandon complet et de hurler de tout mon cœur, car le lion rôdait encore aux environs. Alors seulement je me rendis compte de la situation. Le lion existait. Je lançai une série de cris magnifiques.

Don Juan éclata de rire.

Pendant un moment il me laissa crier puis déclara que nous devions quitter l'endroit aussi discrètement que possible, car le lion qui n'était pas un imbécile allait certainement revenir sur ses pas.

« A coup sûr il nous suivra. Quelles que soient nos précautions nous laisserons une trace aussi large que la route pan-américaine. »

Je ne le quittai pas d'un pas. De temps à autre il s'arrêtait pour prêter une oreille attentive aux bruits environnants, et à un moment donné il se mit à courir dans la nuit. Je le suivis en mettant les mains devant les yeux afin de me protéger des branches.

Enfin nous arrivâmes au pied de l'éperon où nous avions fait étape pendant l'après-midi. Il déclara que si nous réussissions à grimper jusqu'en haut, nous serions sauvés, tout au moins si le lion ne nous rattrapait pas auparavant. J'ignore comment je fis, mais je le suivis d'un pas parfaitement assuré. Nous arrivions presque au sommet lorsque j'entendis un curieux cri d'animal, un peu comme le meuglement d'une vache, mais plus prolongé et surtout plus farouche.

« Grimpe! Grimpe! », hurla don Juan.

Dans l'obscurité la plus totale je me précipitai devant don Juan et lorsqu'il arriva au sommet j'étais déjà assis en train de reprendre mon souffle.

Il se roula par terre. Je crus que l'effort l'avait terrassé, mais je remarquai alors qu'il était plié de rire, rire causé par la façon dont j'avais pris les jambes à mon cou pour sauver ma peau des griffes du lion.

Nous restâmes assis dans un complet silence pendant deux bonnes heures, puis nous retournâmes vers ma voiture.

Dimanche 3 septembre 1961

Lorsque j'ouvris les yeux don Juan n'était pas à la maison. Je travaillai à mes notes puis allai dans les environs ramasser du bois pour le feu. Il revint pendant que je déjeunais. Il rit de ce qu'il nommait la routine de mon repas de midi, mais mangea avec plaisir quelques-uns de mes sandwichs.

Je lui confiai ma perplexité à propos de l'affaire du lion. Rétrospectivement cette scène me semblait ne pas être très croyable. Tout pouvait être une mise en scène à mon intention. Les événements s'étaient déroulés à une telle cadence que je n'avais même pas eu le temps de me sentir effrayé. J'avais agi mais non réfléchi sur ce qui se passait. C'est en prenant des notes que je m'étais demandé si vraiment j'avais vu un lion de montagne. L'expérience de la branche sèche constituait un précédent difficile à oublier.

« C'était un lion de montagne, déclara don Juan sans ambages.

— Un animal réel, de chair et d'os?

— Évidemment! »

Mes hésitations prenaient racine dans la facilité avec laquelle ces événements s'étaient déroulés. C'était comme si le lion avait attendu sur la place et avait été entraîné à faire exactement ce que don Juan désirait.

Mes remarques sceptiques le laissèrent indifférent. Il éclata de rire.

« Tu es un drôle de gars. Tu as vu et entendu le chat. Il était juste au-dessous de l'arbre où tu te cachais. Il ne t'a pas flairé et ne t'a pas bondi dessus à cause des saules de rivière. Cette odeur détruit toutes les autres, même pour un chat. Tu avais une gerbe de ces branches sur les genoux. »

Je précisai que je ne mettais pas en doute ses déclarations, mais que tout ce qui avait eu lieu cette nuit était étrangement différent des événements de ma vie quotidienne. En prenant des notes j'avais eu pendant un moment l'idée que don Juan avait peut-être joué le lion. Je devais cependant repousser cette pensée parce que j'avais vraiment aperçu un animal à quatre pattes charger la cage puis bondir vers la terrasse.

« Pourquoi tant d'histoires? dit-il. Pour un gros chat! Dans ces montagnes il y en a des milliers. Grosse affaire. Comme d'habitude tu concentres ton attention là où il ne faut pas. Qu'il s'agisse d'un lion ou de mes frocs, ça n'a pas la moindre importance. Ce que tu as ressenti à ce moment-là, voilà ce qui compte. »

Jamais je n'avais vu ou entendu un gros chat sauvage, et je m'extasiai de surprise à la pensée qu'il avait été à quelques mètres de moi.

Patiemment don Juan écouta ma récapitulation de l'expérience.

« Pourquoi te laisser impressionner par un gros chat? me demandat-il avec une expression comique. Tu as déjà approché la plupart des animaux de ces lieux et aucun ne t'a effrayé autant. Aimes-tu les chats?

— Non. Pas le moins du monde.

— Alors oublie cela. De toute façon il ne s'agissait pas d'une leçon sur la chasse au lion.

— Alors, qu'était-ce?

— Le petit corbeau m'a indiqué cet endroit particulier, et j'ai vu là la possibilité de te faire comprendre comment agir lorsqu'on a le tempérament d'un guerrier.

« Tout ce que tu as fait la nuit dernière a été accompli parfaitement. Au moment où tu as sauté de l'arbre pour saisir la cage et me rejoindre, tu t'es contrôlé et en même temps abandonné. La peur ne t'a pas paralysé. Et lorsque tu as entendu le cri du lion, presque au sommet de l'éperon, tu as très bien réagi. Si tu voyais cette face de l'éperon en plein jour, tu n'en croirais pas tes yeux. Tu t'es abandonné jusqu'à un certain point et en même temps tu t'es contrôlé jusqu'à un certain point. Tu aurais pu sortir du sentier et te tuer. Grimper cette paroi dans le noir exigeait que tu te prennes à bras le corps et que tu te laisses aller tout en même temps. C'est ce que je nomme le tempérament du guerrier. »

Je répliquai que j'avais tout accompli par peur et non du fait d'une quelconque attitude de contrôle et d'abandon.

« Je sais bien, dit-il en souriant. Et j'ai voulu te montrer qu'on

peut se lancer au-delà de ses limites lorsqu'on a le tempérament appro-
prié. Un guerrier crée son propre tempérament. Tu ignorais cela. La
peur t'a poussé à adopter le tempérament du guerrier, mais maintenant
que tu sais ce que c'est, n'importe quoi peut servir à t'y précipiter. »

Je voulus discuter avec lui mais mes arguments restaient trop
confus. Une sensation assez inexplicable de contrariété me gagna.

« Il est pratique d'agir toujours avec ce tempérament. Il tranche
la merde et purifie. Tu t'es senti formidable lorsque tu es parvenu en
haut de l'éperon. Pas vrai? »

Je savais bien ce qu'il voulait dire, et malgré tout je pensais qu'il
était stupide de vouloir appliquer un tel enseignement dans ma vie de
tous les jours.

« Pour chacun de tous nos actes nous avons besoin du tempérament
d'un guerrier, reprit-il. Sinon on se gauchit et on s'enlaidit. Une vie
sans cette sorte de tempérament n'a pas de pouvoir. Regarde un peu
ton cas. Tout t'irrite et t'enrage. Tu gémis, tu te plains et tu penses que
chacun te fait danser au son de son violon. Tu es une feuille à la merci
du vent. Dans ta vie il n'y a pas de pouvoir. Quelle horrible sensation
ça doit être!

« Au contraire, un guerrier est un chasseur. Il calcule tout. Ça, c'est
le contrôle. Mais une fois tout calculé, il agit. Il se laisse aller. Ça, c'est
l'abandon. Un guerrier n'est pas une feuille à la merci du vent. Personne
ne peut le pousser. Personne ne peut rien lui faire accomplir contre
lui-même ou contre son jugement réfléchi. Un guerrier est accordé à sa
survie, et il survit au mieux de toutes les manières possibles. »

J'appréciai son point de vue, néanmoins je le qualifiai d'irréaliste.
Il semblait trop simple pour le monde compliqué dans lequel je vivais.

Mes arguments déclenchèrent son rire. J'ajoutai que le tempérament du guerrier ne pourrait en rien m'aider à dominer cette impression
d'être insulté ou même blessé par mes semblables, ainsi dans le cas,
purement hypothétique, où je serais tourmenté physiquement par un
individu cruel et malveillant placé dans une position d'autorité.

Il rugit de rire et concéda que l'exemple était pertinent.

« Un guerrier pourrait être blessé, certainement pas froissé, car
pour un guerrier il n'y a rien d'offensant dans les actes de ses compagnons aussi longtemps qu'il agit lui-même avec le tempérament
adéquat.

« L'autre nuit, tu n'as pas été scandalisé par le lion. Tu ne t'es pas
mis en colère parce qu'il nous a poursuivis. Je ne t'ai pas entendu le
maudire ou dire qu'il n'avait aucun droit de nous suivre. Ç'aurait pu
être un lion cruel et malfaisant, d'après tout ce que tu en savais. Mais

tu n'y pensais pas pendant que tu luttais pour lui échapper. La seule chose à faire était de survivre, et tu l'as fait très bien.

« Si tu avais été seul et si le lion t'avait rattrapé et déchiré à mort, tu n'aurais même pas songé à te plaindre ou à te sentir offensé par ce qu'il faisait.

« Le tempérament d'un guerrier n'est pas si éloigné de ton monde ou de celui de n'importe qui. Tu en as besoin pour passer à travers toutes les niaiseries. »

J'expliquai ma façon de voir. Le lion et mes semblables ne pouvaient être mis sur le même plan, parce que je connaissais les entourloupettes des hommes jusque dans le moindre détail alors que j'ignorais tout du lion. Ce qui me blessait chez mes semblables était qu'ils agissaient mal consciemment.

« Je sais, je sais, dit don Juan calmement. Acquérir le tempérament du guerrier n'est pas une petite affaire. C'est une révolution. Considérer le lion, les rats d'eau et nos semblables comme égaux, voilà l'acte magnifique de l'esprit du guerrier. Pour en arriver là, il faut du pouvoir. »

12

Une bataille de pouvoir

Très tôt le matin nous partîmes en voiture, d'abord vers le sud, puis jusqu'aux montagnes vers l'est. Don Juan avait préparé des gourdes d'eau et de nourriture, et avant d'entamer la marche nous mangeâmes dans la voiture.

« Reste juste derrière moi, précisa-t-il. Cette région t'est inconnue, il ne faut pas prendre de risques. Tu vas à la recherche du pouvoir et tout ce que tu fais compte. Observe le vent, surtout à la tombée de la nuit. Observe ses changements de direction et change ta position de manière à ce que je te protège toujours.

— Qu'allons-nous faire dans ces montagnes?

— Tu vas chasser le pouvoir.

— Je voulais dire, qu'allons-nous y faire de spécial?

— Lorsqu'il s'agit de chasser le pouvoir on ne peut rien prévoir. Chasser le pouvoir c'est comme chasser un gibier. Un chasseur chasse ce qui se présente. Donc il doit en permanence être en alerte.

« Tu sais ce qui touche au vent, et maintenant tu peux chasser le pouvoir dans le vent par toi-même. Mais il y a bien d'autres choses que tu ignores, et qui sont, comme le vent, à certains moments et en certains lieux le centre de pouvoir.

« Le pouvoir est une chose vraiment spéciale. Il est impossible de l'épingler et de dire ce qu'il est exactement. C'est la sensation que l'on a à propos de certaines choses. Le pouvoir est personnel. Il n'appartient qu'à soi. Ainsi mon benefactor pouvait simplement en regardant les gens leur causer une maladie mortelle. Des femmes pouvaient péricliter quand il leur avait jeté un regard. Il ne rendait pas les gens malades n'importe quand, seulement lorsque son pouvoir personnel était en cause.

— Comment choisissait-il ses victimes?

— Ça, je n'en sais rien. Lui-même l'ignorait. Le pouvoir est comme ça. Il te commande et cependant il t'obéit.

« Un chasseur de pouvoir le capture et ensuite l'emmagasine comme une trouvaille personnelle. Ainsi grandit le pouvoir personnel et tu peux trouver un guerrier qui en a tant qu'il devient homme de connaissance.

— Comment emmagasine-t-on le pouvoir?

— C'est aussi une impression personnelle. Tout dépend du genre de personne qu'est le guerrier. Mon benefactor était un homme violent, et c'est au travers de cette sensation qu'il emmagasinait le pouvoir. Tout ce qu'il faisait était direct et plein de force. Il m'a laissé le souvenir de quelque chose qui s'élançait pour tout défoncer. Et tout ce qui lui arrivait survenait de cette façon. »

Je lui dis que je n'arrivais pas à comprendre comment le pouvoir pouvait s'emmagasiner au travers d'une sensation.

« C'est impossible à expliquer, répondit-il suite à un long silence. Il faut que tu le fasses toi-même. »

Il empoigna les gourdes et les fixa sur son dos. Il me tendit une ficelle à laquelle pendaient huit morceaux de viande sèche; il me dit de la fixer autour du cou, comme un collier.

« C'est de la nourriture-pouvoir.

— Qu'est-ce qui la rend telle?

— C'est la viande d'un animal qui avait du pouvoir. Un cerf, un cerf unique. C'est mon pouvoir personnel qui me l'a amené. Cette viande nous suffira pour des semaines, des mois si nécessaire. Mâche-la consciencieusement. Laisse le pouvoir lentement s'insinuer dans ton corps. »

Nous nous mîmes en marche. Il était presque onze heures du matin. Une fois de plus don Juan me rappela ses instructions.

« Observe le vent. Ne le laisse pas te renverser. Et ne le laisse pas te fatiguer. Mâche ta nourriture-pouvoir et protège-toi du vent derrière moi. Le vent ne me blessera pas, nous nous connaissons très bien. »

Il me guida sur une piste allant droit vers les hautes montagnes. Le temps était couvert et il allait pleuvoir. Des nuages de pluie et du brouillard glissaient vers nous du haut des montagnes.

Nous avançâmes dans un silence complet. Mâcher cette viande sèche me revigorait. Quant à l'observation du vent, ce devint une entreprise mystérieuse au point que mon corps tout entier semblait sentir les changements de direction avant qu'ils se produisent vraiment. J'avais l'impression de pouvoir détecter les vagues de vent par une sorte de pression sur le haut de ma cage thoracique, dans mes bronches. Chaque fois que j'allais sentir une rafale, ma poitrine et ma gorge me démangeaient.

Vers trois heures de l'après-midi, don Juan s'arrêta pour faire un tour d'horizon. Il sembla s'orienter, puis il tourna vers la droite. Je remarquai qu'il mâchait lui aussi de la viande sèche. Je me sentais frais et dispos, pas le moins du monde fatigué. Mon attention aux changements de direction du vent m'absorbait tellement que j'en avais perdu la notion du temps.

Nous pénétrâmes dans un profond ravin, grimpâmes le long de son flanc pour atteindre un petit plateau situé sur le raide versant d'une immense montagne. Nous étions très haut, presque au sommet.

Don Juan escalada un énorme rocher au bout du plateau, puis il m'aida à le rejoindre. Ce rocher ressemblait à un dôme au-dessus de vertigineuses murailles. Lentement nous en fîmes le tour. A un moment donné je dus m'avancer accroupi les mains posées sur le rocher. A plusieurs reprises il me fallut les essuyer car je suais sang et eau.

Arrivé de l'autre côté du dôme j'aperçus, presque au sommet de la montagne, une caverne large et peu profonde. Elle ressemblait à un hall creusé dans le rocher. Le grès était érodé et il restait une sorte de balcon avec deux piliers.

Don Juan annonça que nous allions camper à cet endroit même. C'était un lieu sûr parce que trop peu profond pour être le gîte d'un lion de montagne ou de tout autre prédateur, trop ouvert pour un nid de rats et trop venteux pour les insectes. Il éclata de rire en remarquant que puisque aucune créature ne pouvait s'en contenter, c'était un endroit idéal pour des hommes.

Avec une agilité de bouquetin il grimpa jusqu'à la caverne. Son aisance m'émerveillait.

Lentement je me glissai en restant assis sur le rocher, puis je tentai de courir à flanc de montagne pour remonter vers la corniche. Les derniers mètres m'épuisèrent. En plaisantant je demandai à don Juan son âge réel, car pour grimper comme lui il fallait être jeune et en bonne forme.

« Je suis aussi jeune que je le désire. C'est aussi une question de pouvoir personnel. Si tu emmagasines du pouvoir ton corps peut accomplir d'incroyables exploits. A l'inverse, si tu dissipes du pouvoir, en un rien de temps tu deviendras un vieux bien gras. »

La corniche s'étirait selon un axe est-ouest, et elle s'ouvrait au sud. Je m'avançai vers l'ouest. La vue était superbe. La pluie nous avait

contournés et semblait être un rideau de matière transparente déroulé
au-dessus des basses terres.

Don Juan déclara que nous avions assez de temps pour construire
un abri. Il me demanda d'empiler tous les rochers que je pourrai transporter jusqu'au balcon pendant qu'il allait ramasser quelques branches
pour faire le toit.

En une heure il édifia à l'est de la plate-forme un mur épais d'environ trente centimètres, haut de quatre-vingt-dix et long de soixante.
Il tissa et noua quelques poignées de branches pour en faire un toit qu'il
fixa sur deux longs piquets fourchus. Un troisième support identique
reposait de l'autre côté du mur. L'ensemble ressemblait à une haute
table à trois pieds.

Il s'installa au-dessous assis en tailleur, juste au bord de la corniche.
Il me dit de m'asseoir à sa droite, tout contre lui. Pendant un moment
nous restâmes sans souffler mot.

Don Juan rompit le silence. En chuchotant il m'indiqua de me
comporter comme si de rien n'était. Je lui demandai si je devais faire
quelque chose de spécial. Il répondit que je ferais mieux de prendre des
notes exactement comme si j'étais à ma table de travail, sans aucun
souci au monde excepté celui d'écrire. A un moment donné il allait me
pousser du coude et alors je devrai regarder dans la même direction que
lui, mais en aucun cas ne laisser passer un mot quel que soit ce que je
verrai. Lui seul pouvait parler sans risque parce qu'il était connu de
tous les pouvoirs de ces montagnes.

Pendant plus d'une heure je pris des notes. Mon travail m'absorbait. Tout à coup je sentis une tape sur mon bras et je vis son regard
dirigé vers un banc de brouillard qui à environ deux cents mètres de
nous descendait du sommet de la montagne. Don Juan murmurait à
mon oreille des mots à peine compréhensibles.

« Déplace tes yeux dans un sens puis dans l'autre le long du banc
de brouillard, mais ne le regarde pas directement. Cligne des yeux et
ne concentre pas ton regard sur le brouillard. Lorsque tu apercevras
un point vert sur le brouillard, montre-le-moi des yeux. »

Je laissai mes yeux aller de droite à gauche sur le banc de brouillard qui lentement venait vers nous. Une demi-heure passa. La nuit
tombait. Le brouillard se déplaçait avec une extrême lenteur. A un
moment j'eus la brusque sensation d'avoir perçu une faible lueur à ma
droite. Au premier abord j'avais cru qu'il s'agissait d'un buisson vert
dans une trouée du brouillard. Lorsque je fixais l'endroit je ne voyais
rien, mais si je regardais sans concentrer mon regard, je pouvais percevoir
une zone vaguement verdâtre.

Je la désignai à don Juan. Il cligna des yeux et la fixa.

« Concentre ton regard sur ce point, chuchota-t-il au creux de mon oreille. Regarde sans cligner des yeux jusqu'à ce que tu *voies*. »

J'aurais voulu lui demander ce que je devais voir, mais il eut un regard irrité comme pour me rappeler au silence.

Je fixai l'endroit. Le lambeau de brouillard venu d'en haut semblait pendre comme s'il était fait d'un matériau compact. A l'endroit où je percevais la teinte verte, il était doublé. Mes yeux se fatiguèrent, je fermai mes paupières et alors je vis un morceau de brume surimposée au banc de brouillard, puis entre les deux une mince bande de brouillard. Cette dernière ressemblait à une structure fine et aérienne, un pont joignant la montagne au-dessus de nous et le banc de brouillard juste devant moi. Pendant un instant je crus pouvoir discerner le brouillard transparent soufflé du haut de la montagne aller le long du pont sans le détruire, comme si ce pont était réellement solide. A un moment donné, le mirage fut tellement fort que je pus apercevoir la noirceur du dessous du pont tranchant sur la couleur claire de son flanc de grès.

Stupéfait je ne quittai pas le pont des yeux. Et alors, ou bien je m'élevai jusqu'à lui, ou bien il descendit jusqu'à moi, mais tout à coup je vis une poutre droit devant moi, une poutre infiniment longue, solide, étroite, sans garde-fou mais assez large pour passer dessus.

Don Juan me secoua brutalement le bras. Je sentis ma tête balancer d'avant en arrière et alors je me rendis compte d'une terrible irritation dans mes yeux. Inconsciemment je les frottai. Don Juan continuait à me secouer et cela dura jusqu'à ce que j'aie rouvert mes yeux. Il prit dans la gourde un peu d'eau et m'aspergea le visage. Ce fut une sensation extrêmement désagréable. L'eau semblait tellement froide que chaque goutte fut comme une piqûre sur ma peau. Alors je me rendis compte que j'avais très chaud, j'étais fiévreux.

En hâte don Juan me donna à boire et m'aspergea le cou et les oreilles.

J'entendis un cri d'oiseau, un cri très fort, prolongé, surnaturel. Don Juan écouta attentivement, puis il poussa du pied le mur de pierre, fit tomber le toit et le lança dans les buissons avant de jeter les cailloux au loin un à un.

Il chuchota à mon oreille :

« Bois un peu d'eau et mâche de la viande séchée. Nous devons nous en aller. Ce cri n'était pas un oiseau. »

Nous descendîmes la paroi puis marchâmes vers l'est. Immédiatement la nuit tomba sur nous comme un rideau. Le brouillard semblait une impénétrable barrière. Jamais je ne m'étais rendu compte combien le brouillard pouvait être un handicap pendant la nuit. Je n'arrivais pas à comprendre comment don Juan se déplaçait, et je m'accrochais à son bras guidé comme un aveugle.

D'une certaine manière j'avais l'impression de marcher au bord d'un précipice. Mes jambes refusaient de faire un pas et malgré cela ma raison faisait confiance à don Juan. D'une façon très rationnelle j'acceptais de marcher alors que mon corps s'y refusait. Don Juan dut me traîner.

Il devait parfaitement connaître le terrain, car à un certain endroit il s'arrêta et me fit asseoir. Je gardai ma main posée sur son bras. Mon corps me disait que sans l'ombre d'un doute j'étais assis sur une montagne nue en forme de dôme et que si je bougeais vers la droite j'allais basculer dans l'abîme. J'étais certain d'être assis sur un flanc de montagne courbe, car mon corps se déplaçait systématiquement vers la droite. Je pensais qu'ainsi il rétablissait son équilibre, se maintenait en quelque sorte vertical, et je décidai de compenser cet effet en me penchant à gauche autant que possible, contre don Juan.

Soudain il se déplaça et privé de mon support je m'effondrai par terre. Au contact du sol je retrouvai mon équilibre naturel. J'étais étendu sur un endroit plat. Au toucher je m'engageai dans une reconnaissance prudente des environs. Je rencontrai des feuilles sèches et des brindilles.

Un éclair d'orage illumina la région tout entière. Un formidable coup de tonnerre suivit. Je vis don Juan debout à ma gauche. Je vis des arbres immenses et juste derrière moi quelque chose comme une caverne.

Don Juan me dit de me glisser dans le trou. Je rampai puis m'assis, le dos contre le rocher.

Je sentis don Juan se pencher au-dessus de moi. Il me chuchota d'observer le silence le plus complet.

Des éclairs se succédèrent. D'un coup d'œil j'aperçus don Juan assis en tailleur à ma gauche. La caverne était assez grande pour abriter deux ou trois personnes et l'entrée semblait avoir été creusée au pied d'un rocher. J'avais donc eu raison d'y entrer en rampant sinon je me serais cogné la tête.

L'intensité des éclairs me fixa sur l'épaisseur du brouillard. Je remarquai la noire silhouette d'épais troncs se détachant sur la légère masse grise et opaque du brouillard.

Don Juan me chuchota que le brouillard et l'éclair étaient d'intelligence, par conséquent il fallait que je reste en alerte car il s'agissait d'une bataille de pouvoir. A l'instant même un éclair prodigieux donna

un caractère fantasmagorique à toute la scène. Le brouillard fut
comme un filtre blanchâtre qui saupoudra la lumière de la décharge
électrique et la diffusa uniformément. Le brouillard pendait entre les
arbres comme une substance blanche mais droit devant moi, au niveau
du sol, il se dissipait.

Clairement je distinguai les détails du terrain environnant. Nous
étions dans une forêt de sapins. De très hauts arbres nous entouraient.
Ils avaient une telle hauteur que j'aurais pu jurer qu'il s'agissait de
séquoias si je n'avais pas connu l'endroit où nous étions réellement.

Une série d'éclairs dura plusieurs minutes, et à chacun d'eux les
choses devinrent de plus en plus précises. Droit devant moi je vis une
piste bien marquée. Elle n'était pas couverte de végétation et elle
semblait se terminer dans une zone sans arbre.

Il y avait tant d'éclairs qu'il me fut impossible de me rendre compte
d'où ils provenaient. Toutefois la scène ayant été éclairée à profusion,
je me sentais plus à l'aise. Le rideau de noirceur maintenant dissipé par
tant de lumière, mes peurs et mes anxiétés se dissipèrent aussi. Même
pendant une longue période sans éclairs je n'étais plus désorienté par
la noirceur environnante.

Don Juan me chuchota que cette observation avait assez duré
et qu'il fallait que je me concentre sur le son du tonnerre. A ma surprise
je me rendis compte que je ne lui avais prêté aucune attention alors
qu'en fait, il avait été formidable. Il précisa que je devais suivre le son
et regarder dans cette direction.

L'orage diminuait d'intensité. Les éclairs et le tonnerre étaient
devenus plus sporadiques mais restaient intenses. Le tonnerre semblait
venir de ma droite. Le brouillard se leva et, maintenant habitué à la
nuit, je pus distinguer des touffes de végétation. Les éclairs et le tonnerre
continuaient et soudain à droite tout se dégagea entièrement et je pus
voir le ciel.

L'orage sembla se déplacer vers ma droite. Pendant un éclair,
je vis à mon extrême droite une lointaine montagne qui se détachait en
contre-jour sur le ciel. A son sommet j'aperçus des arbres, ils apparaissaient telles des silhouettes de papier noir sur un ciel absolument blanc.
Au-dessus des montagnes il y avait des cumulus.

Autour de nous le brouillard avait disparu. Un vent soutenu se leva
et je pus entendre le bruissement des gros arbres à ma gauche. L'orage
était maintenant trop éloigné pour les éclairer, mais leur masse sombre
me restait perceptible. A la lumière des éclairs je réussis à localiser
une chaîne de lointaines montagnes à ma droite et à apercevoir que la
forêt cessait à ma gauche. J'avais l'impression de plonger mon regard

dans une vallée noire qui me restait invisible. L'orage se déroulait au-dessus des montagnes situées de l'autre côté de cette vallée.

Alors il se mit à pleuvoir. Je me serrai contre le rocher. Mon chapeau m'abritait. Assis, mes genoux contre ma poitrine, je ne mouillai que mes mollets et mes chaussures.

Il plut longtemps. L'eau était tiède, je la sentais sur mes pieds. Je m'endormis.

Les piaillements des oiseaux me réveillèrent. Je cherchai don Juan. Il avait disparu. D'habitude je me serai immédiatement demandé si don Juan n'avait pas décidé de m'abandonner, mais le choc immédiat fut de voir les environs. J'en fus figé sur place.

Je me relevai. Mes jambes étaient trempées, le rebord de mon chapeau tout imbibé et ce qu'il restait d'eau me tomba dessus. Je n'étais pas dans une caverne. J'étais sous des buissons. La confusion la plus terrifiante me gagna. J'étais debout dans une zone plate entre deux petites bosses de terrain couvertes de végétation. A ma gauche il n'y avait pas d'arbres, pas plus qu'une vallée à ma droite, et devant moi, là où je vis ce sentier dans la forêt il y avait un énorme buisson.

Je n'en croyais pas mes yeux. Mes deux versions de réalité restaient tellement incompatibles qu'elles défiaient toute explication. Peut-être don Juan m'avait-il transporté jusqu'ici sans me réveiller?

J'examinai l'endroit où je m'étais réveillé. Le sol était sec ainsi qu'à côté, la place de don Juan.

Par deux fois je l'appelai, puis, gagné par l'anxiété, de toutes mes forces je hurlai son nom. Il surgit de derrière les buissons. Sur-le-champ je compris ce qui se passait. Il avait un sourire tellement espiègle que je ne pus m'empêcher à mon tour de sourire.

Je n'avais pas envie de perdre du temps. Aussi précisément que possible je lui détaillai mes hallucinations. Il m'écouta sans m'inter-rompre mais sans réussir à garder son sérieux, car deux fois il pouffa de rire pour immédiatement se ressaisir.

Trois ou quatre fois je lui demandai son avis. Il hochait la tête comme si toute cette affaire lui restait tout autant qu'à moi incom-préhensible.

Mon récit fini il me regarda et dit :

« Tu as mauvaise mine. Peut-être as-tu besoin d'aller dans les buissons? »

Il caqueta de rire pendant un moment puis il me conseilla de retirer mes vêtements, de les tordre, car ainsi ils sécheraient plus rapi-dement.

Le soleil brillait. Quelques nuages traînaient dans le ciel. Le fond de l'air restait frais.

Don Juan s'éloigna en précisant qu'il allait récolter des plantes et qu'en l'attendant je devrais manger, rétablir mes esprits et ne l'appeler que lorsque je me sentirais calme et fort.

L'eau dégoulinait de mes vêtements. Je m'assis au soleil en attendant qu'ils séchassent. Pour me détendre je sortis mon carnet, et tout en mangeant je travaillais à mes notes.

Deux heures plus tard je me sentis assez calme pour me risquer à appeler don Juan. Il me répondit d'un point presque en haut de la colline. Il me dit de prendre les gourdes et de le rejoindre. Arrivé je le découvris assis sur un rocher parfaitement poli. Il ouvrit les gourdes et mangea. Il me tendit deux gros morceaux de viande.

Je ne savais par où commencer. Tant de questions me brûlaient les lèvres. Conscient de mon humeur il s'en réjouit ouvertement.

« Comment te sens-tu? », demanda-t-il d'un ton farceur.

Je n'avais pas envie de répondre. Ma colère me tenait encore.

Don Juan me pressa de venir m'asseoir sur le rocher plat. Cette pierre était un objet-pouvoir, après un certain temps je serais régénéré.

« Assieds-toi », me commanda-t-il.

Il ne riait plus, ses yeux me transperçaient. Automatiquement j'allais prendre place.

Il déclara qu'en me laissant aller à la tristesse je manifestais de la négligence envers le pouvoir, qu'il fallait que j'en finisse ou sinon le pouvoir allait se retourner contre nous deux et nous empêcher à tout jamais de sortir vivants de ces collines désertes.

Après un long silence il me demanda :

« Où en es-tu de *rêver?* »

J'expliquai qu'il m'était devenu extrêmement difficile d'arriver à me commander de regarder mes mains. Au début, peut-être à cause de la nouveauté, ça avait été plutôt facile et sans peine j'arrivais à me souvenir de regarder mes mains. Mais une fois l'excitation passée, certaines nuits je n'y arrivais absolument pas.

« En dormant il faut que tu portes un bandeau, dit-il. Obtenir un bandeau est une entreprise délicate. Je ne peux pas t'en donner un puisqu'il faut que tu le fasses entièrement toi-même. Mais tu ne peux pas en faire tant que tu n'en as pas vu un en *rêvant.* Me comprends-tu? Le bandeau doit se faire selon cette vision particulière. Il doit aussi avoir une bande en travers qui serre le dessus du crâne. Il peut aussi être comme un bonnet bien ajusté. Si l'on porte un objet-pouvoir sur la tête, alors *rêver* est plus facile. Tu pourrais dormir avec ton chapeau ou avec un capuchon de moine, mais ces attirails ne feraient que causer des rêves intenses et en aucun cas *rêver*. »

Il demeura silencieux puis en un flot de paroles déclara que la vision de bandeau n'avait pas besoin d'être « rêvée », qu'elle pouvait tout aussi bien se produire en état d'éveil ou résulter de n'importe quel événement, même étranger ou sans relation avec cela, par exemple en observant le vol des oiseaux, les mouvements de l'eau, les nuages, et ainsi de suite.

« Un chasseur de pouvoir observe tout, continua-t-il. Et chaque chose lui révèle un secret.

— Mais comment peut-on être certain que les choses disent des secrets? »

Je pensais qu'il aurait pu connaître une formule spécifique par laquelle on pouvait faire des interprétations « correctes ».

« La seule façon de s'en assurer est de suivre toutes les instructions que je t'ai fournies depuis le premier jour où tu vins me rendre visite. Pour avoir du pouvoir il faut vivre avec du pouvoir. »

Il eut un sourire bienveillant. Son arrogance semblait estompée. Il me poussa légèrement du coude.

« Mange ta nourriture-pouvoir. »

Je me mis à mâcher de la viande séchée et soudain il me vint à l'esprit qu'elle contenait peut-être une substance psychotropique qui aurait pu avoir provoqué mes hallucinations. Cela me soulagea. S'il avait mis dans cette viande quelque produit, alors mes mirages s'expliquaient. Je le priai de m'avouer s'il y avait dans cette viande-pouvoir autre chose que de la viande.

Il éclata de rire mais ne me répondit pas. J'insistai. Je déclarai n'être ni en colère ni même soucieux, mais qu'il fallait que je sache de façon à pouvoir donner une explication satisfaisante aux événements de la nuit passée. Je le pressai, l'enjôlai, et pour en finir le suppliai de me dire la vérité.

« Tu es fêlé, dit-il en hochant la tête en signe d'incrédulité. Tu as un travers insidieux. Tu persistes à tout vouloir expliquer jusqu'à être satisfait par tes propres explications. Dans la viande il n'y a rien si ce n'est du pouvoir. Ce n'est ni moi ni quelqu'un d'autre qui y ont placé du pouvoir, mais le pouvoir lui-même. C'est de la viande séchée de cerf, et le cerf fut un cadeau qui me fut fait comme un certain lapin constitua, il n'y a pas si longtemps que ça, un cadeau pour toi. Ni toi ni moi ne mîmes quelque chose dans le lapin. Je ne t'ai pas demandé de sécher la viande du lapin parce que cet acte exige plus de pouvoir que tu n'en as.

Cependant je t'ai dit d'en manger. Et si tu n'en as mangé qu'une bouchée c'est bien à cause de ta propre stupidité.

« Ce qui t'est arrivé hier n'est ni une plaisanterie ni une farce. Tu as eu une rencontre avec le pouvoir. Le brouillard, la noirceur, les éclairs, le tonnerre et la pluie participaient à cette grande bataille de pouvoir. Tu as eu la chance d'un imbécile. Un guerrier donnerait n'importe quoi pour avoir une telle bataille. »

J'avançai que tout cela ne pouvait pas avoir été une bataille de pouvoir puisque ça n'avait pas été réel.

« Qu'est-ce qui est réel? me demanda-t-il très calmement.

— Ça, ce que nous regardons est réel, dis-je en pointant les environs.

— Mais il en fut de même du pont, de la forêt et de tout ce que tu as vu la nuit dernière.

— S'ils étaient réels, où sont-ils maintenant?

— Ils sont là. Si tu possédais assez de pouvoir tu pourrais les faire réapparaître. Maintenant tu n'y arrives pas parce que tu penses utile de continuer à douter et à te quereller. Mon ami, ça ne l'est pas. C'est inutile. Là, devant nous il y a des mondes sur des mondes. Et il ne faut pas s'en moquer. Ainsi la nuit dernière, si je n'avais pas saisi ton bras, que tu le veuilles ou non tu aurais marché sur ce pont. Et auparavant, j'ai dû te protéger contre le vent qui te cherchait.

— Et si vous ne m'aviez pas protégé, que se serait-il produit?

— Comme tu n'as pas assez de pouvoir, le vent t'aurait fait perdre ton chemin, peut-être même tué en te poussant dans un ravin. Cependant c'est surtout le cas du brouillard qu'il te faut considérer. Dans ce brouillard il aurait pu t'arriver deux choses. Tu aurais traversé le pont jusqu'à l'autre côté, ou bien tu serais tombé. Au choix, selon ton pouvoir. Mais il t'aurait fallu en passer par au moins une de ces deux issues. Si je ne t'avais pas protégé, il aurait absolument fallu que tu t'avances sur ce pont. C'est la nature du pouvoir. Je te l'ai déjà dit, il te commande et cependant il est à tes ordres. En l'occurrence la nuit dernière le pouvoir t'aurait obligé à t'avancer sur ce pont et alors il aurait été à tes ordres pour te soutenir pendant ta traversée. Je t'ai arrêté parce que je sais que tu n'as pas les moyens de te servir du pouvoir, et sans pouvoir le pont se serait effondré.

— Don Juan, avez-vous vu ce pont?

— Non. J'ai seulement *vu* le pouvoir. Ç'aurait pu être n'importe quoi. Cette fois pour toi le pouvoir c'était un pont. Pourquoi un pont? Je l'ignore. Nous sommes des créatures infiniment mystérieuses.

— Don Juan, avez-vous jamais vu un pont dans le brouillard?

— Jamais. Mais c'est parce que je ne suis pas comme toi. J'ai vu d'autres choses. Mes batailles de pouvoir sont bien différentes des tiennes.

— Qu'avez-vous vu? Pouvez-vous me le raconter?

— Au cours de ma première bataille de pouvoir, je vis dans le brouillard mes ennemis. Tu n'as pas d'ennemis. Tu ne hais personne. A cette époque-là j'en haïssais pas mal. Mon faible était de haïr les gens. Ça m'est passé. J'ai vaincu ma haine, mais alors la haine me détruisit presque.

« A l'inverse ta bataille de pouvoir fut propre. Elle ne t'a pas dévoré. Mais maintenant tu te détruis avec tes pensées et tes doutes vaseux. C'est là ton faible.

« Avec toi le brouillard fut impeccable. Tu as une certaine affinité avec le brouillard. Il t'a donné un prodigieux pont, et pour toujours dans le brouillard pour toi il y aura ce pont. Il t'apparaîtra maintes et maintes fois jusqu'au jour où tu le traverseras.

« A partir de maintenant et jusqu'à ce que tu saches que faire, je te recommande sérieusement de ne pas te risquer seul dans les zones de brouillard.

« Le pouvoir est une très étrange entreprise. Pour l'avoir et le commander, il faut déjà dès le début en avoir. Cependant il est possible de l'emmagasiner peu à peu jusqu'à en avoir suffisamment pour se soutenir soi-même dans une bataille de pouvoir.

— Qu'est-ce qu'une bataille de pouvoir?

— Ce qui t'est arrivé la nuit dernière fut le début d'une bataille de pouvoir. Les scènes dont tu as été le témoin constituaient le siège du pouvoir. Un jour elles te seront compréhensibles. Elles sont chargées d'une extrême signification.

— Ne pouvez-vous pas m'en confier le sens vous-même, don Juan?

— Non. Ces scènes sont ta propre conquête et personne ne peut les partager avec toi. Mais la nuit dernière ce ne fut qu'un début. Une querelle. La vraie bataille aura lieu une fois que tu franchiras le pont. Qu'y a-t-il de l'autre côté? Tu seras le seul à le savoir. De même, il n'y aura que toi pour savoir ce qu'il y a au terminus de ce sentier dans la forêt. Mais tout ça peut ou peut ne pas t'arriver. Pour réussir à voyager sur ces sentiers et ces ponts inconnus, il faut que tu aies assez de pouvoir en toi-même.

— Que se passe-t-il si l'on n'a pas assez de pouvoir?

— La mort attend toujours, et lorsque le pouvoir du guerrier s'épuise, simplement la mort le capte. Par conséquent il est stupide de s'aventurer dans l'inconnu sans aucun pouvoir. On ne trouverait que la mort. »

Je n'écoutai pas vraiment. L'idée que la viande sèche pouvait avoir causé ces hallucinations me travaillait, et m'abandonner à ce genre de réflexion m'apaisait.

« Ne te fatigue pas à essayer de tout expliquer, reprit-il comme s'il avait lu mes pensées. Le monde est un mystère. Ça, ce que nous regardons, n'est pas tout ce qu'il y a dans le monde. Il y a bien plus que cela, tellement plus en fait qu'il n'a pas de fin. Alors quand tu essaies de te l'expliquer en entier, tout ce que tu fais est de rendre le monde familier. Toi et moi nous sommes ici, dans le monde que tu nommes réel, simplement parce que tous deux nous le connaissons. Tu ne connais pas le monde de pouvoir, par conséquent tu ne peux pas en faire une scène familière.

— Vous savez très bien qu'il m'est impossible de discuter votre opinion, déclarai-je, mais mon esprit ne peut pas l'accepter. »

Il rit et toucha légèrement ma tête.

« Tu es réellement cinglé. Mais ça n'a pas d'importance. Je sais combien il est difficile de vivre comme un guerrier. Si tu avais suivi toutes mes instructions et accompli tous les actes que je t'ai appris, tu aurais, à l'heure qu'il est, assez de pouvoir pour passer ce pont. Assez de pouvoir pour *voir* et *stopper-le-monde*.

— Mais pourquoi voudrais-je le pouvoir?

— A ce jour tu ne peux pas concevoir pourquoi. Cependant si tu emmagasines assez de pouvoir, le pouvoir lui-même te découvrira une bonne raison. C'est loufoque, qu'en penses-tu?

— Vous-même, pourquoi avez-vous désiré du pouvoir?

— Je suis comme toi. Je n'en voulais pas. Je n'arrivais pas à trouver une raison valable pour en avoir. Je suis passé par tous tes doutes et jamais je n'ai suivi les instructions que j'ai reçus, ou au moins je crus ne jamais les avoir suivies. Cependant, malgré ma stupidité j'emmagasinais assez de pouvoir et un jour mon pouvoir personnel fit effondrer le monde.

— Mais pourquoi quelqu'un pourrait-il souhaiter *stopper-le-monde*?

— Personne ne le souhaite, c'est là le problème. Cela se produit, c'est tout. Et une fois que tu sais ce qu'est *stopper-le-monde*, tu te rends compte qu'il y a une raison pour cela. Vois-tu, un des arts du guerrier est de faire effondrer le monde pour une raison bien spécifique et ensuite de le reconstruire de façon à continuer à vivre. »

J'avançai qu'il pourrait m'aider en me fournissant un exemple de raison spécifique pour faire effondrer le monde.

Il resta silencieux un certain moment comme s'il réfléchissait.

« Je ne peux pas te dire, répondit-il. Pour savoir cela il faut déjà trop de pouvoir. Un jour, contre ta volonté, tu vivras comme un guerrier; alors peut-être auras-tu emmagasiné assez de pouvoir personnel pour répondre toi-même à cette question.

« Je t'ai enseigné presque tout ce qu'un guerrier a besoin de savoir pour se lancer dans le monde pour emmagasiner du pouvoir par lui-même. Néanmoins je sais que tu n'es pas capable d'y arriver et il me faut montrer beaucoup de patience à ton égard. Du fait de ma propre expérience, je sais que pour être soi-même dans le monde de pouvoir, il faut le combat d'une vie tout entière. »

Il observa le ciel et les montagnes. Le soleil descendait vers l'ouest et sur les montagnes se formaient des nuages d'orage. J'ignorais l'heure, j'avais omis de remonter ma montre. Je lui demandai l'heure et cela provoqua chez lui une telle crise de rire qu'il roula en bas du rocher jusque dans les buissons.

Il se leva, étira ses bras et bâilla.

« Très tôt. Nous devons attendre jusqu'à ce que le brouillard se forme au sommet de la montagne, et alors seul debout sur cette pierre tu devras remercier le brouillard de ses faveurs. Laisse-le venir et t'envelopper. Je serai tout proche, prêt à te venir en aide, si tu en as besoin. »

J'étais terrifié à la pensée de rester seul dans ce brouillard. Cette attitude complètement irrationnelle me semblait pourtant stupide.

« Tu ne peux pas quitter ces montagnes désolées sans dire tes remerciements, déclara-t-il fermement. Un guerrier ne tourne jamais le dos au pouvoir sans expier pour les faveurs accordées. »

Il s'allongea sur le dos les mains sous la nuque, le chapeau sur son visage.

« Comment dois-je attendre le brouillard? Que dois-je faire?

— Écris, dit-il au travers du chapeau. Mais ne ferme jamais les yeux et ne lui tourne pas le dos. »

Je ne parvenais plus à me concentrer suffisamment pour écrire. Je me levais et m'agitais sans cesse. Don Juan souleva son chapeau et me jeta un regard ennuyé.

« Assieds-toi », m'ordonna-t-il.

Il ajouta que la bataille de pouvoir n'était pas encore terminée. Il fallait que j'apprenne à mon esprit à rester impassible. Rien dans mes actions ou attitudes ne devait trahir mes impressions à moins que je ne veuille vraiment rester prisonnier dans ces montagnes.

Il s'assit et eut un geste pressé de la main. Il me conseilla d'agir exactement comme si rien d'inhabituel ne survenait, car les lieux de pouvoir, donc celui où nous étions, avaient la possibilité de vider les gens troublés. Ainsi on pouvait créer des liens étranges et nuisibles avec un endroit.

« De tels liens ancrent un homme à un lieu de pouvoir, parfois une vie entière. Et ce lieu n'est pas pour toi. Tu ne l'as pas trouvé toi-même. Alors serre la ceinture et ne perds pas tes frocs. »

Son rappel à l'ordre agit comme un charme. Pendant des heures j'écrivis sans jamais m'interrompre.

Don Juan s'endormit. Il se réveilla lorsque le brouillard descendant des montagnes fut à environ cent mètres de nous. Sans jamais tourner le dos au brouillard j'examinai tout autour de moi. En descendant des montagnes à ma droite le brouillard avait envahi les basses terres. A gauche le paysage restait dégagé. Cependant le vent venant de ma droite poussait le brouillard dans ces basses terres comme pour tenter de nous encercler.

Don Juan chuchota que je devais garder mon impassibilité, rester debout à ma place sans jamais fermer les yeux. En aucun cas je ne devais me retourner tant que le brouillard ne nous aurait pas noyés. Alors, et alors seulement, il nous serait possible d'entamer notre descente.

Il se cacha au pied de quelques rochers proches de moi.

Dans ces montagnes le silence avait quelque chose de magnifique et d'effrayant. Le vent doux qui poussait le brouillard me donna l'impression que celui-ci sifflait à mes oreilles. D'énormes morceaux de brouillard, telles de solides pièces de matière blanche descendirent en roulant vers moi. Je humai le brouillard. C'était comme un mélange spécial à la fois caustique et parfumé. Il m'enveloppa.

J'eus la sensation qu'il agissait sur mes paupières. Elles étaient lourdes et j'avais envie de fermer les yeux. Le froid me gagnait. Ma gorge était irritée mais je n'osai pas tousser. Pour calmer la toux je levai le menton, étirai le cou, et en levant les yeux j'eus l'impression de voir l'épaisseur du banc de brouillard. C'était un banc de brouillard très lourd. Comme capables de le traverser du regard, mes yeux pouvaient en estimer l'épaisseur. Lentement mes paupières tombèrent et je ne pus m'empêcher de m'abandonner à la torpeur. J'eus l'impression que j'allais tomber par terre d'un instant à l'autre. Au moment même don Juan sauta vers moi, me saisit le bras et me secoua. La secousse suffit à restaurer ma lucidité.

Au creux de l'oreille il chuchota qu'il me fallait descendre la pente en courant de toutes mes forces. Comme il ne désirait pas recevoir les cailloux qu'en courant je ferais rouler inévitablement, il allait me suivre

Il ajouta aussi que je passais devant parce que c'était ma bataille de pouvoir, donc pour arriver à nous guider sains et saufs hors d'ici il fallait que je garde l'esprit clair.

« C'est comme ça, dit-il à haute voix. Si tu n'as pas le tempérament d'un guerrier, nous n'arriverons peut-être pas à quitter le brouillard. »

J'eus un moment d'hésitation. Je n'étais pas certain de pouvoir trouver mon chemin dans ces montagnes inconnues.

« Cours lapin, cours! », hurla don Juan en me poussant gentiment dans la pente.

13

La dernière résistance du guerrier

Dimanche 28 janvier 1962

Vers dix heures du matin don Juan revint chez lui. Il était parti au lever du soleil. Je l'accueillis. Il gloussa et tout en faisant le clown vint me serrer la main puis me salua de manière cérémonieuse.

« Nous allons partir pour un petit voyage. Tu vas nous emmener avec ta voiture jusqu'à un endroit très particulier. Là nous chercherons le pouvoir. »

Il déroula deux filets et dans chacun plaça deux gourdes de nourriture. Il les ferma et m'en tendit un.

Sans nous presser nous partîmes sur le Pan-American Highway vers le nord pendant environ six cents kilomètres, puis nous prîmes une route empierrée allant vers l'ouest. Au travers du pare-brise couvert d'insectes et de poussière je ne voyais plus rien. Je faisais des efforts pour distinguer la route dans la nuit.

Je dis à don Juan qu'il me faudrait arrêter pour nettoyer le pare-brise, mais il m'ordonna de continuer à conduire ainsi même si j'en étais réduit à rouler à cinq kilomètres à l'heure et à sortir ma tête par la portière pour voir la route. Il m'expliqua que nous ne pourrions nous arrêter qu'une fois arrivés au terme de notre voyage.

A un moment donné il me fit tourner à droite. Dans la nuit et à travers la poussière même les phares ne servaient pas à grand-chose. La voiture quitta la route en cahotant brusquement. J'avais eu peur de tomber dans les bas-côtés, mais ils étaient en terre dure.

Penché par la portière pour tenter de voir devant moi, aussi lentement que possible j'avançai environ de cent mètres. Il me dit de stopper et ajouta que la voiture était garée ainsi derrière un gros rocher qui la cacherait.

Je sortis et dans la lumière des phares déambulai avec l'intention d'examiner l'endroit car je n'avais pas la moindre idée du lieu où nous étions. Il coupa les phares et à haute voix déclara que nous n'avions pas de temps à perdre. Je devais fermer ma voiture et nous partirions sur-le-champ.

Il me tendit un des filets contenant deux gourdes. La nuit était si noire que je trébuchai et lâchai presque le tout. Doucement mais fermement don Juan m'ordonna de m'asseoir jusqu'à ce que mes yeux se soient accoutumés au noir. Au moment où je sortis de la voiture j'avais pu voir les environs assez bien, et ce qui avait tout modifié était cette nervosité particulière qui me faisait agir comme un étourdi. Tout, autour de moi, semblait briller.

« Où allons-nous?

— Nous allons aller dans la nuit jusqu'à un lieu très spécial.

— Pourquoi faire?

— Pour découvrir si tu es ou non capable de continuer à chasser le pouvoir. »

Je voulus savoir s'il s'agissait d'un test et si en cas d'échec il continuerait à m'entretenir et à m'enseigner sa connaissance.

Il m'écouta sans m'interrompre, puis déclara que ce que nous allions faire ne constituait pas un test. Nous espérions un présage. S'il ne venait pas cela voudrait dire que j'avais échoué dans ma chasse du pouvoir, et dans ce cas je serai libre de tout acte imposé, libre d'être aussi stupide que je le voudrais.

Il précisa que peu importait l'issue, il demeurerait mon ami et ne cesserait jamais d'accepter de discuter en ma compagnie.

D'une certaine façon je savais que j'allais échouer.

« Le présage ne viendra pas, dis-je en plaisantant. Je le sais. J'ai un tout petit peu de pouvoir. »

Il éclata de rire et me tapota le dos gentiment.

« Ne t'inquiète pas, rétorqua-t-il. Le présage viendra. Je le sais. J'ai plus de pouvoir que toi. »

Sa déclaration l'enchanta. Il claqua ses mains sur ses cuisses, applaudit et eut un rugissement de rire.

Il fixa le filet sur mes épaules tout en m'enjoignant de marcher sur ses talons et autant que possible de placer mes pieds exactement où il avait posé les siens.

Avec une insistance dramatique il chuchota :

« C'est une marche pour le pouvoir, tout compte. »

Il expliqua que si je prenais exactement ses traces je récupérerais le pouvoir qu'il dissipait en marchant.

J'eus un coup d'œil à ma montre. Il était onze heures.

Il me plaça au garde-à-vous, tel un soldat, poussa ma jambe droite en avant et me demanda de rester ainsi, comme si j'avais fait un pas. Il prit place devant moi prenant exactement la même position. Il répéta que je devais marcher sur ses traces, puis il commença à marcher. En chuchotant il me confia que je devais porter toute mon attention sur ses traces et oublier tout le reste. Mes yeux ne devaient se porter ni en avant, ni sur le côté, mais uniquement au sol, là où il marchait.

Il partit d'un pas assez aisé, aussi n'eus-je aucun problème pour le suivre. Nous avancions sur une surface plutôt dure. Pendant trente mètres je le suivis parfaitement, mais j'eus un coup d'œil de côté et sur-le-champ me cognait contre lui.

Il rigola et me confia que vraiment je n'avais pas fait mal à sa cheville lorsque je l'avais cognée avec mes gros godillots, mais que si je continuais à trébucher au moins l'un de nous serait infirme avant le matin. En riant mais d'une voix basse et ferme, il déclara qu'il n'avait pas la moindre envie de se faire estropier à cause de ma stupidité et de mon manque de concentration, et que si je lui marchais encore une fois de plus dessus il me faudrait aller pieds nus.

« Je n'arrive pas à marcher sans chaussures », dis-je la voix rocailleuse.

Don Juan redoubla son rire et dut s'arrêter jusqu'à ce qu'il eût repris son souffle.

A nouveau il m'assura ne pas plaisanter. Nous allions capter le pouvoir, tout devait être parfait.

A la simple idée d'avoir à marcher pieds nus dans le désert j'avais des sueurs froides. En plaisantant don Juan déclara que je devais être un de ces paysans qui n'enlève même pas ses godasses pour aller se coucher. Et il avait raison; jamais je n'avais marché pieds nus, et le désert sans chaussures eût été pour moi un calvaire.

« Ce désert suinte le pouvoir, murmura-t-il. Il n'y a pas une seconde à perdre en timidité. »

La marche reprit. Il conserva une allure modérée. Un peu plus tard nous abordâmes une région sablonneuse. Les pieds de don Juan s'enfonçaient et laissaient une trace profonde.

Nous marchâmes des heures avant qu'il fît halte. Il ne s'arrêta pas d'un coup, mais me prévint qu'il allait s'arrêter pour que je ne le heurte pas. Le terrain était alors à nouveau dur et j'avais l'impression que nous montions.

Il me signala que comme la prochaine étape serait longue et sans arrêt je pouvais, si besoin était, aller dans les buissons. A ma montre il était une heure du matin.

Dix à quinze minutes plus tard il me fit mettre en position et nous partîmes. Cette partie-là fut horrible. Jamais je n'avais eu tant à me concentrer. Il allait d'un pas rapide et l'observation permanente de ses traces culmina en une tension telle qu'à un moment donné je ne me rendis plus compte que je marchais. Je ne pouvais sentir ni mes jambes ni mes pieds, c'était comme si je marchais en l'air porté par une quelconque force. Cet effort de concentration fut tel que je ne remarquais même pas l'arrivée du jour. Soudain je me rendis compte que devant moi je pouvais voir don Juan. J'apercevais nettement ses pieds et ses traces et je ne les devinais plus comme pendant toute la nuit.

A un moment donné, et d'une manière surprenante, il sauta de côté et machinalement je marchais encore au moins vingt mètres. En ralentissant mes jambes s'affaiblirent et je m'effondrai.

Je me tournai vers don Juan. Il m'examinait calmement. Aucun signe de fatigue ne semblait le marquer alors qu'inondé de sueur je soufflais comme un malheureux.

Il me tira par le bras et me tourna en disant que pour reprendre mes forces il fallait que je m'allonge la tête vers l'est. Peu à peu je me détendis et me reposai et enfin je me sentis assez fort pour me relever. Je voulus regarder ma montre mais il posa sa main sur mon poignet pour m'en empêcher. Avec beaucoup de douceur il tourna ma tête vers l'est et dit que je n'avais absolument pas besoin de ma stupide montre, que nous étions maintenant branchés sur l'heure magique et que nous allions savoir à coup sûr si j'étais capable de continuer à poursuivre le pouvoir.

J'observais les alentours. Nous étions au sommet d'une énorme colline. Je voulus m'avancer vers ce qui semblait être le bord ou une crevasse du rocher, mais il sauta pour m'attraper avant que je ne bouge.

Il m'ordonna de demeurer à l'endroit même où j'étais tombé jusqu'à ce que le soleil surgisse derrière les sommets des montagnes noires non loin de nous.

Il pointa l'est et attira mon attention sur un épais banc de nuages qui couvrait l'horizon. Il dit que si le vent poussait ces nuages au loin pour laisser les premiers rayons du soleil tomber sur moi, le présage serait favorable.

Il me dit de rester immobile, la jambe droite en avant comme si je marchais. Je ne devais pas fixer l'horizon, mais observer sans concentrer mon regard.

Mes jambes se durcirent, mes cuisses me faisaient mal. J'étais dans une position intenable dans laquelle les muscles épuisés de mes jambes ne parvenaient pas à me maintenir. Aussi longtemps que je pus, je résistai. J'allais m'effondrer, mes jambes tremblaient sans pouvoir les contrôler, lorsque soudain don Juan me signala que tout était fini. Il m'aida à m'asseoir.

Le banc de nuages n'avait pas bougé et nous n'avions pas vu le soleil s'élever au-dessus de l'horizon.

« Dommage », se contenta-t-il de dire.

Je n'avais aucune envie de demander franchement qu'elles seraient les conséquences de mon échec, mais connaissant don Juan, j'étais sûr qu'il suivrait à la lettre ses présages. Et aujourd'hui il n'y en avait eu aucun. Les crampes de mes cuisses s'évanouirent et je sentis une vague de bien-être. Pour relâcher mes muscles je me mis à trotter sur place, mais gentiment don Juan me conseilla de courir jusqu'au sommet du mamelon voisin, de cueillir les feuilles d'un certain buisson et de m'en frictionner pour faire disparaître la tension musculaire.

De l'endroit où nous étions je pouvais parfaitement voir un grand buisson vert et luxuriant aux feuilles luisantes d'humidité. J'avais déjà fait usage de ces feuilles sans succès, me semblait-il, mais don Juan assurait que l'effet de cette plante vraiment amie était si subtil que l'on pouvait difficilement le remarquer bien qu'elle produisît toujours le résultat attendu.

En courant je descendis la colline puis grimpai l'autre. Arrivé au sommet, je sentis que l'effort avait presque été trop grand pour mes forces. J'eus de la peine à reprendre mon souffle et j'avais aussi envie de vomir. Je m'accroupis, me recroquevillai pour me détendre un peu. Alors je levai les yeux et tendis la main vers le buisson. Elle ne rencontra rien, il n'y avait rien devant moi. Je cherchai tout autour. Certain d'être là où il fallait je ne pus cependant pas y découvrir le moindre buisson qui vaguement même eût ressemblé à celui que pourtant j'avais bien vu. Ça ne pouvait être que là, de l'emplacement où m'attendait don Juan c'était le seul mamelon visible.

J'abandonnai et me dirigeai vers l'autre colline. Au récit de ma méprise don Juan eut un sourire bienveillant.

« Pourquoi appelles-tu cela une méprise?

— Il est bien évident que le buisson n'est pas là-haut.

— Mais cependant tu l'avais bien vu, n'est-ce pas?

— J'ai cru l'avoir vu.

— Maintenant, au même endroit, que vois-tu? »

Là où j'avais cru voir le buisson il n'y avait strictement rien.

J'essayai d'expliquer que j'avais été victime d'une sorte de mirage, d'une illusion visuelle. Très fatigué j'avais cru voir une plante que j'aurais espéré voir alors qu'elle n'y était pas.

Don Juan rit doucement puis me fixa du regard.

« Je ne vois là aucune méprise. La plante est là, au sommet de la colline. »

Ce fut mon tour de rire. Soigneusement j'observai l'endroit. Il n'y avait pas une seule de ces plantes en vue, donc j'avais bien été victime d'une hallucination.

Très calmement don Juan s'engagea dans la descente puis me fit signe de le suivre. Nous allâmes au sommet du mamelon.

Fort de ma certitude, je riai sous cape.

« Avance-toi de l'autre côté de la colline, tu y trouveras la plante. »

Je lui fis remarquer que ce flanc était resté toujours caché à nos yeux, et qu'une telle plante pourrait bien s'y trouver sans que cela veuille dire quoi que ce soit.

De la tête il me fit signe de le suivre. Au lieu de passer par le sommet il s'engagea le long de la colline, et avec une prestance d'acteur et sans même le regarder il se campa devant un buisson vert.

Il se tourna vers moi. Son regard était particulièrement perçant.

« Il doit y avoir par là de telles plantes par milliers », dis-je.

Sans se départir de son calme, il descendit ce flanc de colline devant moi. Partout nous cherchâmes un buisson de même espèce, en vain jusqu'à environ un demi-kilomètre de là.

Sans un mot don Juan me ramena au sommet de la première colline, puis après un court arrêt me guida dans la direction opposée. Malgré une recherche attentive nous ne trouvâmes que deux de ces buissons à plus d'un kilomètre de là. Poussant ensemble ils tranchaient par leur vert foncé et par leur luxuriance sur la végétation environnante.

Don Juan m'observait sans un sourire. J'ignorai que penser de toute cette affaire.

« Voilà un bien étrange présage », dit-il.

En prenant un itinéraire complètement différent, nous retournâmes au sommet de la première colline. Sans aucun doute il avait choisi un chemin différent pour me confirmer la rareté de ces plantes. De fait, nous n'en vîmes pas une seule. Une fois au sommet nous nous assîmes. Dans le silence don Juan déballa une des gourdes.

« Une fois que tu auras mangé, tu te sentiras mieux. »

Son plaisir se signalait par une expression rayonnante pendant qu'il me tapotait la tête. Je me sentai perplexe, ces événements me gênaient, mais ma fatigue et ma faim m'interdirent d'épiloguer plus longuement sur ce problème.

Une fois rassasié, le sommeil me gagna. Don Juan me demanda de me servir de la technique consistant à regarder sans concentrer mon regard pour découvrir une place adéquate au sommet de la colline où j'avais aperçu ce buisson.

Je choisis un endroit. Don Juan ramassa les débris répandus au sol de façon à éclaircir un cercle d'un diamètre voisin de ma taille. Il déposa ceux-ci à la périphérie, puis en se servant de branches vertes il balaya l'intérieur du cercle sans même toucher le sol. Il faisait les gestes du balayeur. Ensuite il enleva tous les cailloux pour, après les avoir méticuleusement triés par taille, en faire deux tas d'un nombre égal au centre du cercle.

« Que faites-vous avec ces cailloux?

— Ce ne sont pas des cailloux. Ce sont des ficelles. Elles vont tenir ta place en suspens. »

Il prit les petits cailloux et les plaça à intervalles réguliers à la circonférence du cercle. Il fit usage d'un bâton pour, à la façon d'un maçon, les enfoncer fermement dans le sol.

Il m'interdit de pénétrer dans ce cercle mais me dit de regarder sa manière de procéder. Il compta dix-huit cailloux dans un sens rétrograde.

« Maintenant cours jusqu'en bas de la colline et attends. Je viendrai au bord pour vérifier que tu es à l'endroit voulu.

— Qu'allez-vous faire?

— Je vais te lancer chacune de ces ficelles, dit-il en désignant la pile de gros cailloux. Et chaque fois tu devras les placer au sol ainsi que j'ai fait et à l'endroit que je t'indiquerai.

« Fais très attention. Lorsqu'on a affaire au pouvoir, il faut être parfait. Les erreurs sont fatales. Chacune d'entre elles est une ficelle qui pourrait nous détruire si nous la laissons libre. Par conséquent pas une seule faute n'est permise. Fixe ton regard à l'endroit où je lancerai la ficelle. Si n'importe quoi te distrait, elle deviendra un simple caillou que tu ne pourras même pas distinguer des autres. »

Je proposai une méthode plus simple, porter les « ficelles » une à une en bas de la pente.

Il rit et hocha négativement la tête.

« Ce sont des ficelles, reprit-il en insistant. Il faut que je les lance et que tu les attrapes. »

Cela prit des heures. L'effort de concentration m'exténuait. Chaque fois don Juan me rappelait l'attention et l'observation indispensables, et attraper un caillou lancé le long de la pente alors qu'il en heurtait d'autres tenait de la folie.

Une fois le cercle terminé, je remontai au sommet de la colline en pouvant à peine me tenir debout. Avec de petites branches don Juan avait tapissé l'intérieur du cercle. Il me tendit quelques feuilles et m'indiqua de les mettre dans mon pantalon à même la peau autour de mon nombril. Elles me tiendraient assez chaud, je n'aurai pas besoin de couverture. Je me laissai tomber sur les branches, et sur ce lit assez mou je m'endormis immédiatement.

En fin d'après-midi, j'ouvris les yeux. Le temps était nuageux et venteux. Au-dessus de moi défilaient d'épais cumulus, mais à l'ouest, au travers de fins cirrus, de temps à autre le soleil perçait.

Après ce long sommeil je me sentais revigoré et heureux. Le vent, assez chaud, ne me gênait pas. Je soulevai la tête sur mes bras pour jeter un œil alentour. Vers l'ouest la vue sur une vaste région de basses collines se perdant dans le désert était impressionnante. Au nord et à l'est se dressaient des montagnes d'un brun très foncé, et au sud une immense étendue de plaines et de collines s'étalait jusqu'à de très lointaines montagnes bleues.

Je m'assis. Don Juan n'était pas là. Soudain j'eus peur. Je crus qu'il m'avait laissé seul, et j'ignorais comment revenir à la voiture. Je m'allongeai. Étrangement l'appréhension s'évanouit. A nouveau je ressentis un sentiment de calme, de délicieux bien-être. C'était une sensation toute nouvelle pour moi. Mes pensées semblaient avoir été interrompues. J'étais heureux. Je me sentais en pleine forme. Une tranquille exubérance me remplit. Un léger vent d'ouest caressait mon corps sans me refroidir. Je le sentais sur mon visage et autour de mes oreilles telle une vague d'eau tiède qui me recouvrait, se retirait, m'inondait à nouveau, et ainsi de suite. Dans les cahots de ma vie besogneuse cet état de bien-être n'avait auparavant jamais existé. Des larmes jaillirent de mes yeux. Je n'éprouvais ni tristesse ni pitié pour mon sort, seulement une extraordinaire et inexplicable joie.

A tel point que si don Juan n'était pas revenu pour me secouer, je crois que je serais resté là pour toujours.

« Tu t'es suffisamment reposé », dit-il en m'aidant à me relever.

Très calmement il me guida autour du sommet de la colline. Il avançait lentement, parfaitement silencieux. Il semblait seulement vouloir que j'observe le paysage étalé autour de nous. D'un mouvement des yeux ou du menton il attira mon attention sur les nuages et les montagnes.

En cette fin d'après-midi ce magnifique spectacle suscita en moi effroi et désespoir, car il me rappelait des scènes de mon enfance.

Au point le plus élevé de la colline nous escaladâmes un piton de roches ignées, puis confortablement assis adossés au rocher, nous prîmes place face au sud. De l'immensité des étendues visibles devant nous se dégageait une impression vraiment grandiose.

« Fixe cela dans ta mémoire, chuchota-t-il. Cette place est à toi. Ce matin tu *vis*. Ce fut un présage. Tu trouvas cette place en *voyant*. Le présage, bien qu'inattendu, eut lieu. Que tu le veuilles ou non, tu vas chasser le pouvoir. Ce n'est ni toi, ni moi, ni nos semblables qui en ont décidé ainsi.

« A partir de maintenant ce sommet de colline est pour ainsi dire ta place. Tu dois prendre soin de tout ce qui l'entoure. Tu dois porter ton attention à tout ce qui est là, et tout ce qui est là prendra soin de toi. »

Sur le ton de la plaisanterie je lui demandai si tout était bien à moi. Avec beaucoup de sérieux il répondit que oui. J'éclatai de rire en lui confiant que ce que nous faisions me rappelait comment les Espagnols, au moment de la conquête du Nouveau Monde l'avaient réparti. Ils allaient au sommet d'une montagne pour, au nom de leur roi, proclamer sienne toutes les terres visibles.

« C'est une bonne idée, dit-il. Je vais te donner toute la terre visible d'ici, non seulement dans cette direction, mais tout autour de toi. »

Il se leva et la main tendue fit un tour complet sur lui-même.

« Toute cette terre est à toi. »

J'éclatai de rire.

Il gloussa, puis me demanda :

« Pourquoi pas? Pourquoi ne pourrais-je pas te donner cette terre?

— Cette terre n'est pas à vous.

— Et alors? Était-elle aux Espagnols? Et cela ne les empêcha pas de la diviser et de la donner. Alors pourquoi ne peux-tu pas en prendre possession de la même façon? »

Je l'observai en essayant de dégager l'humeur véritable que cachait son sourire. Il fut pris d'un tel fou rire qu'il faillit tomber du rocher.

« A perte de vue, toute cette terre est à toi, reprit-il avec un sourire. Non pas pour en faire usage mais pour t'en souvenir. Je te la donne parce que tu l'as découverte toi-même. Elle est à toi. Accepte-la. »

Je ris, mais il semblait parfaitement sérieux; et si ce n'était un curieux sourire, on aurait pu le croire convaincu qu'il pouvait me donner le sommet de cette colline.

« Et pourquoi pas? dit-il comme s'il avait suivi mes pensées.

— Je l'accepte », dis-je en plaisantant à moitié.

Son sourire s'effaça. Il cligna des yeux en me regardant.

« Chaque rocher, chaque caillou, chaque buisson de cette colline et plus particulièrement son sommet dépend de toi. Chaque ver de terre qui y vit est ton ami. Tu peux t'en servir et ils peuvent se servir de toi. »

Nous restâmes en silence quelques minutes. Ma tête restait anormalement vide de pensées. Vaguement je sus que ce brutal changement d'humeur présageait quelque chose. Je ne ressentais ni frayeur ni appréhension. Je voulais surtout ne plus parler. D'une certaine façon les mots semblaient manquer de précision et être difficiles à charger de sens. Jamais le fait de parler ne m'était apparu tel. Aussi à peine eus-je pris conscience de cet état que je fus pris du fou désir de dire quelque chose.

« Mais que puis-je faire de cette colline?

— Fixes-en les moindres traits dans ta mémoire. C'est l'endroit où tu viendras en *rêvant*. C'est le lieu où tu rencontreras les pouvoirs, le lieu où un jour les secrets te seront révélés.

« Tu chasses le pouvoir et ceci est ta place, le lieu où tu emmagasineras tes ressources.

« Pour l'instant cela te semble insensé. Alors, en attendant, considère-le comme faisant partie de l'absurde. »

Nous descendîmes du rocher et je le suivis vers une petite dépression en forme de bol située au flanc occidental de la colline. Là nous mangeâmes.

Indiscutablement quelque chose de plaisant, d'indescriptiblement plaisant, se manifestait sur cette colline. Manger, se reposer relevaient de délicates et nouvelles sensations.

Une lueur riche, presque cuivrée, émanait du soleil couchant, et tout aux alentours apparaissait plaqué d'une teinte dorée. L'observation des environs captivait mon attention, je ne désirai même plus penser.

Don Juan s'adressa à moi en chuchotant. Il me dit d'examiner les lieux jusque dans leurs moindres détails, sembleraient-ils même insignifiants ou trop minuscules pour mériter de m'y attarder. Et particulièrement les traits proéminents du paysage qui s'étendait vers l'ouest. Je devais regarder le soleil sans fixer mon regard sur lui jusqu'à ce qu'il eût disparu sous l'horizon.

Les derniers moments de lumière, juste avant que le soleil plonge derrière un rideau de nuages ou de brouillard, furent absolument magnifiques. Le soleil enflammait la terre, en faisait un immense feu de Bengale. Une sensation de rougeur monta sur mon visage.

« Debout! », cria don Juan en me tirant.

Il fit un saut à l'écart et d'un ton impératif et pressé me dit de trotter sur l'endroit où je venais d'être assis.

Pendant que je suivais ses instructions, une vague de chaleur me submergea. Ce fut une chaleur cuivrée que je sentis sur mon palais et au « toit » de mes yeux, comme si la partie supérieure de mon crâne brûlait d'un feu froid qui rayonnait de lueur cuivrée.

Quelque chose en moi m'obligea à trotter de plus en plus vite pendant que le soleil disparaissait, et il survint un moment où je me sentis si léger que j'aurais pu m'envoler. Fermement don Juan saisit mon poignet droit et la pression de sa main me restitua une sensation de sobriété et de pondération. Je m'écroulai par terre. Il s'assit à côté de moi.

Quelques minutes plus tard il se leva lentement, me tapota l'épaule et me fit signe de le suivre. Nous revînmes au piton de roches ignées, à l'endroit où nous nous étions déjà assis. Là nous étions abrités du vent. Don Juan rompit le silence.

« C'était un excellent présage. Mais combien étrange! A la fin du jour. Tant de différence entre toi et moi. Tu es beaucoup plus une créature de la nuit, je préfère la brillance du matin. Ou plutôt la brillance du soleil matinal me recherche alors qu'elle s'écarte de toi. Par contre le soleil mourant t'imbibait, ses flammes t'embrasaient sans te brûler. C'est étrange!

— Pourquoi est-ce étrange?

— Jamais je n'ai vu cela. Ce présage, lorsqu'il se manifeste, a toujours lieu dans le royaume de la jeunesse du soleil.

— Et pourquoi cela don Juan?

— Ce n'est pas le moment d'en parler, rétorqua-t-il d'un ton tranchant. La connaissance est pouvoir. Il faut très longtemps avant de dominer assez de pouvoir pour se permettre d'en parler. »

J'insistai, mais il détourna la conversation sur-le-champ. Il me questionna sur les progrès accomplis en « rêvant ».

J'avais commencé à rêver de lieux particuliers, écoles, maisons d'amis.

« Étais-tu en ces endroits le jour ou la nuit? », m'interrompit-il.

Mes rêves présentaient des scènes exactement situées aux heures où habituellement je me rendais dans ces lieux, à l'école de jour, chez mes amis de nuit.

Il me suggéra d'essayer de « rêver » pendant une sieste, en plein jour, pour savoir si je pourrais voir ma place d'élection telle qu'elle serait exactement au moment même où je « rêvais ». Si je « rêvais » la nuit, mes visions de ce lieu devaient être nocturnes. Il précisa que ce que l'on voit en « rêvant » devait s'accorder avec le moment du jour où l'on rêve, sinon ces visions ne sont pas « rêver », mais simplement des rêves courants.

« Pour t'aider, prends un objet appartenant au lieu où tu désires aller, et concentre-toi sur lui. Par exemple, s'il s'agit de ce sommet de colline, tu possèdes maintenant un buisson spécial qu'il te faut observer jusqu'à ce qu'il prenne place dans ta mémoire. En te remémorant ce buisson, ou ce rocher où nous sommes assis, ou n'importe quoi parmi ce qui est ici, tu pourras revenir à cet endroit pendant ton *rêve*. Se déplacer en *rêvant* est plus facile si l'on peut se concentrer sur un lieu de pouvoir tel que celui-ci. Mais si tu ne veux pas y venir, tu peux utiliser n'importe quel endroit. Peut-être que l'école où tu vas est pour toi une place de pouvoir. Sers-t'en. Concentre-toi sur n'importe quel objet de cet endroit et trouve-le en *rêvant*.

« De l'objet remémoré tu dois revenir vers tes mains, puis sur un autre objet, et ainsi de suite.

« Mais maintenant il faut que tu te concentres sur tout ce qui existe au sommet de cette colline, car elle constitue la place le plus importante de ta vie. »

Il me regarda, comme pour juger de l'effet de ses mots sur moi.

« C'est là que tu vas mourir », continua-t-il avec une grande douceur dans la voix.

Je m'agitai nerveusement, je ne pouvais rester en place. Il souriait.

« A maintes et maintes reprises il faudra que je t'accompagne au sommet de cette colline. Puis tu y viendras par toi-même, jusqu'à t'en saturer pleinement. Tu sauras parfaitement le moment où il en sera ainsi. Tel qu'il est maintenant ce sommet de colline sera la place de ta dernière danse.

— De quoi?

— C'est l'endroit de ta dernière résistance. Tu mourras ici quel que soit le lieu où tu te trouveras. Chaque guerrier a une place pour mourir, une place de prédilection imprégnée d'inoubliables souvenirs, une place où les événements importants ont laissé leur empreinte, une place où lui ont été révélés les secrets, une place où il a emmagasiné son pouvoir personnel.

« Un guerrier doit revenir à son lieu de prédilection chaque fois qu'il capte du pouvoir pour ainsi l'emmagasiner à cet endroit. Il y va soit en marchant, soit en *rêvant*.

« Et enfin lorsque son jour est venu et qu'il sent la tape de la mort sur son épaule gauche, son esprit toujours prêt s'envole à la place de prédilection, et là le guerrier danse jusqu'à sa mort.

« Chaque guerrier possède une forme spéciale, une position particulière de pouvoir qu'il a développée au travers de sa vie. C'est là une sorte de danse, un mouvement qu'il accomplit sous l'influence du pouvoir.

« Un guerrier mourant avec peu de pouvoir fait une courte danse, mais celui qui a un pouvoir considérable effectue une danse prodigieuse. Mais peu importe qu'elle soit courte ou grandiose, la mort doit s'arrêter pour assister au spectacle de la dernière danse du guerrier. La mort ne peut pas se saisir d'un guerrier qui récapitule pour la dernière fois les faits de sa vie, tant qu'il n'a pas fini sa danse. »

J'en frissonnai. L'extrême tranquillité, la lueur crépusculaire, le paysage magnifique, tout semblait avoir été placé là pour renforcer l'image de la dernière danse de pouvoir d'un guerrier.

« Bien que je ne sois pas un guerrier, pouvez-vous m'apprendre cette danse?

— Celui qui chasse le pouvoir doit apprendre cette danse. Cependant je ne peux pas encore te l'enseigner. Sous peu il est possible que tu aies un adversaire valable, et alors je te montrerai le premier mouvement de pouvoir. Au fur et à mesure que tu t'avanceras dans ta vie il faudra que tu y ajoutes les autres. Chacun d'eux s'acquiert pendant un combat de pouvoir. Donc, à vrai dire, la posture, la forme d'un guerrier constituent l'histoire de sa vie, une danse qui évolue en même temps que son pouvoir.

— La mort s'arrête-t-elle vraiment pour voir la danse d'un guerrier?

— Un guerrier n'est qu'un homme. Un homme très humble. Il ne peut pas changer les desseins de sa mort. Mais son esprit impeccable, car il a emmagasiné du pouvoir après de formidables travaux, peut sans l'ombre d'un doute retenir la mort pour un moment, un moment assez long pour qu'il se réjouisse une dernière fois en rappelant son pouvoir. Il est possible de dire qu'il s'agit d'un geste de la mort pour ceux qui possèdent un esprit impeccable. »

Pour calmer l'anxiété qui me gagnait, je me mis à parler. Je voulus savoir s'il avait connu des guerriers qui étaient morts et s'il savait dans quelle mesure leur dernière danse avait pu affecter le moment de leur mort.

« Ça suffit, dit-il sèchement. Mourir est une entreprise grandiose. C'est bien plus que d'avoir des sursauts et de devenir raide.

— Don Juan, devrais-je aussi danser à ma mort?

— Sans aucun doute. Bien que tu ne vives pas comme un guerrier, tu chasses le pouvoir personnel. Aujourd'hui le soleil te donna un présage. Ce que tu feras de mieux dans ta vie sera accompli vers la fin du jour. Il est évident que tu n'apprécies pas la jeunesse brillante de la lumière matinale. Voyager le matin ne t'attire pas. Ta préférence va au soleil mourant, soleil vieux, jaunâtre et doux. Tu n'aimes pas la chaleur, tu aimes l'illumination.

« Par conséquent à ta mort tu danseras sur cette colline vers la fin du jour. Et au cours de ta dernière danse tu raconteras ton combat, les batailles que tu as gagnées, celles que tu as perdues; tu parleras de tes joies et de ton émerveillement lorsque tu as rencontré le pouvoir personnel. Ta danse exprimera les secrets et les merveilles que tu auras emmagasinés. Et ta mort assise ici te regardera.

« Le soleil mourant t'illuminera sans te brûler, ainsi qu'il l'a fait aujourd'hui. Le vent sera doux et moelleux et ta colline tremblera. En achevant ta danse tu regarderas le soleil, car jamais plus, éveillé ou *rêvant*, tu ne le reverras. Et alors ta mort montrera le sud, l'immensité. »

14

La marche de pouvoir

Samedi 8 avril 1962

« Don Juan, la mort est-elle un personnage? », lui demandai-je en m'asseyant sur le porche de sa maison.

Il eut un regard ébahi, posa le sac de provisions que je lui avais amené et s'assit en face de moi.

Confiant, je lui expliquai mon désir de savoir si la mort, lorsqu'elle observait la dernière danse du guerrier, était une personne ou bien comme une personne.

« Qu'est-ce que ça peut bien faire? », rétorqua-t-il.

Je lui fis part de ma fascination pour cette image et de ma curiosité quant à savoir comment il la concevait. Bref, comment savait-il qu'il en était ainsi?

« C'est très simple. Un homme de connaissance sait que sa mort est le dernier témoin parce qu'il *voit*.

— Exprimez-vous par là que vous avez vous-même assisté à la dernière danse d'un guerrier?

— Non. Personne ne peut en être témoin. Il n'y a que la mort. Par contre j'ai *vu* ma propre mort m'observer et j'ai dansé pour elle comme si je mourais. La danse finie, la mort n'a désigné aucune direction et mon lieu de prédilection n'a pas tremblé pour me dire au revoir. Donc mon temps sur cette terre n'était pas terminé, je ne suis pas mort. Lorsque cet événement s'est produit, je ne possédais qu'un pouvoir limité et je ne comprenais pas les intentions de ma mort; par conséquent je croyais que j'étais en train de mourir.

— Votre mort était-elle comme une personne?

— Tu es un drôle d'oiseau. Tu crois pouvoir comprendre en posant des questions. Je ne pense pas que tu y arriveras. Mais qui suis-je pour en être certain?

« La mort n'est pas comme une personne. C'est plutôt une présence. On peut aussi choisir de dire qu'elle n'est rien, et cependant elle est absolument tout. Chacun a raison. La mort est tout ce que l'on désire.

« Je m'entends bien avec les gens, donc pour moi la mort est une personne. Je puise dans le mystère, alors pour moi la mort a des yeux vides. Je peux voir au travers de ses yeux. Ils sont comme deux fenêtres et pourtant ils bougent comme bougent des yeux. Ainsi je peux dire que la mort aux yeux vides regarde le guerrier dansant pour la dernière fois sur terre.

— Mais cette image vous est-elle propre ou appartient-elle à d'autres guerriers?

— C'est la même chose pour les guerriers qui possèdent une danse de pouvoir, et malgré tout ce n'est pas pareil. La mort assiste à la dernière danse du guerrier, mais la façon dont celui-ci voit la mort est une affaire personnelle. Elle peut être n'importe quoi, un oiseau, une lumière, un buisson, un caillou, un lambeau de brouillard, ou bien une présence inconnue. »

Cette description de la mort me troublait. Je n'arrivais plus à formuler correctement mes questions, je bégayais. Il me regardait en souriant et m'encourageait à parler.

Je voulus savoir si la façon dont un guerrier voyait sa mort dépendait de son éducation. Je pris pour exemple les Indiens Yumas et Yaquis. Selon moi la culture déterminait la façon dont on imaginait la mort.

« Peu importe comment on a été élevé, répondit-il. Le pouvoir personnel, voilà ce qui détermine la façon dont on fait quelque chose. Un homme n'est que le total de son pouvoir personnel, et c'est ce total qui détermine comment il vit et comment il meurt.

— Qu'est-ce que le pouvoir personnel?

— Le pouvoir personnel est une impression, une sensation. Par exemple comme avoir de la chance. On peut aussi dire qu'il s'agit d'un tempérament. Le pouvoir personnel est quelque chose qui s'acquiert quelle que soit l'origine de l'homme. Je te l'ai déjà dit, un guerrier est un chasseur de pouvoir, et je t'enseigne comment le chasser et l'emmagasiner. Avec toi le problème est, ainsi qu'avec nous tous, d'être convaincu. Il faut que tu croies que le pouvoir personnel peut s'utiliser, qu'il est possible de l'emmagasiner. Mais jusqu'à ce jour tu n'as pas été convaincu. »

Je lui répondis qu'il avait bien présenté son cas, et que j'étais aussi convaincu qu'on peut l'être. Il rit.

« Ce n'est pas de ce genre de conviction que je parle. »

Il me tapota deux ou trois fois l'épaule puis dit en ricanant :

« Je n'ai pas besoin qu'on me fasse rire, tu sais. »

Je l'assurai de mon parfait sérieux.

« Je te crois. Mais être convaincu signifie que tu peux agir seul, par toi-même. Et pour y arriver il te faudra fournir bien des efforts. Il reste beaucoup à faire. Tu viens à peine de commencer ».

Pendant un moment il resta silencieux, le visage rayonnant d'un calme impressionnant.

« C'est curieux, parfois tu me fais penser à moi. Je ne voulais pas m'engager sur le chemin du guerrier. Je croyais toute cette peine inutile, surtout en considérant que de toute façon nous allions mourir un jour. Alors qu'y aurait-il de changé si je devenais un guerrier? J'avais tort, mais j'ai dû découvrir cela moi-même. Lorsque tu te rends compte que tu as tort et que cela fait une énorme différence, alors tu peux prétendre être convaincu. Et tu continues par toi-même. Et tu peux même devenir homme de connaissance par toi-même. »

Je lui demandai d'expliquer ce qu'il entendait par « homme de connaissance ».

« Un homme de connaissance est celui qui a réalisé sincèrement tous les travaux de l'enseignement. Un homme qui sans se presser et sans se tromper s'est avancé aussi loin que possible pour dévoiler les secrets du pouvoir personnel. »

Il s'attarda brièvement sur ce concept, puis n'en fit plus cas en remarquant que je devais seulement me préoccuper de l'idée d'emmagasiner du pouvoir personnel.

« C'est incompréhensible, protestai-je. Je n'arrive pas à voir où vous voulez en venir.

— Chasser est quelque chose de spécial, répondit-il. En premier lieu c'est une idée, puis il faut lui donner forme, petit à petit, et tout d'un coup, c'est gagné! Ça arrive.

— Qu'est-ce qui arrive? »

Il se leva, étira ses bras en arquant son dos à la manière d'un chat, et comme toujours ses articulations craquèrent.

« Allons-y, dit-il. Nous avons une longue course à faire.

— Mais il y a tant de questions que je voudrais vous poser!

— Nous allons à un lieu de pouvoir, déclara-t-il en entrant chez lui. Garde tes questions pour là-bas. Peut-être aurons-nous la chance de pouvoir discuter. »

Je crus que nous allions prendre la voiture. Je me levai et me dirigeai vers l'endroit où elle était garée, mais il m'appela, me dit de prendre mon filet et les gourdes et de le rejoindre derrière la maison, là où commençait le désert de broussailles.

« Nous devons nous dépêcher », dit-il.

Vers trois heures de l'après-midi nous atteignîmes les pentes basses de la Sierra Madre. La journée avait été chaude, mais vers la fin de l'après-midi le vent fraîchit. Don Juan s'assit sur une roche et me fit signe de l'imiter.

« Don Juan, cette fois-ci, qu'allons-nous faire?

— Tu sais parfaitement que nous allons chasser le pouvoir.

— Bien sûr. Mais ici, qu'allons-nous faire de spécial?

— Tu sais que je n'en ai pas la moindre idée.

— Voulez-vous dire que vous ne suivez pas un programme bien déterminé?

— Chasser est une affaire étrange. On ne peut prévoir à l'avance. C'est ce qui est excitant. Cependant un guerrier agit comme s'il avait un plan parce qu'il fait confiance à son pouvoir personnel. Par expérience il sait que celui-ci le poussera à agir de la façon la plus appropriée. »

Je fis ressortir la contradiction existant entre le fait qu'un chasseur avait déjà du pouvoir personnel et le fait qu'il en chasse encore.

Il fronça les sourcils et eut un geste feint de mépris.

« Tu es celui qui chasse le pouvoir personnel, et je suis le guerrier qui le possède déjà. Tu m'as demandé si j'avais un plan, je te réponds que je fais confiance à mon pouvoir personnel pour me guider et que je n'ai pas besoin d'avoir un plan. »

Un silence suivit, puis nous reprîmes notre marche.

Sur ces pentes raides je me fatiguais énormément, mais il semblait inépuisable. Il ne se pressait pas, il ne courait pas. Il avançait d'un pas régulier, et même après avoir escaladé une longue pente presque verticale il ne transpirait pas. D'ailleurs lorsque j'arrivai, il m'attendait. Je m'assis à côté de lui, la tête et la poitrine prêtes à éclater. Je m'allongeai sur le dos. La sueur coulait de mes sourcils.

Don Juan éclata de rire et me roula d'un côté à l'autre pendant un moment. Ce mouvement m'aida à reprendre mon souffle.

Je lui avouai être impressionné par ses exploits physiques.

« Depuis le début j'ai tenté d'attirer ton attention sur cela, dit-il.

— Vous n'êtes pas vieux du tout, don Juan.

— Bien sûr que non! Je me suis efforcé de ᴛe le faire remarquer.

— Comment faites-vous?

— Je ne fais rien. Mon corps est en forme, c'est tout. Je me traite au mieux. Par conséquent je n'ai aucune raison d'être fatigué ou mal à l'aise. Le secret ne réside pas en ce que tu fais pour ton corps, mais plutôt en ce que tu ne fais pas. »

L'explication que j'espérais ne vint pas. Il semblait savoir parfaitement que j'étais incapable de le comprendre. Il eut un sourire de connivence puis se leva.

« C'est un lieu de pouvoir, dit-il. Au sommet de cette colline se trouve un endroit où nous pouvons camper. »

J'allais protester, car j'aurais voulu qu'il m'explique ce que je ne devais pas faire à mon corps.

« Ferme ton robinet, dit-il gentiment. Cette fois-ci, pour changer, agis seulement. Peu importe le temps qu'il te faudra pour trouver un endroit adéquat pour nous y reposer, peut-être y passeras-tu la nuit entière. D'ailleurs il n'est même pas important de trouver ou non l'endroit. L'important est que tu essaies de le découvrir. »

Je rangeai mon carnet de notes et me levai. Comme maintes et maintes fois lorsqu'il me demandait de trouver une place où nous reposer, il me rappela que je devais regarder sans me concentrer sur un détail particulier du lieu, regarder en clignant des yeux jusqu'à ce que ma vue se brouille.

Je marchai les yeux mi-clos, tournés vers le sol. Don Juan me suivait à deux pas et un peu à ma droite.

En premier lieu je fis le tour du sommet avec l'intention de revenir au centre en suivant une spirale. Mais une fois le tour bouclé don Juan m'arrêta.

Il déclara que je me laissais reprendre par ma préférence pour la routine. D'un ton sarcastique il ajouta que j'allais sans aucun doute inspecter systématiquement la zone tout entière mais d'une manière tellement statique que jamais je ne percevrais l'endroit adéquat. Il précisa qu'il savait où il était, donc que je ne pouvais en aucun cas improviser.

« Alors, que dois-je faire? »

Il me fit asseoir. Il alla cueillir des feuilles dans plusieurs buissons, une seule dans chacun, puis me les tendit. Il me dit de m'allonger sur le dos, d'ouvrir ma ceinture et de placer les feuilles à même la peau autour du nombril. Il observa mes mouvements et m'indiqua de presser ces feuilles contre mon ventre de mes deux mains, puis de fermer les yeux. Il me prévint que pour obtenir des résultats satisfaisants je ne devais en aucun cas réduire la pression de mes mains sur les feuilles ni ouvrir mes yeux ni tenter de me redresser pendant qu'il placerait mon corps dans une position de pouvoir.

Il me saisit sous l'aisselle droite et me tourna. Une envie croissante de jeter un coup d'œil me tourmentait, mais il plaça ses mains sur mes yeux. Il m'ordonna de ne porter attention qu'à la sensation de chaleur qui allait émaner des feuilles.

Pendant un moment je restai immobile, et alors je ressentis une étrange chaleur se dégager des feuilles, tout d'abord dans la paume de mes mains puis dans mon ventre. En quelques minutes mes pieds brûlaient comme si j'avais une forte fièvre.

Je mentionnai cette désagréable sensation à don Juan, et mon envie d'ôter mes chaussures. Il me dit qu'il allait m'aider à me relever et que je ne devais ouvrir les yeux que sur son ordre. Je devais continuer à presser les feuilles sur mon ventre jusqu'à ce que j'aie trouvé l'endroit adéquat où nous reposer.

Une fois debout il me chuchota au creux de l'oreille que je devais ouvrir les yeux et marcher sans réfléchir, en laissant le pouvoir des feuilles me tirer et me guider.

J'entamai une errance sans but. La chaleur de mon corps me mettait mal à l'aise. Je croyais avoir de la fièvre et je me demandais comment don Juan avait pu la provoquer.

Il marchait derrière moi. Tout à coup il poussa un cri qui me figea sur place. En riant il expliqua que par un cri soudain on effraie les esprits malfaisants. Pendant une demi-heure je clignai des yeux tout en déambulant. Je me rendis compte que l'insupportable brûlure s'était transformée en une chaleur agréable. En marchant sur ce sommet de colline je me sentais très léger, et néanmoins déçu. J'avais espéré percevoir un phénomène visuel, mais dans mon champ de vision rien d'inhabituel n'avait passé, pas même des couleurs anormales, des lueurs ou des masses sombres.

Las de cligner les yeux, je les ouvris. J'étais devant une petite terrasse de grès, un des rares endroits nus de ce sommet; le reste était couvert çà et là de petits buissons espacés. La végétation avait dû brûler quelque temps auparavant, et l'herbe renaissante n'avait pas encore bien repoussé. Pour une étrange et inexplicable raison la terrasse de grès me semblait magnifique. Je la contemplai un long moment, puis je m'assis là.

« Très bien! Très bien! », déclara don Juan en me tapotant le dos.

Il m'ordonna d'enlever soigneusement les feuilles et de les poser sur le rocher.

Dès que je les enlevai, mon corps se rafraîchit. Je contrôlai mon pouls, il était normal.

Don Juan éclata de rire en m'appelant « docteur Carlos » et en me demandant si je voulais bien avoir l'obligeance de prendre aussi son pouls. Puis il déclara que j'avais ressenti le pouvoir des feuilles, que ce pouvoir m'avait nettoyé et rendu capable d'accomplir ma tâche.

En toute sincérité je déclarai n'avoir rien fait, et m'être assis à cet endroit par fatigue et surtout parce que la couleur du rocher m'avait beaucoup plu.

Il ne dit rien. Il restait debout non loin de moi. Soudain il sauta en arrière, enjamba quelques buissons avec une agilité incroyable et courut jusqu'à la crête d'un groupe de rochers dressés non loin de là.

« Que se passe-t-il? demandai-je.

— Observe la direction dans laquelle le vent va emporter les feuilles, dit-il. Compte-les rapidement. Le vent vient. Prends-en la moitié et replace-les contre ton ventre. »

Il y avait vingt feuilles. J'en mis dix sous ma chemise. Une forte rafale de vent dispersa les autres vers l'ouest. En observant ces feuilles emportées j'eus l'étrange impression qu'une entité bien réelle les balayait intentionnellement dans la masse indistincte des buissons verts.

Don Juan revint en marchant, et s'assit face au sud, à ma gauche.

Pendant longtemps nous restâmes muets. Je ne savais que dire. J'avais envie de fermer les yeux, épuisé, mais je n'osai pas. Don Juan dut se rendre compte de mon état car il me signala que je pouvais dormir sans la moindre inquiétude. Il précisa toutefois que je devais placer les mains sur mon abdomen, sur les feuilles et essayer de penser que je reposais suspendu sur le lit de « ficelles » qu'il avait fait à mon intention à mon « lieu de prédilection ».

Je fermai les yeux. Je fus envahi du souvenir de la plénitude et de la tranquillité que j'avais ressenties en dormant au sommet de cette autre colline. Je voulus savoir si je me sentais suspendu, mais je sombrai dans le sommeil.

Je me réveillai un peu avant le coucher du soleil. Je me sentais en forme et revigoré. Don Juan avait dormi lui aussi. Malgré le vent je n'avais pas froid, les feuilles placées sur mon ventre semblaient avoir fait office de fourneau, de radiateur.

J'observai les alentours. L'endroit que j'avais choisi était une petite cuvette où l'on pouvait s'asseoir comme sur un divan car le rocher pouvait aussi servir de dossier. Je découvris que don Juan avait placé mes carnets de notes sous ma tête.

« Tu as trouvé le bon endroit, dit-il en souriant. Et tout s'est passé comme je te l'avais dit. Le pouvoir t'a guidé ici sans aucun plan de ta part.

— Quel genre de feuilles m'avez-vous données? »

La chaleur qui s'était dégagée de ces feuilles, chaleur grâce à laquelle j'avais dormi confortablement sans couvertures et avec peu d'habits, constituait en effet un phénomène digne d'attention.

« Simplement des feuilles.

— Cela veut-il dire que je pourrais cueillir des feuilles de n'importe quel buisson et qu'elles produiraient le même effet?

— Non, je n'ai pas dit que toi tu pourrais le faire. Tu n'as pas de pouvoir personnel. J'ai voulu dire que n'importe quelles feuilles t'auraient aidé si celui qui te les donne a du pouvoir. Ce ne sont pas les feuilles qui t'ont aidé, mais le pouvoir.

— Votre pouvoir, don Juan?

— Je suppose que tu peux dire que c'est mon pouvoir, bien que cela ne soit pas parfaitement exact. Le pouvoir n'appartient à personne. Certains d'entre nous peuvent l'acquérir, à d'autres il sera donné directement. Vois-tu, pour accumuler du pouvoir il faut qu'il soit utilisé seulement pour aider quelqu'un d'autre à accumuler du pouvoir. »

Je voulus savoir si cela impliquait que son pouvoir se limitait à aider les autres. Avec beaucoup de patience il expliqua qu'il pouvait se servir de son pouvoir personnel selon son bon plaisir pour tout ce qu'il désirait, mais que lorsqu'il s'agissait de le donner directement à quelqu'un d'autre il ne servait à rien si celui qui le recevait ne l'utilisait pas dans sa propre recherche de pouvoir.

« Tout ce qu'un homme fait s'articule sur son pouvoir personnel, reprit-il. Par conséquent les exploits d'un homme plein de pouvoir restent incroyables pour celui qui n'en a pas. Il faut du pouvoir pour arriver à concevoir ce qu'est le pouvoir. C'est cela que j'ai essayé depuis le début de te faire comprendre. Mais je sais que tu ne comprends pas, non pas parce que tu ne veux pas comprendre mais parce que tu as très peu de pouvoir personnel.

— Que dois-je faire, don Juan?

— Rien. Continue tel que tu es. Le pouvoir trouvera un moyen. »

Il se leva, fit un tour complet sur lui-même en observant tout aux alentours. Sans bouger les yeux dans les orbites il déplaçait son corps, exactement comme un jouet mécanique qui tournerait sur place d'un mouvement précis et régulier.

Je l'observai bouche bée. Conscient de ma surprise, il eut un sourire.

« Aujourd'hui tu vas chasser le pouvoir dans la noirceur du jour, déclara-t-il. Puis il s'assit.

— Qu'est-ce à dire?

— Cette nuit tu iras à l'aventure dans ces collines inconnues. Dans le noir elles ne sont plus des collines.

— Que sont-elles?

— Quelque chose d'autre. Quelque chose d'impensable pour toi puisque tu n'as jamais été témoin de leur existence.

— Que voulez-vous dire? Avec ces déclarations alarmantes vous m'effrayez toujours. »

Il rit tout en cognant doucement du pied mon mollet.

« Le monde est un mystère. Et il n'est absolument pas comme tu l'imagines. »

Il parut réfléchir un moment. Sa tête oscillait rythmiquement d'avant en arrière. Il sourit et ajouta :

« Bien sûr, il est aussi tel que tu l'imagines, mais cela n'est pas tout ce qui existe dans le monde. Il y a bien plus que cela. Tu t'en es rendu compte toi-même depuis le début, et ce soir peut-être vas-tu y ajouter un morceau de plus. »

Un frisson me parcourut le dos.

« Qu'avez-vous prévu?

— Je ne prépare rien. Tout est décidé par le pouvoir même qui t'a permis de découvrir cet endroit. »

Il se leva et désigna quelque chose à distance. Je crus qu'il voulait que je l'imite. J'essayai de me lever d'un seul mouvement, mais avant que je fusse debout il me jeta par terre avec une force exceptionnelle.

« Je ne t'ai pas dit de me suivre », dit-il sévèrement.

Puis il se radoucit et reprit :

« Cette nuit tu auras des moments difficiles et il te faudra tout le pouvoir personnel que tu peux rassembler. Reste en place, économise tes forces pour plus tard. »

Il précisa qu'il n'avait pas pointé du doigt quelque chose en particulier, mais vérifié au contraire que certaines choses allaient au mieux. Il termina en disant que je devais rester tranquillement assis et me mettre au travail car je disposais de beaucoup de temps avant la tombée de la nuit. Son sourire était contagieux et réconfortant.

« Mais, don Juan, qu'allons-nous faire? »

Il secoua la tête en un mouvement exagéré de scepticisme.

« Écris! », me commanda-t-il. Puis il me tourna le dos.

Il n'y avait rien d'autre à faire; je travaillai sur mes notes jusqu'à ce qu'il fît trop noir pour écrire.

Pendant tout ce temps don Juan resta parfaitement immobile, absorbé dans la contemplation du paysage qui s'étendait vers l'ouest. Mais à l'instant même où je cessai d'écrire, il se tourna vers moi et déclara d'un ton plaisant que les seules façons de me rendre silencieux étaient soit de me donner à manger, soit de m'ordonner d'écrire, soit de me dire de dormir.

Il sortit de son sac un petit ballot qu'il ouvrit cérémonieusement. Il contenait des morceaux de viande séchée. Il m'en tendit un, en prit un autre et se mit à le mâcher. Il m'informa négligemment qu'il s'agissait de nourriture-pouvoir dont nous avions besoin tous deux en cette occasion. J'avais bien trop faim pour penser au fait que cette viande pouvait contenir des substances psychotropiques. Nous mangeâmes en silence toute la viande. La nuit était déjà complète.

Don Juan se leva, étira ses bras et son dos, puis m'incita à faire de même en déclarant qu'étirer les muscles de son corps tout entier constituait une excellente habitude après avoir dormi, mangé ou marché.

Je l'imitai donc et pendant ces exercices quelques-unes des feuilles placées sur mon ventre glissèrent dans les jambes de mon pantalon. Je me demandai si je devais les ramasser mais il déclara qu'il était inutile de s'en soucier, qu'elles ne servaient plus à rien et que je devais les laisser tomber à leur guise.

Alors il s'approcha de moi et murmura au creux de mon oreille droite que je devais le suivre de très près en imitant tout ce qu'il ferait. Il ajouta qu'à cet endroit nous étions protégés, parce que, pour ainsi dire, nous étions à la limite de la nuit.

« Ce n'est pas la nuit, chuchota-t-il en frappant du pied le rocher. La nuit est là-bas. »

Il désigna les ténèbres tout autour de nous.

Il vérifia si les gourdes et mes carnets de notes étaient soigneusement emballés dans mon filet en déclarant avec calme qu'un guerrier s'assurait toujours que tout était parfaitement en ordre, non pas parce qu'il allait survivre à l'entreprise dans laquelle il s'engageait, mais parce que cela faisait partie de sa conduite impeccable.

Ses remarques au lieu de me soulager eurent pour effet de me convaincre que ma dernière heure approchait. Les larmes me montaient aux yeux. J'étais persuadé que don Juan connaissait parfaitement l'effet de ses mots.

« Fais confiance à ton pouvoir personnel, dit-il à mon oreille. C'est tout ce que l'on a dans ce monde mystérieux. »

Pour que je me décide à le suivre il me tira gentiment. Il marchait deux pas devant moi et je le suivais les yeux fixés au sol. Pour une raison

obscure je n'osais pas regarder autour de moi, et garder les yeux au sol
eut une action sédative presque hypnotique.

Après une très courte marche don Juan s'arrêta. Il me chuchota
que le noir total était proche, qu'il allait s'avancer assez loin de moi
mais qu'il m'indiquerait sa position en imitant le cri bien particulier
du hibou. Il poussa ce cri pour que je le retienne bien; c'était un ululement rauque au début qui devenait ensuite aussi mélodieux que celui
d'un vrai hibou. Il me conseilla de me méfier des autres cris de hibou,
moins caractéristiques que le sien.

Tandis qu'il achevait de me donner toutes ces instructions, une
panique incontrôlable s'empara de moi. Je saisis son bras, bien décidé
à ne pas le laisser partir, et pendant deux à trois minutes je n'arrivai
même pas à articuler un mot car mon estomac et mon ventre agités par
une série de tremblements nerveux m'empêchaient d'ouvrir la bouche.

Calmement il me pressa de me reprendre, car, dit-il, l'obscurité
était tout comme le vent une entité inconnue et libre d'évoluer, qui
pourrait se jouer de moi au cas où je ne manifesterais pas la plus grande
attention. Pour parer à toute éventualité je devais garder le calme le
plus absolu.

« Tu dois t'abandonner de façon que ton pouvoir personnel se
mélange au pouvoir de la nuit », dit-il à mon oreille.

Il annonça qu'il allait prendre un peu de distance. Ma frayeur, que
je savais irrationnelle, redoubla.

« C'est de la folie », protestai-je.

Il ne montra ni colère ni impatience. Il eut un rire calme et me
chuchota quelques mots que je ne compris pas.

« Qu'avez-vous dit? », lui demandai-je à haute voix.

Il plaça sa main sur ma bouche et me murmura qu'un guerrier
agissait comme s'il savait ce qu'il fallait faire alors qu'en réalité il n'en
savait rien. Trois ou quatre fois il répéta ces mots, comme s'il voulait
que je les grave dans ma mémoire. Il ajouta :

« Un guerrier est impeccable s'il a confiance en son pouvoir personnel, qu'il soit insignifiant ou considérable. »

Un peu plus tard il me demanda si j'allais mieux. J'acquiesçai du
chef, et rapidement, presque sans un bruit, il partit.

Je regardai autour de moi. J'eus l'impression d'être dans une zone
d'épaisse végétation car je ne pouvais distinguer que les masses sombres
des buissons ou des petits arbres. Je tendis l'oreille pour me concentrer
sur les bruits; rien de particulier ne me frappa. Le vent dominait tout
autre bruit à l'exception des rares cris perçants des grands ducs et du
sifflement de quelques autres oiseaux.

J'attendis un instant dans un état d'extrême concentration. Alors me parvint le hululement grinçant et prolongé d'un hibou. Sans aucun doute il s'agissait de don Juan. Le cri venait de derrière. Je fis demi-tour et allai dans cette direction. Je marchais assez lentement parce que gêné par l'obscurité.

Pendant deux minutes je marchai. Soudain une masse noire bondit devant moi. Je hurlai et tombai à la renverse. Mes oreilles bourdonnaient. La peur me coupait le souffle. Il me fallut rester la bouche grande ouverte pour respirer.

« Debout, dit don Juan. Je n'ai pas voulu t'effrayer. Je venais à ta rencontre. »

Il avait observé ma détestable façon de marcher. Je me déplaçai dans le noir comme une vieille paralytique contournant sur la pointe des pieds les flaques de boue.

Il me montra une façon particulière de marcher dans le noir qu'il nomma « la marche de pouvoir ». Il s'immobilisa devant moi et me demanda de passer les mains sur son dos et ses genoux pour savoir quelle posture adopter. Il avait le buste penché en avant mais le dos demeurait absolument plat. Ses genoux étaient légèrement pliés.

Il marcha lentement devant moi pour que je puisse me rendre compte qu'à chaque pas il levait un genou presque jusqu'à sa poitrine. Il s'éloigna en courant et revint. Je n'arrivais pas à comprendre comment il pouvait courir ainsi dans la nuit d'encre.

« La marche de pouvoir sert à courir la nuit », murmura-t-il.

Il me pressa de l'imiter. Je répondis que j'allais sûrement me casser une jambe en tombant dans un trou ou en cognant un rocher. Don Juan répliqua calmement que la « marche de pouvoir » était absolument sûre.

Je fis remarquer que je ne pouvais comprendre ses actions que si je présumais chez lui une parfaite connaissance des lieux, ce qui lui permettait d'éviter les accidents du terrain.

Il prit ma tête entre ses mains et me chuchota d'un ton très ferme :

« Ça, c'est la nuit ! Et elle est pouvoir ! »

Il laissa aller ma tête et ajouta avec douceur que pendant la nuit le monde était différent, et que son habileté à courir dans le noir n'avait rien à voir avec sa connaissance des collines environnantes. Le secret consistait à laisser le pouvoir personnel se dégager sans contrainte pour qu'il puisse se mélanger avec le pouvoir de la nuit. Une fois que le pouvoir dominait, pas un seul faux pas ne se produisait. D'ailleurs, précisa-t-il d'un ton extrêmement sérieux, puisque je ne le croyais pas, je devais porter mon attention sur ce qui se passait devant moi, car

comment lui, un vieillard, ne courrait-il pas au suicide dans ces collines
si le pouvoir ne le guidait pas?

« Regarde bien! »

Il s'élança dans le noir et revint. La façon dont il se déplaçait
avait quelque chose d'extraordinaire et je n'en croyais pas mes yeux.
Pendant un instant il trotta sur place, la manière dont il levait les
genoux me rappelait un coureur à pied, faisant des exercices d'échauf-
fement.

Il m'ordonna de le suivre. J'avançais avec maladresse et difficulté.
Je m'efforçais de voir où je posais mes pieds sans toutefois pouvoir
juger du relief. Don Juan revint vers moi et trotta à mon côté. Il chuchota que je devais m'abandonner au pouvoir de la nuit et faire confiance
au tout petit peu de pouvoir personnel que je possédais; sinon je ne
pourrais jamais me déplacer en toute liberté. La nuit m'embarrassait
parce que tout ce que je faisais dépendait uniquement de ma vision
et que j'ignorais l'existence de l'autre façon d'évoluer, en laissant le
pouvoir me guider.

A plusieurs reprises j'essayai, mais en vain. Je n'arrivais pas à me
laisser aller. La peur de l'accident me figeait. Don Juan m'ordonna
de trotter sur place jusqu'à ce que je puisse vraiment avoir l'impression
d'avancer selon la « marche de pouvoir ».

Il annonça qu'il repartait en avant et que je devais attendre son
cri de hibou. Il disparut dans l'obscurité avant que je ne pusse rien dire.
Les yeux clos, genoux et haut du corps pliés, je trottais sur place,
pendant peut-être une heure. Graduellement mon anxiété se dissipa
et je me sentis plus à l'aise. C'est alors que j'entendis le cri de don Juan.

Je me précipitai dans la direction du hululement et je tentai de
« m'abandonner » ainsi qu'il me l'avait prescrit, mais cinq ou six mètres
plus loin je trébuchai contre un buisson et toute ma confiance disparut.

Il m'attendait et corrigea ma position. Mes doigts devaient rester
pliés, les ongles dans la paume des mains, le pouce et l'index allongés.
Selon lui je me laissais aller à mon sentiment d'incapacité; je savais
pourtant qu'il était possible de voir dans la nuit, malgré sa noirceur,
en ne concentrant mon regard sur rien de particulier et en balayant
uniquement des yeux le sol devant moi. Pour la « marche de pouvoir »
il fallait garder les yeux au sol droit devant soi, car un simple coup
d'œil de côté suffisait à modifier la fluidité du mouvement. Il expliqua
que la flexion en avant du tronc était indispensable pour permettre
de baisser le regard, et que l'action de lever les genoux jusqu'à la poitrine rendait possible l'exécution de pas sûrs et courts. Il me prévint
que je trébucherais souvent au début, mais qu'avec la pratique j'arri-

verais à courir aussi facilement et rapidement que pendant le jour. La
« marche de pouvoir » ressemblait à la technique pour trouver un
endroit où se reposer, en ce sens qu'elles exigeaient toutes deux un
complet abandon et une parfaite confiance.

Je m'entraînai à imiter ses mouvements pendant des heures. Il
trottait patiemment devant moi, s'élançait pour une courte course et
revenait pour me montrer comment il se déplaçait. Parfois il me poussait
pour que je me décide à courir quelques mètres.

Puis il partit et m'appela par une série de cris de hibou. J'avançai
vers lui d'une manière absolument inexplicable, avec une confiance
inattendue. A ma connaissance je n'avais rien fait pour gagner cette
sûreté, mais mon corps devait savoir des choses sans qu'il me fût
nécessaire d'y penser. Aussi, bien que ne pouvant voir les rochers
pointus dressés sur mon chemin, mon corps s'arrangeait toujours
pour marcher à leur sommet, jamais dans le trou qui les séparait, mis
à part quelques erreurs lorsque je perdais mon équilibre parce que je
devenais distrait. Il fallait que je sois totalement concentré sur la vision
du sol qui défilait devant moi sans jamais, ainsi que m'avait prévenu
don Juan, donner le moindre coup d'œil de côté ou trop en avant, ce
qui brisait la fluidité du mouvement.

Après une longue recherche je parvins jusqu'à don Juan. Il reposait
assis près de formes sombres qui semblaient être des arbres. Il vint
à ma rencontre et me félicita. Puis il déclara qu'il fallait cesser car il
avait fait usage de son cri trop longtemps pour ne pas être certain que
d'autres ne puissent l'imiter.

J'acceptai avec joie d'en finir; j'étais vidé de toutes mes forces.
Soulagé par cette annonce, je lui demandai qui aurait pu imiter ses cris.

« Des pouvoirs, des alliés, des esprits, va savoir? », chuchota-t-il.

Il expliqua que ces « entités de la nuit » émettaient en général des
sons mélodieux, mais avaient peine à reproduire des cris humains
ou des sifflements d'oiseaux. Il me recommanda de m'arrêter chaque
fois que j'entendrais un de ces cris ou sifflements et de me souvenir
de cela, car j'aurais peut-être besoin d'identifier celui qui le lançait.
Puis il annonça d'un ton rassurant que j'avais maintenant une assez
bonne idée de ce qu'était la « marche de pouvoir », et que pour arriver
à la maîtrise parfaite j'aurais simplement besoin d'un léger coup de
main qu'il me donnerait une autre fois, lorsque nous serions à nouveau
dans la nuit. Il me tapota l'épaule et se déclara prêt à partir.

« Sortons d'ici, dit-il en s'élançant.

— Attendez! Attendez-moi! hurlai-je frénétiquement. Marchons. »

Il se figea dans sa course et ôta son chapeau.

« Sacré nom! dit-il avec perplexité. Nous sommes faits. Tu sais bien que je ne peux pas marcher dans le noir. Je ne peux que courir. Si je marche je vais me casser les jambes. »

Bien que son visage fût invisible j'eus l'impression qu'il grimaçait en disant cela.

Sur le ton de la confidence il ajouta qu'il était trop vieux pour marcher et que le peu de « marche de pouvoir » que je venais d'apprendre devait être mis en pratique puisque l'occasion se présentait.

« Si nous ne faisons pas usage de la " marche de pouvoir ", nous allons être fauchés comme des brins d'herbe, chuchota-t-il à mon oreille.

— Fauchés par qui?

— La nuit il y a des choses qui s'attaquent aux hommes », murmura-t-il d'un ton qui me fit frissonner.

Il ajouta qu'il importait peu que je colle à ses talons puisqu'il allait lancer de façon continue un signal chaque fois constitué de quatre cris de hibou afin que je puisse le suivre.

Je proposai de rester dans ces collines jusqu'à l'aube. D'un ton dramatique il déclara que rester équivaudrait à un suicide, car même si nous en sortions vivants la nuit aurait drainé notre pouvoir personnel à un point tel que nous ne pourrions même plus éviter les moindres dangers du jour.

« Ne perdons plus de temps, dit-il d'un ton vraiment pressé. Sortons d'ici. »

Pour me rassurer encore il allait s'obliger à avancer aussi lentement que possible. Il me prévint aussi de ne pas laisser un seul mot jaillir de mes lèvres, même pas un son, quoi qu'il arrive. Il m'indiqua la direction générale de la course et partit d'un pas assez peu rapide. Je le suivis, mais quelle que fût la vitesse de ma marche je n'arrivais pas à le suivre, et en peu de temps il disparut dans la nuit devant moi.

Une fois seul, je me rendis compte que mon pas s'était accéléré sans que j'en eusse vraiment conscience. Cela me surprit. Pendant assez longtemps je tentai de maintenir ce rythme. J'entendis l'appel de don Juan un peu sur ma droite; par quatre fois il ulula.

Peu de temps après j'entendis à nouveau son cri, mais cette fois très à droite et je dus changer ma course d'environ quarante-cinq degrés pour le suivre tout en restant dans l'attente des trois autres cris qui me permettraient de mieux m'orienter.

J'entendis un nouveau hululement qui situait don Juan dans la direction de notre point de départ. Je m'arrêtai. Non loin j'entendis un bruit très net, comme celui que font deux pierres heurtées l'une contre l'autre. Je dressai l'oreille et perçus une succession de bruits étouffés, comme si on heurtait doucement deux pierres. Il y eut un autre cri de hibou, et je compris sur-le-champ ce que don Juan avait dit. Ce hululement était parfaitement mélodieux, sans le moindre doute bien plus long et modulé que celui d'un vrai hibou.

Une étrange sensation de peur m'envahit. Mon ventre se contracta comme si quelque chose me tirait vers le bas en m'agrippant au milieu du corps. Je fis demi-tour et d'un trot léger m'élançai dans la direction opposée.

Au loin j'entendis un faible cri de hibou suivi presque immédiatement de trois autres. C'était bien don Juan. Je courus dans cette direction. J'avais estimé que les cris provenaient d'environ cinq cents mètres plus loin et jugeai que s'il continuait à avancer à cette vitesse je resterais bientôt seul dans ces collines. Je me demandai pourquoi il avait éprouvé le besoin de me laisser si loin derrière lui; s'il ne pouvait vraiment pas ralentir, il aurait pu tourner autour de moi et ainsi m'accompagner.

A ma gauche je vis quelque chose bouger juste à la limite de mon champ visuel. La panique allait me submerger lorsqu'une pensée réconfortante me traversa : il était impossible que dans cette nuit noire je pusse apercevoir quoi que ce fût. Malgré tout j'avais envie de jeter un coup d'œil pour vérifier s'il y avait quelque chose, et seule me retenait la peur de perdre du même coup mon élan.

Un nouveau hululement mit fin à mon indécision. Il venait de la gauche. Cependant je ne changeai pas ma course car c'était le cri de hibou le plus mélodieux et le plus doux que j'eusse jamais entendu. Il avait quelque chose d'attirant, de fantomatique et de triste.

Soudain, juste devant moi, une rapide masse noire traversa de gauche à droite. La rapidité du mouvement me fit lever les yeux. Je perdis l'équilibre et tombai de côté dans des buissons. Alors très proche et à ma gauche le son mélodieux se répéta. Je me relevai, mais avant d'avoir le temps de faire un seul pas un second cri plus impérieux se fit entendre, exactement comme si quelque chose voulait que je m'arrête pour écouter. Le hululement était si doux et prolongé qu'il fit fondre ma peur. Si je n'avais pas entendu juste à ce moment-là les quatre cris de don Juan, je me serais arrêté. Son appel semblait proche. Je sursautai et courus dans cette direction.

Peu de temps après je remarquai à gauche dans l'obscurité une sorte de scintillement ou plutôt une pulsation qui, à proprement parler, n'était pas visible mais plutôt ressentie. Néanmoins j'étais presque certain de la percevoir de mes yeux. Cela se déplaçait plus vite que moi, et à nouveau croisa de gauche à droite en me faisant perdre mon équilibre. Mais cette fois-ci je ne tombai pas, ce qui, curieusement, me contraria. Soudain la colère me gagna et le caractère incongru de mes sensations suscita en moi une profonde panique. Je voulus aller plus vite. J'eus envie de jeter un cri de hibou pour que don Juan puisse me localiser, mais le courage d'enfreindre ses instructions me manqua.

Au même moment une chose horrible retint mon attention. A ma gauche il y avait quelque chose qui ressemblait à un animal, et cela me touchait presque. Je sursautai et dirigeai ma course vers la droite. Je suffoquai de surprise et la peur m'envahit au point de me vider la tête de toute pensée tandis que j'avançais aussi rapidement que possible. Cette peur semblait une réaction corporelle totalement étrangère à mes pensées, ce qui ne m'échappa pas. Toute ma vie mes peurs avaient été suscitées selon un processus intellectuel et causées par des situations sociales dangereuses ou par les menaces de mes semblables. Cette fois-ci ma peur était entièrement nouvelle. Elle surgissait d'une région inconnue du monde et me frappait dans une région inconnue de mon corps.

Un peu à gauche et non loin de moi j'entendis un cri de hibou. Bien que je l'eusse mal entendu, il me semblait provenir de don Juan. Il n'était pas mélodieux. Je ralentis. Un autre cri jaillit. Sa sonorité rauque me frappa et je m'élançai rapidement. Le troisième ululement sembla très proche. J'aperçus vaguement une zone noire, des rochers ou des arbres. Le quatrième cri me laissa penser que don Juan m'attendait, donc que nous devions être sortis de la région dangereuse. J'arrivai presque à la zone noirâtre lorsqu'un cinquième cri me figea sur place. Je fixai cette masse noire devant moi, mais soudain un bruissement attira mon attention à gauche. Juste à temps je vis un objet noir, bien plus noir que le reste, qui roulait ou glissait vers moi. J'eus un hoquet de surprise et sautai de côté. J'entendis un cliquetis, comme si quelqu'un claquait des lèvres et alors de la zone noirâtre jaillit une énorme masse sombre. Elle était rectangulaire, comme une porte de deux mètres cinquante à trois de haut.

La rapidité de cette apparition me fit hurler de peur, et pendant un instant ma frayeur prit une proportion extrême; mais la seconde d'après je fus étrangement calme. J'observai la masse sombre.

Ces réactions constituaient pour moi quelque chose d'entièrement nouveau. Une partie de moi semblait tirée vers la masse sombre avec une effrayante insistance, alors que le reste résistait à cette attraction. C'était comme si d'un côté je désirais savoir de quoi il s'agissait et de l'autre prendre les jambes à mon cou sans demander mon reste.

Les appels de don Juan m'échappèrent presque. Ils venaient d'un endroit proche et manifestaient une furieuse impatience. Ses cris étaient plus longs, plus rocailleux, comme si, toujours courant, il les lançait vers moi.

Soudain je repris le contrôle de moi-même. Je fis demi-tour et pendant un moment courus exactement comme don Juan voulait que je coure.

« Don Juan! », criai-je en le retrouvant.

Il posa sa main sur ma bouche et me fit signe de le suivre. Nous trottâmes à un rythme confortable jusqu'au banc de grès d'où nous étions partis.

Pendant une heure au moins, jusqu'à l'aube, nous observâmes le silence le plus complet. Puis nous mangeâmes. Il précisa qu'il fallait que nous restions sur ce banc de grès jusqu'à midi sans dormir et en parlant comme si tout était parfaitement normal.

Il me fit récapituler dans les moindres détails mon expérience à partir du moment où il m'avait laissé seul. Mon récit achevé, il se plongea dans de profondes réflexions et garda un moment le silence.

« Ça n'a pas l'air d'être très bon, dit-il enfin. Ce qui t'est arrivé la nuit dernière a été extrêmement sérieux, tellement sérieux qu'il ne faut plus que tu ailles seul dans la nuit. A partir de maintenant les entités de la nuit ne te laisseront plus tranquille.

— Don Juan, que m'est-il arrivé la nuit dernière?

— Tu as rencontré certaines entités de ce monde, des entités qui influencent les gens. Tu les ignores totalement parce que tu ne les as jamais rencontrées sur ton chemin. Peut-être devrait-on les nommer plus exactement entités des montagnes puisqu'elles n'appartiennent pas réellement à la nuit. J'en parle comme entités de la nuit parce qu'on peut plus facilement les percevoir dans le noir. Elles sont là, autour de nous, tout le temps. Mais pendant le jour il est plus difficile de les apercevoir, simplement parce que le monde environnant nous est alors plus familier et que le familier s'impose en premier lieu. Au contraire, dans le noir tout nous est également étrange et bien peu de choses s'imposent à nous; par conséquent nous sommes plus sensibles à ces entités la nuit.

— Mais don Juan, sont-elles réelles?

— Bien sûr! Elles sont tellement réelles qu'en général elles tuent les gens, particulièrement ceux qui errent dans la nature sans aucun pouvoir personnel.

— Si vous savez qu'elles sont dangereuses, pourquoi m'avoir abandonné?

— Il existe une seule façon d'apprendre. C'est de se mettre à l'œuvre. Parler du pouvoir ne sert à rien. Si tu veux savoir ce qu'est le pouvoir, si tu désires l'emmagasiner, il faut que tu t'attaques à tout, toi-même.

« La voie de la connaissance et du pouvoir est très dure et très longue. Tu as pu te rendre compte que, jusqu'à hier soir, je ne t'ai jamais laissé seul dans la nuit. Tu n'avais pas assez de pouvoir. Maintenant tu en possèdes assez pour t'engager dans une bonne bataille, mais pas suffisamment pour rester seul dans le noir.

— Que se passerait-il?

— Tu périrais. Les entités de la nuit t'écraseraient comme une mouche.

— Cela implique-t-il que je ne puisse pas passer la nuit seul?

— Tu peux être seul la nuit dans ton lit, pas dans la montagne.

— Et dans les plaines?

— Cela vaut pour le milieu naturel sauvage, là où il n'y a personne, et plus particulièrement les hautes montagnes. Comme les gîtes naturels des entités de la nuit sont les rochers et les failles, à partir de maintenant tu ne dois pas aller dans les montagnes à moins que tu n'aies emmagasiné assez de pouvoir personnel.

— Mais comment puis-je emmagasiner le pouvoir personnel?

— Tu le feras en vivant ainsi que je te l'ai recommandé. Petit à petit tu boucheras tous les points de fuite. Il ne faut pas que cela soit une intention délibérée de ta part, car le pouvoir trouve toujours un moyen. Prends mon cas, lorsque j'ai commencé à apprendre les façons du guerrier, j'ignorais que j'accumulais du pouvoir. Exactement comme toi je ne croyais rien accomplir de spécial, mais ce n'était pas vrai. Lorsqu'il s'accumule, le pouvoir a la particularité de ne pas être détectable. »

Je lui demandai de m'expliquer comment il en avait conclu qu'il serait dangereux pour moi de rester seul la nuit.

« Les entités de la nuit se sont déplacées à ta gauche. Elles tentaient de se réunir avec ta mort. Surtout cette porte. C'était une ouverture, et elle t'aurait tiré à elle jusqu'à ce que tu sois obligé de passer. Et cela aurait signifié ta fin. »

Je lui fis remarquer de mon mieux l'étrangeté avec laquelle des événements survenaient toujours alors qu'il était dans le voisinage, comme s'il les avait lui-même préparés. Les nombreuses fois où j'avais passé seul la nuit dans la nature tout avait été parfaitement normal et habituel. Jamais je n'avais vu des ombres ni perçu des bruits étranges. En fait rien ne m'avait jamais effrayé.

Don Juan eut un rire tranquille et déclara que cela montrait qu'il avait suffisamment de pouvoir personnel pour réunir des myriades de choses qui lui venaient en aide.

J'eus l'impression qu'il faisait allusion au fait qu'il avait des complices.

Il sembla lire dans mes pensées et éclata franchement de rire.

« Ne te crève pas avec des explications. Ce que je dis n'a aucun sens pour toi parce que tu n'as pas assez de pouvoir personnel. Malgré tout tu en as plus qu'au début, et il t'arrive des choses. Déjà tu as eu une puissante rencontre avec le brouillard et l'éclair. Comprendre ce qui t'est arrivé cette nuit-là n'a aucune importance. Ce qui compte c'est que tu as acquis le souvenir de cet événement. Un jour tout ce que tu as vu alors, le pont et le reste, se répétera. Lorsque tu auras assez de pouvoir personnel.

— Dans quel but cela se répète-t-il?

— Je n'en sais rien. Je ne suis pas toi. Il n'y a que toi qui puisses y répondre. Nous sommes tous différents. C'est la raison pour laquelle j'ai dû te laisser seul la nuit dernière tout en connaissant parfaitement la possibilité d'un danger fatal pour toi. Il fallait que tu t'éprouves contre ces entités. J'ai choisi le cri du hibou parce que les hiboux sont les messagers de ces entités. Le cri du hibou les attire. Elles ont constitué un danger pour toi, non pas qu'elles soient naturellement malfaisantes, mais parce que tu n'étais pas impeccable. Chez toi il y a quelque chose d'un peu biscornu, et je sais ce que c'est. Tu te gausses de moi. Tu t'es toujours gaussé de tout le monde et, bien sûr, cela te situe automatiquement au-dessus de tout le monde et de toute chose. Mais tu sais toi-même qu'il ne peut en être ainsi. Tu n'es qu'un homme, ta vie est trop courte pour embrasser tous les prodiges et toutes les horreurs de ce merveilleux monde. Par conséquent se gausser c'est être biscornu, cela te réduit à valoir moins qu'un pet de lapin. »

J'aurais voulu protester, mais il m'avait cloué au mur, et ce n'était pas la première fois. La colère m'envahit, mais le fait d'écrire créa une certaine distance avec ce qu'il disait et cela me permit de garder mon calme.

« Je crois avoir remède à tout cela, reprit-il après un long silence. Si seulement tu arrivais à te souvenir de ce que tu as fait la nuit dernière, tu serais d'accord avec moi. Tu as couru aussi vite que n'importe quel sorcier chaque fois que ton adversaire devenait insupportable. Nous savons cela tous deux, et je crois t'avoir trouvé un adversaire valable.

— Qu'allez-vous faire? »

Il ne répondit pas. Il se leva, étira les muscles de son corps comme s'il agissait sur chacun d'eux. Il m'ordonna de faire de même.

« Plusieurs fois par jour il faut que tu étires ton corps. Plus tu le feras, mieux ça vaudra, mais seulement après une longue période de travail ou de repos.

— Quelle sorte d'adversaire allez-vous trouver pour moi?

— Malheureusement seuls nos semblables constituent des adversaires valables. Les autres entités n'ont pas de volonté propre et il faut aller à leur rencontre, les attirer pour les faire sortir. Au contraire nos semblables sont impitoyables.

« Assez parlé, poursuivit-il d'un ton sec en se tournant vers moi. Avant de partir il nous reste une seule chose à faire, la plus importante. Maintenant, pour te mettre à l'aise, je vais te dire quelque chose concernant ta présence ici. La raison qui te fait revenir chez moi est bien simple. Chaque fois que tu viens ton corps apprend certaines choses, même si tu ne le désires pas. Alors ton corps a besoin de revenir chez moi pour en apprendre plus. Disons que ton corps n'ignore pas qu'il va mourir, même si toi tu n'y penses jamais. Et j'ai prévenu ton corps que moi aussi j'allais mourir un jour et qu'auparavant j'aimerais bien lui montrer certaines choses, des choses que tu ne pourrais toi-même donner à ton corps. Ainsi ton corps a besoin de la frayeur, il aime ça. Ton corps a besoin de la nuit et du vent. Maintenant ton corps connaît sa marche de pouvoir et voudrait sur-le-champ l'effectuer. Ton corps a besoin de pouvoir personnel et il ne peut attendre plus longtemps. Disons que ton corps revient me voir parce que je suis son ami. »

Il garda le silence pendant longtemps, comme s'il luttait avec ses pensées.

« Je t'ai dit que le secret d'un corps résistant n'est pas dans ce que tu lui fais mais dans ce que tu ne lui fais pas, reprit-il. Pour toi le moment est venu de ne pas faire ce que tu fais toujours. Assieds-toi ici jusqu'à ce que nous partions et *ne-fais-pas*.

— Don Juan, je n'y comprends rien. »

Il mit ses mains sur mon carnet et l'ôta des miennes. Soigneusement il le ferma, plaça l'élastique et le jeta au loin dans les buissons.

Ce geste me choqua. Je rouspétai, mais il posa sa main sur ma bouche. Il désigna un grand buisson et me dit d'y fixer mon attention, non pas sur les feuilles comme d'habitude, mais sur les ombres des feuilles. Il ajouta que courir dans le noir n'avait pas à être suscité par la peur mais pouvait être une réaction très naturelle d'un corps réjoui qui savait « ne-pas-faire ». Maintes et maintes fois il chuchota à mon oreille droite que la clef du pouvoir était de « ne-pas-faire ce que je savais faire ».

Ainsi lorsque je regardais un arbre par exemple, ce que je savais faire était de me concentrer immédiatement sur le feuillage et jamais je ne m'occupais de l'ombre des feuilles ou de l'espace entre les feuilles. En dernier lieu il m'incita à commencer à concentrer mon regard sur les ombres des feuilles d'une seule branche, et éventuellement de considérer l'arbre tout entier, sans jamais laisser mes yeux revenir sur les feuilles, parce que pour accumuler du pouvoir le premier geste délibéré était de laisser le corps « ne-pas-faire ».

J'ignore si ce fut à cause de ma fatigue ou de mon énervement, mais lorsque don Juan se leva j'étais tellement absorbé par les ombres des feuilles que je vis presque une masse d'ombres noires aussi distinctement que je vois normalement une touffe de feuilles. Le résultat était surprenant. Je lui demandai d'attendre. Il rit tout en tapotant gentiment de la main mon chapeau.

« Je t'avais prévenu, le corps aime des choses comme ça. »

Il ajouta que je devais laisser mon pouvoir me guider au travers des buissons jusqu'à mon carnet. Et doucement il me poussa en avant. Pendant un moment je déambulai sans aucun but et alors je le trouvai. Je crus avoir inconsciemment retenu la direction dans laquelle il l'avait jeté, mais il expliqua le succès de ma recherche en disant que j'étais allé droit au carnet parce que pendant des heures mon corps avait été embibé de « ne-pas-faire ».

15

Ne-pas-faire

Mercredi 11 avril 1962

Une fois revenu chez lui, don Juan me conseilla de travailler à mes notes comme si rien ne s'était passé et de ne pas parler ou penser aux événements dont j'avais fait l'expérience.

Après une journée de repos il annonça que nous allions partir pour plusieurs jours parce qu'il valait mieux s'éloigner de ces « entités ». Il précisa qu'elles avaient eu sur moi un effet considérable, même si je ne m'en rendais pas encore compte parce que mon corps n'était pas suffisamment sensible. Cependant dans peu de temps j'allais tomber malade à moins que je n'aille à mon « lieu de prédilection » pour être nettoyé et revigoré.

Nous partîmes vers le nord peu avant l'aube. Après avoir roulé péniblement puis marché pendant quelque temps, nous arrivâmes au sommet de la colline tard dans l'après-midi.

Comme la première fois, don Juan couvrit l'endroit où je devais m'étendre avec des feuilles et des branchages. Puis il me tendit une poignée de feuilles que je devais placer sur mon abdomen, et il m'ordonna de m'allonger et de me reposer. Un peu à ma gauche, à environ un mètre cinquante de ma tête, il prépara une place et s'y allongea.

Quelques minutes plus tard je ressentis une chaleur exquise et une impression de bien-être exceptionnel. Il s'agissait d'une sensation de confort physique jointe à l'impression d'être suspendu en l'air. Je ne pouvais que donner pleinement raison à don Juan qui avait affirmé que le « lit de ficelles » me ferait flotter.

Je lui fis part de cet incroyable aiguisement de mes sens. Il déclara tout bonnement que ce « lit » était fait pour ça.

« Je n'arrive pas à y croire », m'exclamai-je.

Il me réprimanda comme s'il prenait ma déclaration à la lettre. Il ajouta en avoir assez de me voir agir comme si j'étais un être extrêmement important auquel il fallait prouver sans cesse que le monde est inconnu et merveilleux.

Je voulus lui expliquer que ma réflexion avait été purement rhétorique, qu'elle n'avait aucun sens. Il répliqua que si c'était le cas j'aurais dû dire autre chose. Je l'avais sérieusement troublé. Pour m'excuser je me levai sur mes coudes, mais il éclata de rire et se mit à parler en m'imitant et en suggérant une suite d'èxclamations rhétoriques comiques qui toutes auraient bien pu me servir. Ses propos volontairement absurdes m'obligèrent à éclater de rire.

Il gloussa tout en me rappelant que je devais me laisser aller à cette impression de flotter en l'air.

L'apaisante sensation de calme et de plénitude que me donnait ce lieu mystérieux suscita en moi quelques émotions pourtant profondément enfouies en moi-même. Je commençai à parler de ma vie. J'avouai ne jamais avoir respecté ni aimé personne, pas même moi, que j'avais toujours eu l'impression d'un mal inhérent à ma nature et que par conséquent j'agissais envers les autres en me cachant toujours derrière une attitude de bravade mêlée d'audace.

« C'est vrai, fit don Juan. Tu ne t'aimes pas du tout. »

Il eut un rire saccadé et déclara qu'il m'avait « vu » pendant que je parlais. Il me recommanda de n'éprouver aucun remords pour rien, car isoler une action en la qualifiant de méchante, de mauvaise ou de malfaisante consistait à s'accorder une importance injustifiée.

Je m'agitai nerveusement sur ma couche de feuilles qui crissaient. Il précisa que si je voulais me reposer je devais cesser de remuer mes feuilles, qu'il me fallait rester immobile comme lui. Il ajouta qu'il avait « vu » un de mes traits. Pendant un moment il hésita, comme pour trouver le mot exact, puis déclara que ce trait de caractère était en fait une structure de l'esprit dans laquelle je me confinais toujours. Il décrivit cela comme un genre de trappe qui pour m'enfermer s'ouvrait n'importe quand de façon inattendue.

Je lui demandai des précisions. Il rétorqua qu'il était impossible d'être précis lorsqu'on parlait de « voir ».

Avant de me laisser protester, il m'ordonna de me détendre sans toutefois m'endormir et de demeurer dans un état de parfaite réceptivité aussi longtemps que possible. Il précisa que le « lit de ficelles » était uniquement fait pour permettre à un guerrier d'atteindre un certain niveau de calme et de bien-être.

Il ajouta dramatiquement que le bien-être constituait une condition à cultiver, une condition avec laquelle il fallait se familiariser pour la rechercher.

« Tu ignores ce qu'est le bien-être parce que tu ne l'as jamais éprouvé », dit-il.

J'affirmai le contraire, mais il poursuivit en disant que le bien-être était un achèvement qu'il fallait volontairement poursuivre. Et en fait je ne savais que chercher une sensatioh de désordre, de malaise et de confusion.

Il eut un rire moqueur puis me certifia que je fournissais un effort énorme pour me rendre misérable, et que jamais je ne m'étais rendu compte que le même effort pouvait servir à me rendre fort et entier.

« L'astuce réside dans ce sur quoi on insiste, dit-il. Soit nous nous rendons misérables, soit nous nous rendons forts. L'effort à fournir est le même. »

Les yeux clos je me détendis, et à nouveau j'eus l'impression de flotter; pendant un moment ce fut comme si je me déplaçais dans les airs, comme une feuille au vent. La sensation procurait un incommensurable plaisir, mais elle rappelait aussi l'impression de s'évanouir qu'on éprouve lorsqu'on est fiévreux et malade. Je crus avoir mangé quelque chose que je ne supportais pas.

J'entendis don Juan parler, mais ne fis pas le moindre effort pour l'écouter car je tentai de me souvenir de ce que j'avais mangé, sans réussir toutefois à diriger vraiment mon attention sur cette question. Tout semblait avoir perdu son importance.

« Observe la façon dont la lumière du soleil change. »

Sa voix était claire. Je pensai qu'elle était comme de l'eau, fluide et chaude.

Vers l'ouest le ciel sans nuages baignait dans une lumière admirable. Ce qui rendait magnifique cette luminosité jaunâtre du soleil venait peut-être des leçons de don Juan.

« Laisse cette luminosité t'allumer. Aujourd'hui avant que le soleil se couche il faut que tu sois parfaitement calme et revigoré, car demain ou après-demain tu vas apprendre à *ne-pas-faire*.

— Apprendre à ne pas faire quoi?

— Ne t'en soucie pas, attends que nous allions dans ces montagnes de lave. » Et il désigna au nord des sommets lointains, aigus et menaçants.

Jeudi 12 avril 1962

Tard dans l'après-midi nous étions dans le désert élevé entourant ces hautes montagnes volcaniques. De loin ces sommets de lave marron foncé semblaient sinistres. Le soleil très bas sur l'horizon faisait briller les versants exposés à l'ouest et parsemait les parois de lave d'un ensemble fascinant de reflets jaunâtres.

Captivé, je ne quittais pas ces pics des yeux.

A la fin du jour les pentes inférieures des montagnes furent en vue. Le désert restait pratiquement sans végétation à l'exception de quelques cactus et de touffes de hautes herbes.

Don Juan s'arrêta. Il s'assit. Il plaça soigneusement les gourdes de nourriture contre le rocher et annonça que nous allions passer la nuit à cet endroit-là. Il avait choisi un point relativement élevé d'où il était possible de voir au loin dans toutes les directions.

Le temps était couvert et le crépuscule tomba rapidement. J'étais absorbé par l'observation de la vitesse avec laquelle les nuages cramoisis de l'ouest se fondaient dans la masse nuageuse uniforme, épaisse et grise.

Don Juan se leva et alla dans les buissons. Lorsqu'il revint la silhouette des montagnes volcaniques formait une masse noire. Il s'assit près de moi et attira mon regard sur ce qui semblait être une formation naturelle vers le nord-est, un endroit de couleur beaucoup plus claire que le reste. Toute la chaîne volcanique était d'un brun sombre alors que dans la lumière crépusculaire cet endroit restait jaunâtre ou beige foncé. J'ignorais ce que cela pouvait être. Pendant longtemps je gardai mes yeux sur cet endroit, et il semblait bouger comme s'il était animé d'une pulsation. Lorsque je clignais des yeux cette tache ondulait comme sous l'effet du vent.

« Fixe-la du regard », ordonna don Juan.

Après un moment d'observation soutenue, j'eus l'impression que toute la chaîne de montagnes s'avançait vers moi, et simultanément il y eut un remue-ménage inhabituel au creux de mon estomac. Le malaise m'obligea à me lever.

« Assieds-toi ! », hurla don Juan, mais déjà j'étais debout.

De ce point de vue la tache jaunâtre apparaissait plus basse au flanc des montagnes. Sans la perdre des yeux je me rassis, et alors elle remonta. Je l'observai encore un moment, et soudain je me rendis compte que ce que je regardais n'était pas dans les montagnes mais simplement un morceau de tissu vert jaurâtre pendu à un cactus non loin de moi.

J'éclatai de rire et confiai à don Juan que le crépuscule avait facilité cette illusion d'optique.

Il se leva, alla jusqu'au morceau de tissu, le saisit, le plia et le mit dans sa pochette.

« Pourquoi faites-vous cela? demandai-je.

— Parce que ce morceau de tissu a du pouvoir, répondit-il calmement. Pendant un moment tu t'es bien comporté, mais il est impossible de savoir ce qui se serait passé si tu étais resté assis. »

Vendredi 13 avril 1962

Aux premières lueurs du jour nous partîmes vers les montagnes qui en fait étaient bien plus éloignées que je ne pensais. Vers midi nous pénétrâmes dans un de ses canyons où nous trouvâmes quelques flaques d'eau. Nous nous assîmes pour nous reposer à l'ombre d'une falaise.

Ces montagnes étaient constituées d'un monumental amas de coulées de lave qui en se solidifiant et s'érodant avaient acquis une surface poreuse d'un brun sombre. Entre les rochers et dans les cassures poussaient çà et là des herbes vigoureuses.

Au moment où je levai les yeux vers les parois presque verticales, j'éprouvai une étrange sensation au creux de l'estomac. Ces falaises de plusieurs centaines de mètres de haut me donnaient l'impression de se refermer sur moi. Le soleil était juste au-dessus de nous, légèrement au sud-ouest.

« Mets-toi debout », ordonna don Juan tout en plaçant mon corps face au soleil. Puis il me dit de fixer du regard les flancs de la montagne juste au-dessus de moi. Le spectacle était prodigieux. L'impressionnante épaisseur de la coulée de lave excitait mon imagination. Je pensai à l'énormité du phénomène volcanique qui avait dû la libérer. A plusieurs reprises je balayai attentivement du regard les flancs du canyon, de haut en bas. Je m'absorbai dans la multitude des couleurs de ces falaises. Il y avait toutes les nuances imaginables. Des taches de mousse grise ou de lichen parsemaient tous les rochers. Juste à la verticale le soleil faisait naître les reflets les plus chatoyants en frappant les arêtes brillantes de la surface de lave.

Je fixai une région de la montagne qui réfléchissait la lumière du soleil. L'intensité du reflet diminuait au fur et à mesure que se déplaçait le soleil et finit par disparaître.

Je regardai de l'autre côté du canyon et y découvris une aire semblable. Les réfractions de la lumière y étaient extraordinairement

attrayantes ainsi que je le dis à don Juan. Je localisai une autre tache
de lumière, une autre encore, et ailleurs encore une autre, ceci jusqu'à
ce que le canyon fût entièrement marqué de larges taches lumineuses.

Un étourdissement me saisit, et je m'aperçus alors que même en
fermant les yeux je continuai à voir les brillantes lumières. Je pris ma
tête à deux mains et voulus ramper sous la falaise, mais don Juan
m'empoigna fermement au bras et m'ordonna de regarder les flancs des
montagnes pour essayer de localiser des endroits sombres dans les
zones lumineuses.

Je n'avais aucune envie de regarder. Ces reflets me faisaient mal aux
yeux. Ce que j'éprouvais, confiai-je à don Juan, était comme lorsqu'on
regarde une rue à travers une fenêtre par un jour ensoleillé, et qu'ensuite on voit partout le cadre de la fenêtre comme une silhouette noire.

Il secoua la tête d'un côté à l'autre puis rit sous cape. Il lâcha mon
bras et nous nous assîmes à l'ombre de la falaise qui nous surplombait.

Je notai ce qui m'était arrivé et mes impressions des environs
lorsque, après un long silence, don Juan déclara d'un ton dramatique :

« Je t'ai amené ici pour t'enseigner une chose. »

Il fit une pause.

« Tu vas apprendre à *ne-pas-faire*. Il est préférable que nous en
parlions puisque avec toi il n'y a pas d'autres moyens d'agir. J'ai cru
que tu arriverais à *ne-pas-faire* sans que j'aie à intervenir. Je me trompais.

— Don Juan, j'ignore de quoi vous parlez.

— Ça n'a aucune importance. Je vais t'entretenir de quelque chose
de très simple mais de très difficile à accomplir. Je vais te parler de *ne-
pas-faire* bien qu'il n'y ait aucun moyen d'en parler parce que c'est le
corps qui fait cela. »

Il me jeta des coups d'œil puis déclara que je devais concentrer
toute mon attention sur ce qu'il allait dire.

Je fermai mon carnet de notes, mais à ma grande surprise il insista
pour que je continue à écrire.

« *Ne-pas-faire* est tellement difficile et tellement puissant que tu
ne devrais pas en parler. Au moins pas avant que tu n'aies *stoppé-le-
monde*. Alors, et alors seulement tu pourras, si vraiment tu le désires,
en parler à ta guise. »

Il regarda autour de lui et désigna un gros rocher.

« Ce rocher, là-bas, est un rocher à cause du *faire*. »

Nous nous regardâmes. Il eut un sourire. J'attendis une explication, mais il resta silencieux. Alors je lui avouai que je n'avais rien
compris.

« C'est *faire*! s'exclama-t-il.

— Pardon?

— C'est aussi *faire*.

— Don Juan, de quoi parlez-vous?

— *Faire* est ce qui rend un rocher rocher et un buisson buisson. *Faire* est ce qui te rend toi toi-même et moi moi-même. »

Je lui dis que son explication n'expliquait rien.

Il éclata de rire et se gratta les tempes.

« C'est le problème quand on parle. En parlant on mélange tout. Si on commence à parler à propos de *faire*, on finit toujours par parler de quelque chose d'autre. Il vaut mieux agir.

« Prends ce rocher, par exemple. Le regarder est *faire*, mais le *voir* est *ne-pas-faire*. »

Je lui avouai que ses mots n'avaient aucun sens pour moi.

« Bien sûr qu'ils en ont un! lança-t-il. Tu es convaincu qu'ils n'en ont pas parce que c'est ta manière de *faire*. C'est ainsi que tu agis envers moi et envers le monde. »

Il désigna le rocher.

« Ce rocher est un rocher à cause de toutes les choses que tu sais faire avec lui. Je désigne cela par *faire*. Par contre un homme de connaissance sait qu'un rocher est un rocher à cause du *faire*, donc s'il ne veut pas qu'un rocher soit un rocher il n'a qu'à *ne-pas-faire*. Me comprends-tu? »

Je ne parvenais pas à trouver le moindre sens dans ses déclarations. Il éclata de rire et une fois de plus tenta de m'éclairer :

« Le monde est le monde parce que tu connais le *faire* impliqué en le rendant tel. Si tu ne savais pas son *faire*, le monde serait différent. »

Il m'examina avec curiosité. Je cessai d'écrire. Je désirai seulement l'écouter. Il continua à expliquer que sans ce « faire » rien ne serait plus familier autour de nous.

Il se pencha et saisit entre le pouce et l'index de la main gauche un petit caillou qu'il plaça devant mes yeux.

« C'est un galet parce que tu connais le *faire* qui sert à le rendre galet.

— Qu'est-ce que ça peut bien vouloir dire? », demandai-je sincèrement dérouté.

Il sourit comme s'il voulait cacher un plaisir espiègle.

« Je ne vois pas pourquoi tu es tellement dérouté. Tu as une préférence pour les mots. Avec ça tu devrais être au paradis. »

Il me jeta un regard mystérieux, leva à deux ou trois reprises ses sourcils, puis désigna le petit galet qu'il tenait devant mes yeux.

« Je dis que tu fais de cela un galet parce que tu connais le *faire* qu'il implique. Maintenant pour *stopper-le-monde* tu dois cesser de *faire*. »

Il savait que je n'avais pas encore compris et eut un sourire en hochant de la tête. Il prit une brindille et s'en servit pour désigner le bord inégal du galet.

« Dans le cas de ce petit rocher, ce que *faire* fait est de le réduire à cette taille. Par conséquent ce qu'il faut faire, et c'est ce que fait un guerrier qui veut *stopper-le-monde*, c'est d'agrandir ce petit caillou, ou n'importe quoi, par *ne-pas-faire*. »

Il se leva, posa le galet sur un rocher et me demanda d'approcher pour l'examiner. Il me conseilla d'observer les trous et les dépressions et d'essayer d'en saisir les moindres détails. Il précisa que si je saisissais les détails, les trous et les dépressions disparaîtraient et je comprendrais ce que signifie *ne-pas-faire*.

« Aujourd'hui ce sacré galet va te rendre fou », dit-il.

Je dus avoir un air ébahi, car il me regarda et fut saisi d'un rire tonitruant. Puis il affecta de se fâcher contre le galet et le frappa deux ou trois fois avec son chapeau.

Je le pressai d'en dire plus en insistant sur le fait qu'il arrivait toujours à expliquer ce qu'il désirait expliquer quand il s'en donnait la peine.

« C'est vrai que je peux tout expliquer, dit-il en riant. Mais arriverais-tu à le comprendre ? »

Cette remarque me désarçonna.

« *Faire* te fais séparer le galet des gros rochers. Si tu veux apprendre à *ne-pas-faire*, disons qu'il faut que tu ailles à eux. »

Il montra l'ombre minuscule du galet, et déclara qu'il ne s'agissait pas d'une ombre mais d'une glu qui liait ce galet au rocher. Il fit demi-tour et partit en me disant qu'il reviendrait plus tard se rendre compte où j'en étais.

Pendant longtemps je fixais le galet. Je n'arrivais pas à concentrer mon attention sur les infimes détails des trous et des creux, mais l'ombre sur le rocher devint vraiment captivante. Don Juan avait raison, elle était comme de la glu. Elle bougeait et vibrait. J'avais l'impression qu'elle débordait sous le poids du galet.

Au retour de don Juan je lui fis part des résultats de mon observation.

« C'est un bon début, dit-il. Un guerrier peut découvrir beaucoup de choses dans les ombres. »

Il me conseilla de prendre ce galet et de l'enterrer quelque part.

« Pourquoi ?

— Tu l'as regardé longtemps. Maintenant il a quelque chose de toi. Un guerrier tente toujours d'influencer les forces du *faire* en les transformant en *ne-pas-faire*. *Faire* consisterait à abandonner ce petit galet comme s'il n'était qu'un simple petit caillou. *Ne-pas-faire* consiste à continuer à agir avec ce galet comme s'il était quelque chose de bien plus important qu'un simple caillou. Dans ton cas, ce galet s'est imprégné de toi pendant longtemps et maintenant il est toi, et de ce fait tu ne peux pas l'abandonner n'importe où, tu dois l'enterrer. Cependant, si tu avais du pouvoir personnel, *ne-pas-faire* consisterait à le transformer en un objet-pouvoir.

— Puis-je y arriver?

— Ta vie n'est pas assez serrée. Si tu pouvais *voir*, tu t'apercevrais que ta lourde anxiété a changé ce galet en quelque chose de repoussant, donc ce que tu as de mieux à faire est de creuser un trou, de l'enterrer et de laisser la terre absorber cette lourdeur.

— Don Juan, tout cela est-il bien vrai?

— Répondre oui ou non à ta question serait *faire*. Mais puisque tu apprends à *ne-pas-faire*, il faut que je te dise qu'il importe peu si cela est vrai ou non. C'est là qu'un guerrier a un avantage sur un homme ordinaire. Un homme ordinaire se soucie de savoir si les choses sont vraies ou fausses, pas un guerrier. Un homme commun agit d'une certaine manière avec les choses qu'il sait vraies, d'une autre avec celles qu'il sait fausses. Si les choses sont dites vraies, il agit et croit en ce qu'il fait. Mais si on prétend que les choses sont fausses, il n'ose pas agir, ou il ne croit absolument pas en ce qu'il fait. Par contre, dans les deux cas un guerrier agit toujours. Si les choses sont dites vraies il agira de manière à *faire*. Si les choses sont dites fausses il agira encore mais de manière à faire le *ne-pas-faire*. Me comprends-tu?

— Non, je ne vois absolument pas ce que vous voulez dire. »

Ses déclarations m'irritaient. Je n'arrivais pas à leur trouver le moindre sens. Je lui dis que c'était du radotage. Il se moqua de moi et déclara que même dans ce que j'aimais le plus, le bavardage, je n'avais pas un esprit impeccable. Il rit de mon commentaire qu'il caractérisa d'erroné et d'inadéquat.

« Si tu dois être une bouche seulement, sois une bouche guerrière », dit-il et il rugit de rire.

Je me sentais repoussé. Mes oreilles bourdonnaient. Une désagréable chaleur remplissait ma tête. J'étais embarrassé et j'avais sans doute rougi.

Je me levai et allai dans les buissons pour y enterrer le galet. Je revins et m'assis.

« Je t'ai un peu taquiné, dit-il, et malgré tout je sais que si tu ne parles pas, tu ne comprends pas. Pour toi parler est *faire*, mais parler est inapproprié et si tu désires savoir ce que j'entends par *ne-pas-faire*, tu n'as qu'à accomplir ce petit exercice. Puisque nous nous intéressons à *ne-pas-faire*, peu importe si tu fais cet exercice maintenant ou bien dans dix ans. »

Il me dit de m'allonger. Il saisit mon bras droit, le plia au coude et tourna ma main jusqu'à ce que la paume fût face à moi, enfin il courba les doigts comme si je tenais une poignée de porte. Alors il commença à déplacer mon bras d'avant en arrière en lui faisant décrire un cercle semblable à celui d'une bielle de locomotive.

Il expliqua qu'un guerrier exécutait ce mouvement chaque fois qu'il désirait expulser quelque chose de son corps, une maladie ou une impression désagréable. L'idée consistait à pousser et à tirer jusqu'à ce que l'on sente un objet lourd, un corps solide empêcher les mouvements de la main. Dans cet exercice, « ne-pas-faire » résidait dans la répétition du mouvement jusqu'à ce qu'on sente le corps lourd avec la main malgré le fait qu'il soit impossible de croire cela possible.

Je commençai l'exercice et ma main rapidement devint glacée. Je sentis une sorte de spongiosité l'envelopper, comme si je ramais dans un liquide visqueux et épais.

Soudain don Juan sursauta, empoigna mon bras pour l'arrêter. Je tremblais de tout mon corps, parcouru d'une force inconnue. Pendant que je m'asseyais il ne me quitta pas des yeux, tourna autour de moi et reprit place.

« Tu en as assez fait, dit-il. Tu pourras reprendre cet exercice un autre jour, lorsque tu auras plus de pouvoir personnel.

— Ai-je donc fait quelque chose de mal?

— Non. *Ne-pas-faire* est réservé aux guerriers très forts et tu n'as pas encore le pouvoir de t'y frotter. De ta main tu n'attraperais que des choses terribles. Donc exerce-toi peu à peu jusqu'à ce que ta main ne se refroidisse plus; lorsque la main reste chaude on peut vraiment sentir les lignes du monde. »

Il s'arrêta comme pour me donner le temps de le questionner, mais avant que je n'ouvre la bouche il m'expliqua qu'un nombre infini de ces lignes nous reliait aux choses. Il précisa que cet exercice de « ne-pas-faire » pouvait aider n'importe qui à sentir une ligne qui sortait de sa main en mouvement, une ligne que l'on pouvait placer ou jeter où l'on voulait. Il ajouta qu'il ne s'agissait que d'un exercice, car dans une situation concrète les lignes formées par la main ne duraient pas suffisamment pour servir à quelque chose.

« Un homme de connaissance se sert d'autres parties de son corps pour produire des lignes durables.

— De quelle partie du corps?

— Les lignes les plus durables qu'un homme de connaissance puisse produire viennent du milieu de son corps, mais il peut aussi les faire avec ses yeux.

— Sont-elles réelles?

— Certainement.

— Peut-on les voir, les toucher?

— Disons que tu peux les sentir. Ce qu'il y a de plus difficile dans l'attitude du guerrier c'est de se rendre compte que le monde n'est qu'une sensation. Lorsqu'on *ne-fait-pas*, on sent le monde, et on sent le monde au travers de ses lignes. »

Il me dévisagea silencieusement. Il haussa ses sourcils, ouvrit ses yeux et les cligna, comme un oiseau. Instantanément je me sentis mal à l'aise. Ce fut comme si quelqu'un appliquait une pression sur mon estomac.

« Comprends-tu? », demanda don Juan en détournant son regard.

Je dis que j'avais envie de vomir, et il me répondit sur un ton d'évidence qu'il le savait bien car il tentait de me faire sentir les lignes du monde avec ses yeux. Je refusai de croire qu'il provoquait en moi cette sensation, et le lui dis. Il m'était impossible de concevoir qu'il provoquait mon envie de vomir, puisqu'il n'avait d'aucune façon agi physiquement sur moi.

« *Ne-pas-faire* est très simple mais excessivement difficile. Le point n'est pas de le comprendre mais de le maîtriser. *Voir* est bien sûr le couronnement final d'un homme de connaissance, et *voir* ne s'obtient que lorsqu'on a *stoppé-le-monde* par la technique du *ne-pas-faire*. »

J'eus un sourire involontaire. Je n'avais rien compris.

« Lorsqu'on fait quelque chose avec des gens, reprit-il, il faut uniquement se soucier de présenter cela à leur corps. C'est ce que j'ai fait jusqu'à présent. J'ai laissé ton corps savoir. Qui se soucie de savoir si tu as compris ou non?

— Mais, don Juan, c'est injuste. Je désire tout comprendre, sinon venir ici serait pour moi une simple perte de temps.

— Une perte de ton temps! s'exclama-t-il en parodiant mon intonation. Sans aucun doute tu es vaniteux. »

Il se leva et me confia que nous allions grimper au sommet du pic volcanique situé à notre droite.

Monter jusqu'au sommet fut pour moi extrêmement pénible car nous n'avions pas de cordes pour nous aider et nous protéger. A plusieurs reprises don Juan me conseilla de ne pas regarder vers le bas et par deux fois il dut me tirer à lui car je glissais inexorablement dans le vide. Je me sentais embarrassé. Don Juan, si vieux qu'il fût, devait m'aider. Je lui avouai que j'étais en mauvaise forme physique parce que trop paresseux pour m'entraîner ou faire des exercices. Il répliqua qu'une fois parvenu à un certain niveau de pouvoir personnel entraînement ou exercices de tous genres devenaient inutiles puisque tout ce dont on avait besoin pour être dans une forme impeccable était de s'engager en « ne-pas-faire ».

Le sommet atteint, je m'allongeais. Je me sentais malade. De la pointe du pied il me roula d'un côté à l'autre comme il l'avait déjà fait une autre fois. Peu à peu ce mouvement oscillant me revigora, mais une certaine nervosité persista, comme si d'une certaine manière j'attendais la soudaine apparition de quelque chose. Deux ou trois fois, involontairement, je jetai un coup d'œil de chaque côté. Don Juan ne disait rien mais regardait dans la même direction que moi.

« Les ombres ont quelque chose de spécial, dit-il soudain. Tu as dû te rendre compte qu'il y en a une qui nous suit.

— Non, je n'ai rien remarqué de tel », protestai-je à haute voix.

Don Juan prétendit que malgré mon opposition entêtée mon corps avait senti notre poursuivant, et d'ailleurs, me confia-t-il, être suivi par une ombre n'avait en soi rien d'extraordinaire.

« C'est simplement un pouvoir, continua-t-il. Ces montagnes en sont pleines. C'est simplement une de ces entités qui t'ont effrayé l'autre nuit. »

Je voulus savoir si je pouvais voir cette ombre. Il m'assura que pendant le jour je ne pourrais qu'en sentir la présence.

J'exigeai quelques explications, car il nommait cela ombre comme s'il s'agissait de l'ombre d'un rocher alors que ce n'était pas du tout la même chose. Il répliqua que toutes deux avaient les mêmes lignes et que par conséquent toutes deux étaient des ombres.

Il désigna un long rocher dressé devant moi.

« Regarde l'ombre de ce rocher. L'ombre est le rocher et cependant elle n'est pas le rocher. Observer le rocher pour savoir ce qu'est le rocher, c'est *faire*, mais observer son ombre c'est *ne-pas-faire*.

« Les ombres sont comme des portes, des portes à *ne-pas-faire*. Ainsi un homme de connaissance peut-il connaître l'état le plus intime d'un homme en examinant son ombre.

— Y a-t-il un mouvement dans les ombres?

— Tu peux dire qu'il y a du mouvement dans les ombres, ou

tu pourrais dire qu'on y voit les lignes du monde, ou bien que des impressions se dégagent d'elles.

— Mais comment cela peut-il être présent dans des ombres?

— Croire que les ombres ne sont que des ombres, c'est *faire*, expliqua-t-il. C'est une croyance plutôt ridicule. Considère cela sous l'angle suivant : il y a tellement plus pour chaque chose au monde qu'il doit y avoir nécessairement plus pour les ombres aussi. Après tout, c'est simplement notre *faire* qui les fait ombres. »

Un long silence suivit. Je ne savais que dire.

« La fin du jour approche, annonça don Juan en regardant le ciel. Il faut que tu te serves de cette brillante lumière du soleil pour accomplir un dernier exercice. »

Il me guida vers un endroit où se dressaient deux pitons parallèles de la taille d'un homme et séparés par un espace d'un mètre vingt à un mètre cinquante. Il s'arrêta à environ trois mètres face à l'ouest. Il marqua l'endroit où je devais me tenir debout et me dit de regarder l'ombre des pitons. Je devais les examiner en croisant mes yeux selon la technique utilisée pour chercher un lieu de repos, c'est-à-dire sans focaliser; mais, précisa-t-il, lorsqu'on observait des ombres il fallait loucher tout en maintenant l'image parfaitement nette. Il s'agissait de superposer une ombre à l'autre en croisant les yeux. Je lui fis remarquer le peu de précision d'une telle instruction, mais il insista sur le fait qu'on ne pouvait vraiment pas décrire ce qu'il entendait.

Mon premier essai sembla condamné à l'échec. Je fis des efforts jusqu'à en avoir un terrible mal de tête. Cela ne sembla pas troubler don Juan. Il escalada une bosse en forme de dôme et de là-haut me cria de chercher deux morceaux de rochers assez petits, longs et étroits. De la main il me montra la taille désirée.

Je trouvai deux morceaux que je lui remis. Il les dressa à environ trente centimètres l'un de l'autre dans deux failles du rocher. Puis il me plaça debout face à l'ouest juste au-dessus d'eux. Il me dit de reprendre le même exercice.

Cette fois-ci ce fut bien différent. Pratiquement sur-le-champ j'arrivais à loucher et à percevoir leurs ombres individuelles comme si elles se confondaient en une seule. Je remarquai le fait que de regarder sans convergence donnait à cette ombre unique une incroyable profondeur et une transparence curieuse. Surpris, je ne la quittai pas des yeux. Sur la zone où je focalisais chaque petit trou du rocher était parfaitement visible, et l'ombre double qui s'y surimposait sembla être un voile d'une incroyable transparence.

Par peur de perdre une image aussi ténue je n'osais pas cligner des yeux, mais à un moment donné la fatigue m'obligea à fermer mes paupières. Toutefois rien ne disparut ni ne changea, et le fait d'avoir humecté les cornées rendit l'image encore plus claire. Je remarquai que c'était comme si de très haut j'observais un monde que je n'avais jamais vu auparavant. Je me rendis compte que je pouvais balayer des yeux les environs de l'ombre sans perdre la qualité de ma vision. Alors, pendant un instant, j'oubliai que je regardais un rocher. J'eus l'impression d'entrer dans un monde bien plus vaste que tout ce que j'aurais jamais pu concevoir. Cela ne dura qu'une seconde, et la vision s'évanouit. Automatiquement je levai les yeux et vis don Juan face à moi debout au-dessus des deux cailloux. Ainsi il cachait de son corps la lumière du soleil.

Je lui décrivis cette sensation inhabituelle. Il m'expliqua qu'il avait dû l'interrompre car il « voyait » que j'étais sur le point de me perdre dans cette vision. Il ajouta que tout homme avait une tendance naturelle à se laisser aller lorsqu'il éprouvait une sensation de cette sorte. En m'abandonnant j'avais presque changé le « ne-pas-faire » en mon « faire » familier. Il précisa que j'aurais dû maintenir cette vision sans toutefois y succomber, car d'une certaine manière « faire » était une façon de succomber.

Je me plaignis qu'il aurait dû m'indiquer ce que je devais atteindre et ce qu'il fallait faire, mais il répliqua qu'il n'y avait pour lui aucun moyen de savoir si je réussirais ou non à surimposer les ombres.

J'avouai être encore plus dérouté qu'auparavant par le « ne-pas-faire ». Il déclara que je devrais me satisfaire de ma réussite, car pour une fois j'avais agi correctement. En réduisant le monde je l'avais agrandi, et bien que très éloigné de la sensation des lignes du monde, mon utilisation des ombres en tant que portes du « ne-pas-faire » avait été adéquate.

Avoir élargi le monde en le rétrécissant me surprenait. Tels qu'ils m'étaient apparus dans la zone bien nette de ma vision, les détails du rocher poreux avaient eu une telle intensité et une telle précision que le sommet arrondi du caillou devint pour moi un monde immense, alors qu'il ne s'agissait que d'une vue réduite à l'extrême. Au moment où don Juan intercepta la lumière, je vis exactement comme à l'ordinaire, les détails si précis s'estompèrent, tout perdit cette luisante transparence qui transformait le caillou en un monde réel.

Don Juan prit les deux cailloux, les déposa doucement dans une profonde faille du rocher, et prit place face à l'ouest, assis en tailleur sur l'endroit où ils avaient été dressés. Il tapota de la main le rocher à sa gauche et me dit de m'asseoir.

Un long moment s'écoula sans un mot. Toujours en silence, nous mangeâmes.

Une fois le soleil couché, il se tourna soudain vers moi et me demanda si j'avais progressé en « rêvant ».

Si au début cette technique avait été facile, je dus reconnaître que pour l'instant je n'arrivais plus à trouver mes mains dans mes rêves.

« Lorsque tu as commencé à *rêver*, tu as utilisé mon pouvoir personnel, c'est pour cela que c'était plus facile. Maintenant tu es vidé. Cependant il faut que tu continues à pratiquer jusqu'à ce que tu aies assez de pouvoir personnel. Vois-tu, *rêver* constitue le *ne-pas-faire* du rêve. L'astuce est de continuer sans cesse à chercher tes mains, même si tu crois que ce que tu fais n'a aucun sens. En effet, et je te l'ai déjà dit, un guerrier n'a pas besoin de croire parce que, aussi longtemps qu'il s'efforce d'agir sans croire, il pratique le *ne-pas-faire*. »

Nous croisâmes nos regards.

« Je ne peux rien te dire de plus à propos de *rêver*. Tout ce que je pourrais dire serait du *ne-pas-faire*. Si tu te lances directement dans le *ne-pas-faire*, tu sauras toi-même comment agir en *rêvant*. Malgré tout il est maintenant essentiel que tu trouves tes mains, et je suis certain que tu y arriveras.

— Je n'en suis pas sûr, don Juan. Je n'ai pas confiance.

— Cela n'a rien à voir avec la confiance quelle qu'elle soit. Toute l'entreprise réside dans le combat du guerrier. Tu vas continuer à combattre, et si ce n'est pas sous ton propre pouvoir ce sera peut-être à cause du choc de la rencontre avec un adversaire valable, ou bien avec l'aide de certains alliés, par exemple celui qui te suit. »

Mon bras droit effectua un mouvement incontrôlé. Don Juan constata que mon corps en savait beaucoup plus que je ne pensais puisque la force qui me poursuivait était justement à ma droite. D'un ton confidentiel il me révéla que par deux fois dans la journée cet allié était venu si près de moi qu'il avait dû intervenir lui-même et l'arrêter.

« Pendant le jour les ombres sont les portes du *ne-pas-faire* mais la nuit, puisque très peu de *faire* l'emporte dans le noir, tout est une ombre, même les alliés. Je t'ai déjà dit cela lorsque je t'ai enseigné la marche de pouvoir. »

J'éclatai de rire et mon propre rire m'effraya.

« Tout ce que je t'ai enseigné jusqu'à ce jour était une recette du *ne-pas-faire*. Un guerrier applique le *ne-pas-faire* à toute chose au monde, et cependant je ne peux pas t'en dire plus que ce que je t'ai dit aujourd'hui. Il faut que tu laisses ton propre corps découvrir le pouvoir et la sensation du *ne-pas-faire*. »

Un rire nerveux me secoua.

« Il est stupide de mépriser les mystères du monde uniquement parce que tu connais le *faire* du mépris », dit-il d'un air profondément sérieux.

Je l'assurai que je ne méprisais rien ni personne; j'étais seulement plus nerveux et plus incapable qu'il ne croyait.

« J'ai toujours été ainsi, avouai-je. Et pourtant je désire changer. Mais je ne sais pas comment m'y prendre. Je suis tellement inadapté.

— Je n'ignore pas que tu penses que tu es pourri, dit-il, et ça c'est ton *faire*. Maintenant pour modifier ce *faire*, je te recommande d'apprendre un autre *faire*. A partir de cet instant et pour huit jours, je veux que tu te mentes à toi-même. Au lieu de raconter la vérité, que tu es laid, pourri jusqu'à la moelle, inadapté, tu te raconteras que tu es exactement le contraire tout en sachant que tu mens et qu'il n'y a aucun espoir pour toi.

— Mais pourquoi mentir ainsi, don Juan?

— Cela pourrait te fixer dans un autre *faire* et alors tu pourrais te rendre compte que les deux *faire* sont des mensonges, qu'ils sont irréels, et que prendre l'un d'eux comme point d'articulation de la vie n'est qu'un gaspillage de temps, parce que la chose réelle est l'être qui en toi devra mourir. Parvenir à cet être est le *ne-pas-faire* du soi. »

16

L'anneau de pouvoir

Samedi 14 avril 1962

Don Juan soupesa nos gourdes et, constatant que notre réserve de nourriture était épuisée, décida que le moment de s'en aller s'imposait de lui-même. Je lui fis remarquer tout bonnement qu'il nous faudrait deux jours pour rentrer chez lui. Il déclara qu'il ne retournerait pas à Sonora mais dans une ville frontalière où il avait à faire.

Je crus que nous allions descendre le long du lit du ruisseau, mais il se dirigea vers le nord-ouest à travers le plateau de lave. Une heure plus tard il me guida dans un profond ravin qui se ferma en cul-de-sac à l'endroit où deux pics se rejoignaient. De là une pente montait presque jusqu'au sommet de la chaîne de montagnes. Cette étrange pente ressemblait à un pont concave et incliné reliant les deux pics.

Don Juan désigna un point de la pente.

« Fixe cet endroit du regard. Le soleil est presque au bon endroit. »

A midi, expliqua-t-il, la lumière du soleil pourrait m'aider à *ne-pas-faire*. Il me donna quelques instructions : desserrer tous mes vêtements, m'asseoir en tailleur, et fixer toute mon attention sur l'endroit en question.

Il y avait quelques rares nuages au ciel, mais pas un seul à l'ouest. Il faisait très chaud, la lumière du soleil brûlait la lave. J'examinai l'endroit soigneusement.

Après une longue attente infructueuse je lui demandai ce que je devais exactement observer. D'un geste impatient de la main il me fit taire.

J'étais fatigué, j'avais envie de m'endormir. Je laissai mes yeux se fermer à moitié; ils me démangeaient et je les frottai, mais mes mains

étaient moites et la sueur me piqua les yeux. Les paupières à moitié
closes je regardai les pics volcaniques, et soudain la montagne tout
entière s'illumina.

Je dis à don Juan qu'en clignant des yeux je pouvais voir la chaîne
de montagnes comme un ensemble de fibres de lumières entremêlées.

Pour arriver à maintenir la vision de ces fibres il me dit de respirer
aussi peu que possible, de ne pas les fixer du regard mais de regarder
simplement un point juste au-dessus de la pente. En suivant ses instructions je fus capable de soutenir la vue d'une surface interminable couverte d'un réseau de fibres lumineuses.

Calmement don Juan me dit de tenter d'isoler les zones de noirceur
qui apparaissaient dans ce champ lumineux, puis, aussitôt un de ces
points découverts, d'ouvrir mes yeux pour localiser ce point sur la pente.

Aucune noirceur n'apparaissait. A plusieurs reprises je clignai des
yeux puis les ouvris à nouveau. Don Juan s'approcha et désigna du doigt
une zone à ma droite, puis une autre juste devant moi. Je voulus changer de position, car je crus qu'en me déplaçant je pourrais apercevoir
cette zone supposée de noirceur. Don Juan me secoua par le bras et
m'ordonna d'un ton sévère de rester immobile et patient.

A nouveau je clignai des yeux et revis la toile de fibres de lumière;
pendant un moment je l'observais, puis j'ouvris les yeux. A l'instant
même j'entendis un faible grondement, comme le bruit lointain d'un
avion à réaction, et je vis, les yeux grands ouverts, la totalité de la chaîne
de montagnes tel un immense champ de petits points lumineux. Ce fut
comme si les mouchetures métalliques de la roche volcanique avaient
toutes ensemble reflété le soleil pour un bref moment. Puis la lumière
du soleil perdit son intensité pour s'éteindre soudain et les montagnes
devinrent une masse molle de rochers brun foncé. Simultanément il
fit froid et le vent se leva.

J'aurais voulu me tourner pour voir si le soleil avait été caché par
un nuage, mais don Juan me tenait la tête et il m'interdisait tout
mouvement. Il déclara que si je me retournais je pourrais peut-être
apercevoir en un éclair l'entité des montagnes, cet allié qui nous suivait,
mais que je n'avais pas la force suffisante pour supporter un choc pareil.
Quant au grondement, ajouta-t-il, c'était la façon assez spéciale par
laquelle un allié annonçait sa présence.

Il se leva et annonça que nous allions grimper la pente qui se
dressait devant nous.

« Où allons-nous ? »

Il montra du doigt une des zones qu'il avait précédemment désignée
comme étant un point de noirceur, et expliqua que *ne-pas-faire* lui

avait permis d'isoler ce lieu comme un centre probable de pouvoir, ou sinon un endroit où l'on pouvait trouver des objets-pouvoir.

Une pénible escalade nous séparait du lieu en question, et en y arrivant il s'immobilisa pendant un moment juste devant moi. J'allais m'approcher, mais de la main il m'intima l'ordre de ne pas bouger. Il semblait s'orienter car je pouvais voir sa nuque se déplacer comme s'il scrutait la montagne de haut en bas. Puis d'un pas très assuré il se dirigea vers une terrasse. Il s'assit et balaya le sol de la main. Avec ses doigts il dégagea un petit morceau de rocher qui dépassait, puis me donna l'ordre de le déterrer.

A peine eus-je terminé qu'il me dit de placer le caillou sous ma chemise, car il s'agissait d'un objet-pouvoir qui maintenant m'appartenait. Il me le donnait pour que je le garde, le polisse et en prenne soin.

Immédiatement nous commençâmes à descendre vers un canyon et deux heures plus tard nous étions au pied des montagnes volcaniques, sur le plateau désertique. Don Juan avançait d'un bon pas, en me précédant de trois mètres. Nous allâmes en direction du sud jusqu'immédiatement avant le coucher du soleil. A l'ouest un épais banc de nuages nous cacha le soleil, mais nous nous arrêtâmes jusqu'au moment où nous pouvions penser qu'il avait disparu à l'horizon.

Alors don Juan changea de direction, nous avançâmes vers le sud-est. En passant sur une bosse du terrain je remarquai quatre silhouettes qui au sud venaient vers nous.

Je jetai un œil vers don Juan. Jamais nous n'avions rencontré personne au cours de nos pérégrinations et je ne savais comment me comporter en une telle situation. Mais cela ne semblait pas le troubler le moins du monde. Il continuait à marcher comme si de rien n'était.

Les hommes avançaient vers nous d'un pas tranquille, sans se presser. Lorsqu'ils furent plus proches, je pus me rendre compte qu'il s'agissait de quatre jeunes Indiens. Ils avaient l'air de reconnaître don Juan. Il leur parla en espagnol. Ils échangèrent peu de mots mais témoignèrent à don Juan un respect manifeste. Un seul s'adressa à moi. En chuchotant je demandai à don Juan si je pouvais leur répondre; il acquiesça d'un signe de tête.

Une fois la conversation entamée ils se révélèrent très ouverts et même amicaux, surtout celui qui m'avait adressé la parole en premier. Ils me racontèrent qu'ils étaient à la recherche de cristaux de quartz-pouvoir, et depuis plusieurs jours ils parcouraient cette région volcanique sans le moindre résultat.

Don Juan regarda autour de nous puis désigna une zone rocheuse à deux cents mètres de là.

« C'est un bon endroit où s'installer pour un moment », dit-il.

Cette zone était très tourmentée et dépourvue de tout buisson. Nous prîmes place sur les rochers. Don Juan annonça qu'il allait chercher des branches sèches pour faire un feu. Je voulus l'aider, mais il murmura qu'il s'agissait d'un feu spécial pour ces jeunes gens et qu'il n'avait pas besoin de mon aide.

Ils s'assirent tous autour de moi, l'un d'eux dos contre dos avec moi. Cela m'embêtait un peu.

Revenant avec un fagot de bois, don Juan les félicita de leur prudence et ajouta à mon usage qu'ils étaient les apprentis d'un sorcier et que la règle voulait que lorsqu'on chasse des objets-pouvoir un cercle soit constitué avec en son centre deux personnes dos à dos.

L'un des jeunes gens voulut savoir si j'avais déjà trouvé des cristaux moi-même, et je répondis que jamais don Juan ne m'avait demandé d'en chercher.

Pour y faire le feu, don Juan choisit un emplacement proche d'un gros bloc de pierre. Aucun des jeunes gens ne se leva pour l'aider, mais tous l'observèrent attentivement. Une fois toutes les branches embrasées, il s'assit le dos au rocher, le feu à sa droite.

Les autres semblaient savoir ce qui se passait ; quant à moi je n'avais pas la moindre idée de l'attitude qui convient lorsqu'on est en présence d'apprentis d'un *brujo*.

Je les observais. Ils étaient assis en demi-cercle et faisaient face à don Juan. Je m'aperçus alors que celui-ci était directement en face de moi. Deux des jeunes gens étaient assis à ma gauche, les deux autres à ma droite.

Il leur annonça que j'étais venu dans ces montagnes de lave pour apprendre le « ne-pas-faire » et qu'un allié nous avait suivis. Je considérai cette introduction comme un peu trop dramatique, et je dus avoir raison puisque les jeunes gens changèrent brusquement de position pour s'asseoir en repliant une jambe sous eux. Je n'avais pas remarqué leur position précédente, sans doute semblable à la mienne, les jambes croisées. Un rapide coup d'œil vers don Juan me révéla que lui était assis la jambe gauche repliée sous les fesses. D'un geste à peine perceptible du menton il attira mon attention sur ma posture. Je plaçai ma jambe gauche en position.

Don Juan m'avait appris qu'il s'agissait d'une posture utilisée par le sorcier lorsque les choses s'avéraient incertaines. Pour moi cela avait toujours constitué une position extrêmement incommode et je me dis que s'il me fallait la conserver pendant son discours j'allais en souffrir. Mais il sembla deviner mon handicap, car il expliqua aux jeunes gens

d'une façon succincte que l'on pouvait trouver des cristaux de quartz
en des lieux particuliers de cette région. Une fois découverts il fallait
les persuader de quitter leur demeure au moyen de techniques très
particulières. Alors ils devenaient l'homme lui-même, et leur pouvoir
s'étendait au-delà de notre compréhension.

En général, précisa-t-il, les cristaux de roche se trouvaient en groupes, et celui qui en découvrait un devait choisir cinq des plus longs
et des plus beaux puis les détacher de leur matrice. Le même homme
devait ensuite les sculpter et les polir, les rendre tels qu'ils soient exactement de la taille et de la forme des doigts de la main droite.

Les cristaux constituaient des armes de sorcellerie. On les lançait
pour tuer, ils pénétraient dans le corps de l'ennemi puis revenaient dans
la main de leur propriétaire comme s'ils ne l'avaient jamais quittée.

Ensuite il nous parla de la recherche de l'esprit qui peut changer
un cristal ordinaire en une arme. En tout premier lieu il fallait trouver
un lieu propice pour l'attirer. Ce lieu devait être au sommet d'une
colline que l'on découvrait en balayant le sol, la paume tournée vers le
bas jusqu'à ce qu'on puisse percevoir une certaine chaleur. A l'endroit
même il fallait faire un feu, et l'allié attiré par les flammes se manifes-
terait par une suite de bruits ininterrompus. Il fallait s'avancer dans
cette direction jusqu'à ce que l'allié lui-même se révèle. Alors, pour le
dominer, il fallait le combattre, le plaquer au sol. A cet instant il fallait
obliger l'allié à toucher les cristaux pour les imprégner de pouvoir.

Il nous mit en garde, d'autres forces vivaient en liberté dans ces
montagnes volcaniques, des forces qui ne ressemblaient en rien à un
allié car elles ne se manifestaient par aucun bruit et se montraient
seulement sous forme d'ombres évanescentes; ces forces ne possédaient
absolument aucun pouvoir.

L'attention de l'allié était retenue par des plumes chatoyantes ou
des cristaux de roche finement polis; mais en fait avec du temps n'importe quel objet pouvait aussi être employé, puisque l'important n'était
pas la recherche des objets mais la découverte de la force qui les impré-
gnerait de pouvoir.

« A quoi serviraient des cristaux remarquablement polis si vous
n'arrivez jamais à découvrir l'esprit qui leur insufflera le pouvoir? Par
contre si vous n'avez pas de cristaux au moment où vous découvrez
l'esprit, alors n'importe quoi peut être placé sur son chemin pour qu'il
le touche. Si vous ne trouvez rien d'autre vous pourriez aussi bien y
mettre vos couilles. »

Les jeunes gens rigolèrent doucement, et le plus audacieux, celui
qui m'avait parlé le premier, éclata de rire.

Je remarquai que don Juan avait croisé ses jambes pour s'asseoir de façon plus détendue, et les jeunes gens l'avaient tous imité. Tranquillement je voulus faire de même mais un nerf avait dû se coincer dans mon genou gauche ou un muscle se tordre; je fus obligé de me lever et de sautiller sur place pendant un moment.

Don Juan plaisanta à ce sujet. Il déclara que j'avais perdu l'habitude de m'agenouiller parce que je n'avais pas été à confesse depuis des mois, depuis que j'errais en sa compagnie.

Ces mots produisirent un grand effet sur les jeunes gens. Ils riaient par à-coups et quelques-uns se couvrirent le visage pour glousser nerveusement.

« Les gars, je vais vous montrer quelque chose », annonça-t-il tranquillement une fois que les rires prirent fin.

J'aurais parié qu'il allait sortir de son sachet quelque objet-pouvoir et je crus qu'ils allaient tous s'approcher de lui, car ils firent le même mouvement à l'unisson. Tous se penchèrent un peu en avant comme s'ils voulaient se relever, et placèrent leur jambe gauche sous le corps pour reprendre cette mystérieuse posture tellement pénible pour mes genoux.

Je les imitai de mon mieux. Je m'aperçus alors que si je ne m'asseyais pas sur ma jambe gauche, c'est-à-dire que si je demeurais en position à moitié agenouillée, j'avais beaucoup moins de tension dans mes genoux.

Don Juan se leva et disparut derrière le rocher.

Avant de partir et pendant que je m'installais il avait dû alimenter le feu, car les nouvelles branches sifflaient en s'enflammant et de longues flammes jaillirent, créant un effet extrêmement dramatique. Les flammes doublèrent de taille. Soudain don Juan jaillit de derrière le rocher, et resta debout là où il avait été assis. Je fus stupéfait. Il avait un drôle de chapeau noir, un chapeau avec des pointes près des oreilles et une calotte ronde. Cette coiffure me rappela un chapeau de pirate. Vêtu d'un manteau queue de morue fermé d'un unique bouton métallique très brillant, il avait aussi une jambe de bois.

Je ris à part moi. Déguisé en pirate, don Juan avait vraiment l'air ridicule. Toutefois je me demandai comment il avait fait pour réunir cet attirail en pleine nature. Sans doute l'avait-il caché auparavant derrière ce rocher. Je me dis qu'il lui aurait suffi d'un bandeau sur l'œil et d'un perroquet sur l'épaule pour ressembler à l'image courante que l'on se fait du pirate.

Il dévisagea chacun de nous en laissant ses yeux aller de gauche à droite. Puis il porta son regard plus haut, au-dessus de nous, les yeux perdus dans l'obscurité de la nuit. Un moment il resta dans cette position puis retourna derrière le rocher.

Je ne remarquai pas comment il marchait; sans doute avait-il une jambe repliée au-dessus du genou, et lorsqu'il partit j'aurais pu voir cet artifice; mais ses actes me surprenaient tant que je ne fis pas assez attention.

Au moment même où il disparut derrière le rocher, les flammes diminuèrent et je ne pus m'empêcher de constater combien la synchronisation avait été parfaite. Il avait dû calculer le temps qu'il faudrait au bois pour brûler et minuter son apparition en conséquence.

Ce changement du feu eut un effet certain sur le groupe, les jeunes gens s'agitèrent. A l'instant où les flammes diminuèrent, ils s'assirent tous en tailleur.

Je crus que don Juan allait revenir et s'asseoir, mais je me trompai et cette attente m'impatienta. Les jeunes Indiens restaient assis le visage absolument impassible.

La raison de ces clowneries m'échappait. Après une longue attente, je m'adressai à voix basse à mon voisin de droite pour lui demander si pour lui le costume porté par don Juan, ce chapeau, cette redingote à queue, et cette jambe de bois, avaient quelque signification.

Il me regarda avec une expression absente et amusée. Il semblait troublé. Je lui répétai ma question. Le jeune homme assis plus à droite tendit l'oreille.

Ils me dévisagèrent sans chercher à cacher leur embarras. Je déclarai que ce chapeau, cet habit et cette jambe de bois avaient servi à don Juan à se déguiser en pirate.

Ils avaient fait cercle autour de moi; ils gloussaient et riaient nerveusement, sans doute à court de mots pour me répondre. Le plus audacieux se décida enfin. Il me dit que don Juan n'avait ni chapeau ni habit et encore moins de jambe de bois, mais qu'il portait un capuchon ou un foulard noir sur sa tête et une tunique noire de jais tombant jusqu'au sol, comme celle d'un curé.

« Non! s'exclama doucement un autre. Il n'avait pas de capuchon.
— C'est vrai », admirent les autres.

Celui qui avait parlé le premier me dévisagea avec stupeur.

J'avançai qu'il nous fallait récapituler très calmement et précisément tout ce qui venait de se passer, car si don Juan nous laissait seuls, c'était bien pour que nous en parlions entre nous.

Le jeune homme le plus à ma droite déclara que don Juan était en haillons, il portait un poncho en loques ou bien une sorte de manteau indien, et un sombrero en piteux état. Il tenait à la main un panier qui

contenait quelque chose, mais il ne savait quoi. Il ajouta que don Juan
n'était pas réellement habillé en mendiant mais plutôt comme un por-
teur de choses étranges au terme d'un interminable voyage.

Celui qui avait vu don Juan avec un capuchon noir déclara n'avoir
rien aperçu dans ses mains, mais que ses cheveux étaient longs et
broussailleux comme ceux d'un homme qui aurait assassiné un prêtre
puis enfilé sa soutane sans toutefois parvenir à cacher son côté brigand.

Le jeune homme assis à ma gauche rit doucement et commenta
l'étrangeté de la scène à laquelle nous venions d'assister. Il déclara que
don Juan était habillé comme quelqu'un de très important qui vient de
descendre de son cheval. Il portait de larges jambières de cuir, celles
dont on se sert pour voyager, des éperons d'une taille peu ordinaire, une
badine qu'il ne cessait de faire claquer sur la paume de sa main gauche,
un immense chapeau chihuahua avec une calotte conique et deux pisto-
lets automatiques de calibre 45. Don Juan était l'image d'un riche
ranchero.

Le jeune homme assis le plus à ma gauche eut un rire timide et
refusa de nous raconter ce qu'il avait vu. Je le pressai, mais les autres
ne semblèrent y attacher aucune importance. D'ailleurs ce jeune Indien
semblait trop timide pour oser parler.

Don Juan sortit de derrière le rocher au moment où le feu allait
pratiquement s'éteindre.

« Il est préférable que nous laissions ces jeunes gens vaquer à leurs
affaires, me déclara-t-il. Dis-leur au revoir. »

Il ne les regarda même pas. Lentement, comme pour me laisser
le temps de faire mes adieux, il s'éloigna.

Les jeunes gens m'embrassèrent.

Le feu ne produisait plus de flammes, mais les braises émettaient
suffisamment de lumière. Don Juan était comme une ombre obscure
située à quelques pieds en arrière et les jeunes gens formaient un cercle
de silhouettes immobiles nettement délimitées. On aurait dit une
rangée de statues d'un noir de jais se détachant sur un arrière-plan
ténébreux.

C'est alors que tout ce que je venais de vivre agit sur moi. Un frisson
me parcourut le dos. Je me précipitai pour rejoindre don Juan. D'un
ton vraiment anxieux il me pria de ne pas me retourner car les jeunes
gens étaient maintenant un cercle d'ombres.

Je sentis dans mon estomac une force qui venait de l'extérieur,
comme si une main m'avait agrippé, et je poussai un cri involontaire.
Don Juan me chuchota que la région contenait tellement de pouvoir
qu'il serait facile de faire usage de la marche de pouvoir.

Nous trottâmes pendant des heures. Cinq fois je tombai, et chaque fois don Juan compta à haute voix. Enfin il s'arrêta.

« Assieds-toi, adosse-toi au rocher et couvre ton ventre de tes mains », chuchota-t-il à mon oreille.

Dimanche 15 avril 1962

Au petit matin, dès qu'il y eut assez de lumière, nous repartîmes en marchant. Don Juan me guida jusqu'à ma voiture. Bien qu'affamé, je me sentais vigoureux et reposé.

Nous mangeâmes quelques biscuits et bûmes de l'eau minérale que je pris dans ma voiture. Je voulus poser des questions qui me brûlaient les lèvres, mais don Juan posa un doigt sur ses lèvres.

Au milieu de l'après-midi nous arrivâmes à la ville frontière où il me demanda de le déposer. Nous allâmes au restaurant. Il était vide. Nous prîmes place près d'une fenêtre ouvrant sur la rue principale très passante, et nous commandâmes à manger.

Don Juan semblait parfaitement détendu, et ses yeux brillaient d'une manière espiègle. Cela m'encouragea à poser mes questions. Son déguisement surtout m'intriguait.

« Je t'ai montré un peu de mon *ne-pas-faire*, dit-il et ses yeux s'illuminèrent.

— Mais aucun de nous n'a vu le même déguisement. Comment vous y êtes-vous pris?

— Très simplement, répliqua-t-il. C'étaient seulement des déguisements, parce que tout ce que nous faisons est d'une certaine manière un déguisement. Tout ce que nous faisons est, comme je te l'ai déjà dit, affaire de *faire*. Un homme de connaissance pourrait lui-même s'accrocher au *faire* de tout le monde et produire des choses vraiment curieuses. Mais en fait elles n'ont rien de curieux. Elles ne sont curieuses que pour ceux qui sont englués dans le *faire*.

« Ces jeunes gens et toi-même, vous n'êtes pas encore sensibles au *ne-pas-faire*, par conséquent il était facile de vous mystifier tous.

— Mais comment y êtes-vous arrivé?

— Cela n'aura aucun sens pour toi. Il n'y a aucun moyen pour te faire comprendre cela.

— S'il vous plaît, don Juan, essayez.

— Disons que lorsque chacun de nous naît, il apporte avec lui un petit anneau de pouvoir. Et presque sur le champ cet anneau de pouvoir est utilisé. Ainsi, dès la naissance, nous sommes tous accrochés, et nos anneaux de pouvoir sont attachés à ceux de tous les autres. Autrement dit, nos anneaux de pouvoir sont accrochés au *faire* du monde de manière à faire le monde.

— Citez-moi un exemple, comme ça je comprendrai mieux.

— Nos anneaux de pouvoir, le tien, le mien, sont en ce moment accrochés au *faire* de cette pièce. Nous faisons cette pièce. Nos anneaux de pouvoir font qu'en ce moment cette pièce existe.

— Pas si vite, pas si vite. Cette pièce existe par elle-même. Je ne la crée pas. Je n'ai rien à voir avec elle. »

Mes protestations n'influencèrent en rien don Juan qui maintint très calmement que la pièce où nous étions assis était rendue existante et existait par la force des anneaux de pouvoir de tous les hommes.

« Vois-tu, reprit-il, chacun de nous sait le *faire* d'une pièce parce que d'une façon ou d'une autre nous avons passé une grande partie de nos vies dans des pièces. Par ailleurs, un homme de connaissance développe un autre anneau de pouvoir que je nommerai l'anneau de *ne-pas-faire* parce qu'il est accroché au *ne-pas-faire*. Par conséquent avec cet anneau il peut produire un autre monde. »

Une jeune serveuse nous apporta le repas en nous jetant un regard soupçonneux. Don Juan chuchota que je ferais mieux de la payer tout de suite, car elle n'était pas du tout certaine que nous ayons assez d'argent sur nous.

« Il ne faut pas lui en vouloir si elle n'a pas confiance en toi, dit-il en éclatant de rire. Tu as une sacrée gueule ! »

Je réglai l'addition, ajoutai un pourboire, et une fois qu'elle se fut éloignée, dévisageai don Juan pour reprendre notre conversation. Il me vint en aide.

« La difficulté pour toi provient de ce que tu n'as pas encore développé ton autre anneau de pouvoir et que ton corps ne connaît pas le *ne-pas-faire*. »

Je n'y comprenais rien. Mes pensées s'attardaient sur quelque chose de plus terre à terre. Je désirais seulement savoir s'il avait ou non enfilé un costume de pirate.

Il ne répondit pas mais eut un rire tonitruant. Je le suppliai de m'éclairer.

« Mais je viens de te l'expliquer, rétorqua-t-il.

— Voulez-vous dire que vous n'aviez pas de déguisement ?

— Je n'ai rien fait d'autre que d'accrocher mon anneau de pouvoir à ton *faire*. Tu as fait toi-même le reste, tout comme les autres.

— C'est absolument incroyable !

— Nous avons tous appris à être d'accord sur le *faire*, dit-il avec douceur. Tu n'as pas la moindre idée du pouvoir qu'un tel accord entraîne avec lui. Mais heureusement *ne-pas-faire* est aussi un miracle et un puissant miracle. »

Un remous incontrôlable perturba mon estomac. Un abîme infranchissable séparait mon expérience de ses explications. Comme toujours ma défense fut de déboucher sur une position de doute et de méfiance d'où surgissait la question suivante : « Et si don Juan était de mèche avec ces jeunes Indiens? S'il avait tout préparé? »

Je changeai de sujet et décidai de le questionner sur les quatre apprentis.

« Vous m'avez bien dit qu'ils étaient des ombres?

— Exact.

— Étaient-ils des alliés?

— Non, ce sont les apprentis d'une de mes connaissances.

— Alors pourquoi les appeler des ombres?

— Parce qu'à ce moment ils ont été touchés par le pouvoir du *ne-pas-faire*, et comme ils ne sont pas aussi stupides que toi, ils se sont changés en quelque chose de bien différent de ce que tu connais. C'est la raison pour laquelle je ne voulais pas que tu les regardes. Cela n'aurait servi qu'à te blesser. »

Je n'avais plus de questions à poser. Je n'avais plus faim non plus. Don Juan mangeait de bon cœur et semblait d'excellente humeur. Je me sentais repoussé. Soudain une fatigue accablante me gagna. Je me rendis compte que la voie ouverte par don Juan était trop pénible pour moi, et je lui confiai que je n'avais pas la trempe pour devenir sorcier.

« Peut-être qu'une autre rencontre avec Mescalito t'aidera. »

Je répondis que cela restait hors de question. Je n'envisageai ni ne désirai une telle rencontre.

« Pour permettre à ton corps de profiter de tout ce que tu as appris, il faut qu'il t'arrive des choses excessivement rigoureuses. »

Je suggérai que n'étant pas indien, je n'étais pas vraiment qualifié pour vivre la vie inhabituelle d'un sorcier.

« Peut-être que si j'arrivais à me dégager de tous mes engagements je me comporterais un peu mieux dans votre monde, dis-je. Ou si j'allais en pleine nature pour y vivre avec vous. Tandis que maintenant j'ai un pied dans chacun des deux mondes et à cause de cela je suis incapable dans tous les deux. »

Pendant longtemps il me fixa du regard.

« Ça, c'est ton monde, déclara-t-il en montrant l'active rue principale de l'autre côté de la fenêtre. Tu es un homme de ce monde-là.

Et dehors, dans ce monde, il y a ton terrain de chasse. Il n'existe aucun moyen d'échapper au *faire* de notre monde, donc un guerrier change son monde en son terrain de chasse. En tant que chasseur, un guerrier sait que le monde est fait pour servir. Par conséquent il en fait usage jusqu'à la moindre miette. Un guerrier est comme un pirate qui n'a aucun scrupule à s'emparer et à se servir de tout ce qu'il désire, à la différence près que le guerrier ne se soucie ni ne se choque d'être lui-même utilisé et accaparé. »

17

Un adversaire valable

Mardi 11 décembre 1962

Mes pièges étaient parfaits, je les avais situés aux bons endroits; je vis des lapins, des écureuils, des rongeurs de toutes sortes, des perdrix, des oiseaux. Mais de toute la journée je n'attrapai rien.

Ce matin-là don Juan m'avait dit en sortant de chez lui, qu'il me fallait aller attendre aujourd'hui mon « cadeau de pouvoir », un animal exceptionnel qui se prendrait peut-être dans mes pièges et dont je devais faire sécher la chair pour avoir ma « nourriture-pouvoir ».

Il semblait absorbé dans ses pensées et ne fit ni suggestion, ni commentaire sur ma mauvaise chance. Vers la fin du jour il se décida enfin.

« Quelqu'un interfère avec ta chasse.

— Qui? », demandai-je vraiment surpris.

Il me regarda, sourit, eut un signe de tête exprimant qu'il ne croyait pas que je fusse dupe.

« Tu fais comme si tu ne savais pas qui. Et pourtant tu l'as su toute la journée. »

Protester eût été inutile. Je savais qu'il allait mentionner « la Catalina [1] », et si cela constituait le genre de savoir auquel il faisait allusion, alors il avait raison, je savais de qui il s'agissait.

« Ou bien nous rentrons, ou bien nous attendons jusqu'à la nuit pour l'attraper, en nous servant du crépuscule. »

Il semblait attendre une décision de ma part. J'avais envie de partir. Je ramassai la ficelle, mais avant même que je ne donne mon opinion, il m'arrêta d'un ton autoritaire.

---

1. *L'Herbe du diable*, chap. III et *Voir*, chap. XIV. *(N.d.T.)*

Assieds-toi. Sans doute serait-il plus simple et moins risqué de partir maintenant, mais c'est un cas particulier et j'estime qu'il nous faut rester. Cette mise en scène s'adresse personnellement à toi.

— Que voulez-vous dire?

— Quelqu'un interfère avec toi en particulier, ce qui fait de cette situation ton affaire. Je sais qui c'est, et toi aussi.

— Vous m'effrayez.

— Non. Pas moi, s'exclama-t-il en riant. C'est cette femme qui rôde par ici qui t'effraie. »

Comme pour juger de l'effet de ses mots il marqua un silence. Je n'eus aucune peine à admettre ma frayeur.

A peine plus d'un mois auparavant j'avais subi une terrible confrontation avec une sorcière, « la Catalina ». Je l'avais affrontée au péril de ma vie parce que don Juan m'avait convaincu qu'elle tentait de le détruire et qu'il n'arrivait pas à résister à ses assauts. Mais après le combat, il m'avait avoué qu'elle n'avait jamais constitué le moindre danger et que tout avait été une mise en scène, une ruse et non pas une mauvaise plaisanterie, un plan pour me piéger.

Sa manière d'agir était tellement détestable que j'avais été furieux contre lui. Et au cours de ma colère don Juan s'était mis à chanter des airs mexicains en imitant des chanteurs populaires à la mode, ce qu'il faisait de façon si comique que j'avais fini par rire comme un enfant. A mon intention il passa alors en revue son répertoire, et jamais je n'aurais soupçonné qu'il connaissait tant de chansons absurdes.

A cette occasion il avait déclaré :

« Laisse-moi te dire quelque chose. Si on ne rusait pas avec nous, jamais nous n'apprendrions. C'est exactement ce qui m'est arrivé, et cela arrivera à tout le monde. L'art d'un benefactor est de nous conduire aux abords. Un benefactor ne peut que montrer la voie, puis ruser. J'ai déjà usé de la ruse avec toi. Souviens-toi de la façon dont je t'ai restitué ton esprit de chasseur. Toi-même tu m'as confié que la chasse te faisait oublier les plantes. Pour devenir chasseur tu étais prêt à faire presque n'importe quoi, des choses que tu n'aurais jamais accepté de faire pour apprendre ce qui touche aux plantes. Maintenant il faut que tu en fasses encore plus pour survivre. »

Il me dévisagea et s'écroula de rire.

« C'est de la folie, dis-je. Nous sommes des êtres rationnels.

— Tu es rationnel, rétorqua-t-il. Je ne le suis pas.

— Mais bien sûr que vous l'êtes, insistai-je. Vous êtes un des hommes les plus rationnels que j'aie rencontré.

— Admettons! s'exclama-t-il. Ne nous disputons pas. Je suis rationnel, et alors? »

Je me lançai dans la discussion en demandant pourquoi deux êtres rationnels devaient agir de façon insensée, par exemple lorsqu'il avait provoqué cette sorcière.

« Tu es rationnel, d'accord, dit-il avec violence. Et cela signifie que tu crois connaître bien des choses concernant ce monde, mais est-ce vrai? Connais-tu vraiment ces choses? Tu n'as été que le témoin des actions des gens. Ton expérience se réduit uniquement à ce que les gens t'ont fait, à ce qu'ils ont fait aux autres. Tu ne connais rien de ce monde mystérieux et inconnu. »

Il me fit signe de le suivre et nous allâmes en voiture jusqu'à la petite ville mexicaine des environs. Il me fit garer près d'un restaurant et nous contournâmes à pied la gare routière et un grand magasin. Il me guidait en marchant à ma droite. Tout d'un coup je me rendis compte que quelqu'un marchait à ma gauche, juste à côté de moi, mais avant que je ne puisse me retourner don Juan fit un geste rapide et soudain. Il se pencha en avant comme s'il ramassait quelque chose par terre, puis lorsque je trébuchai sur lui il m'attrapa sous le bras. Il me traîna jusqu'à ma voiture et ne desserra pas son étreinte même pour me laisser ouvrir la portière. Pendant un moment je farfouillai avec mes clefs. Doucement il me poussa sur mon siège et ensuite prit place.

« Conduis lentement et arrête-toi devant le magasin. »

Aussitôt arrêté, il me fit un signe de la tête. A l'endroit désigné par don Juan, celui où il m'avait fait trébucher, se tenait « la Catalina ». Je me rencognai dans mon siège. La femme fit quelques pas vers la voiture et là nous défia du regard. Je la dévisageai attentivement. Elle était belle; elle avait une peau foncée et un corps bien en chair qui trahissait une force musculaire indiscutable. Elle avait un visage rond avec de hautes pommettes et elle nouait en deux tresses ses cheveux noirs de jais. Ce qui me surprit le plus fut sa jeunesse, elle devait avoir trente ans au plus.

« Laisse-la approcher si elle en a envie », murmura don Juan.

Elle s'avança et s'arrêta à environ trois mètres. Nous nous regardâmes les yeux dans les yeux, et rien en elle ne me parut dangereux. J'eus un sourire et lui fis un signe de la main. Elle se trémoussa comme une petite fille et se couvrit la bouche de la main. D'une certaine façon je me sentais heureux. Je me tournai vers don Juan pour lui glisser un mot mais d'un cri soudain il me fit sursauter d'effroi.

« Ne tourne pas le dos à cette femme, sacré nom! », dit-il brutalement.

Rapidement je me retournai vers la femme. Elle s'était encore avancée et se dressait seulement à un mètre cinquante de moi. Elle souriait. Ses dents étaient grandes, blanches, très propres. Toutefois ce sourire avait quelque chose d'étrange, il n'était pas amical. Ce sourire était forcé. Seule sa bouche souriait. Ses yeux noirs et froids me fixaient sans un cillement.

Un frisson me parcourut l'échine. Don Juan se mit à glousser de rire selon un rythme bien marqué. Après un moment la femme recula lentement pour disparaître enfin dans la foule.

Nous partîmes. Don Juan me fit remarquer que si je ne parvenais pas à resserrer ma vie et à apprendre, elle allait me réduire comme on écrase du pied un cafard.

« Elle est l'adversaire valable que je t'ai trouvé. »

Il déclara qu'avant de savoir que faire avec cette femme il nous fallait attendre un présage.

« Si nous voyons ou entendons un corbeau, nous serons certains que nous pouvons attendre, et aussi où attendre. »

Lentement il fit un tour sur lui-même en détaillant les environs.

« Ce n'est pas l'endroit où attendre », chuchota-t-il.

Nous allâmes vers l'est. La nuit était déjà tombée. Tout à coup deux corbeaux jaillirent d'un buisson; ils disparurent derrière une colline. Don Juan décida que la colline était notre but.

Une fois arrivé, il en fit le tour puis choisit au pied de la butte un endroit face au sud-est. Dans un cercle d'un mètre cinquante à un mètre quatre-vingts de diamètre, il enleva les feuilles sèches, les brindilles et tout ce qui traînait. Je voulus l'aider mais il m'écarta d'un signe tranchant de la main. Il posa un doigt sur les lèvres pour m'ordonner le silence. Une fois son travail terminé il me tira au centre et me plaça face au sud, le dos à la colline, puis murmura dans mon oreille que je devais imiter ses mouvements. Il entama une sorte de danse, un piétinement rythmé de son pied droit, sept coups également espacés, séparés par trois plus rapides.

Après quelques tentatives maladroites je m'accordai plus ou moins bien à ce rythme.

« Pourquoi faisons-nous ça? », murmurai-je à son oreille.

Il me répondit à voix basse que je piétinais comme un lapin et que tôt ou tard la rôdeuse serait attirée par le bruit et viendrait voir ce qui se passait.

Une fois que j'eus parfaitement pris le rythme de ce piétinement, don Juan stoppa, mais me fit continuer en marquant la cadence de la main.

De temps à autre, la tête penchée légèrement à droite, il tendait attentivement l'oreille comme pour tenter de capter tous les bruits issus des broussailles. A un moment donné, il me fit signe d'arrêter et se plaça dans une position particulière, comme prêt à se détendre pour sauter sur un assaillant invisible et inconnu.

Puis il me dit de reprendre mon piétinement. Un peu plus tard il m'arrêta à nouveau. A chaque arrêt il écoutait avec une attention telle que chaque fibre de son corps semblait tendue à se rompre.

Soudain il sauta à mon côté et glissa dans mon oreille que le crépuscule avait atteint son moment de plus grand pouvoir.

Je regardais alentour. Les broussailles formaient une masse noire fondue avec les rochers et les collines. Le ciel était d'un bleu noir et les nuages devenaient invisibles. Le monde entier semblait être une masse uniforme d'indéfinissables silhouettes noires.

Au loin j'entendis un étrange cri d'animal, un coyote, ou peut-être un oiseau nocturne. Il éclata avec une telle soudaineté que je n'y prêtai pas attention, mais le corps de don Juan sursauta. Je sentis parfaitement la vibration de son corps.

« Allons-y, chuchota-t-il. Piétine, et tiens-toi sur tes gardes, elle est là. »

Je me mis à piétiner sauvagement mais il posa son pied sur le mien et me fit signe de piétiner selon le rythme adéquat et de manière détendue.

« Ne l'effraye pas, murmura-t-il. Calme-toi, ne perds pas tes billes. »

Il marqua de la main le rythme de mon piétinement et à son second arrêt, j'entendis de nouveau le même cri. Il aurait pu s'agir d'un oiseau volant au-dessus de la colline.

Don Juan me fit piétiner et juste à l'instant où il me fit cesser j'entendis à ma gauche un bruissement particulier, le bruit que produirait un énorme animal en traversant les broussailles sèches. Immédiatement je pensais à un ours, mais aussitôt je me rendis compte qu'il n'y avait pas d'ours dans le désert. Je saisis le bras de don Juan. Il me sourit et m'ordonna le silence. Je scrutai la nuit à ma gauche mais il me fit signe d'arrêter. A plusieurs reprises il pointa le doigt juste au-dessus de moi, puis me fit tourner lentement jusqu'au moment où je me trouvai face à la masse noire de la colline. Du doigt il désigna un endroit au flanc de cette colline. Je fixai mes yeux sur ce point et soudain, comme dans un cauchemar, une ombre noire sauta vers moi. Je poussai un cri et tombai à la renverse. Pendant un court instant la silhouette se détacha sur le bleu sombre du ciel, puis elle poursuivit son vol plané et retomba dans les buissons derrière nous. J'entendis un corps lourd s'écraser dans les broussailles, puis un cri étrange.

Don Juan m'aida à me relever et me guida dans l'obscurité à l'endroit où j'avais posé mes pièges. Il me demanda de les rassembler, de les démonter, et il en dispersa les morceaux dans toutes les directions, tout cela sans un seul mot. Nous conservâmes le silence en revenant chez lui.

« Que veux-tu que je te dise? me demanda-t-il comme je le pressais de m'expliquer les événements vieux de quelques heures à peine.

— Qu'était-ce?

— Tu le sais sacrément bien, dit-il. Ne gomme pas cela avec ton " qu'était-ce? ". Ce qui compte c'est qui c'était. »

J'avais préparé une explication qui me satisfaisait. Ce que j'avais vu ressemblait beaucoup à un cerf-volant qui aurait été lâché par quelqu'un en haut de la colline et que quelqu'un d'autre aurait tiré derrière nous jusqu'à ce qu'il s'écrase au sol. D'où cette silhouette volant dans les airs sur quinze à vingt mètres.

Il m'écouta attentivement puis éclata de rire à en avoir les larmes aux yeux.

« Arrête de tourner autour du pot, dit-il. Va droit au but. N'était-ce pas une femme? »

Je devais admettre qu'au moment où je tombais à la renverse je voyais la silhouette sombre d'une femme vêtue d'une longue jupe qui sautait très lentement vers moi; ensuite quelque chose semblait avoir tiré la silhouette, car c'est à grande vitesse qu'elle avait passé au-dessus de moi avant de s'écraser dans les broussailles. Et c'est ce changement de vitesse qui m'avait suggéré l'idée d'un cerf-volant.

Don Juan se refusa à parler davantage de l'incident.

Le lendemain il partit seul accomplir je ne sais quelle tâche mystérieuse, et je décidai d'aller rendre visite à quelques amis yaquis qui vivaient non loin de là.

Mercredi 12 décembre 1962

Dès que j'arrivai dans le hameau yaqui, le tenancier mexicain du magasin m'annonça qu'il venait de louer un tourne-disque et vingt disques à Ciudad Obregon à l'occasion de la « fiesta » prévue le soir même en honneur de la Vierge de Guadalupe. Il avait déjà fait prévenir tout le monde par l'intermédiaire de Julio, le voyageur de commerce qui venait deux fois par mois dans les villages yaquis encaisser les mensualités correspondant au paiement à crédit de vêtements bon marché qu'il réussissait à vendre à quelques Indiens.

Julio amena le tourne-disque au début de l'après-midi et le brancha sur le générateur électrique du magasin. Il vérifia que tout marchait bien, porta le volume au maximum, rappela au tenancier de ne toucher à aucun bouton, puis se mit à trier les disques.

« Je sais combien de rayures il y a sur chacun d'eux, annonça-t-il.

— Va dire ça à ma fille, lui répondit le tenancier.

— C'est toi le responsable, pas ta fille.

— C'est la même chose, d'ailleurs c'est elle qui changera les disques.»

Julio insista; peu lui importait qui s'occuperait du tourne-disque, mais le tenancier devait s'engager à payer chaque disque abîmé. Une discussion s'engagea. Julio devint rouge et de temps à autre se retourna vers les Yaquis assemblés devant le magasin, en grimaçant et gesticulant pour exprimer son indignation. Enfin il décida d'exiger un dépôt de garantie, et cette demande fit rebondir la discussion. Qu'est-ce qui distinguait un disque abîmé d'un disque qui ne l'était pas? Julio avança que tout disque cassé devait être payé au prix d'un disque neuf.

Le tenancier se mit en colère, tira sur le fil de branchement bien décidé à arrêter le tourne-disque et à annuler la fête. Il prit à témoin ses clients qu'il avait tout essayé pour s'entendre avec Julio. La fête semblait devoir se terminer avant même de commencer.

Blas, le vieux Yaqui que j'étais venu voir, se lança dans une diatribe sur le lamentable état des choses chez les Yaquis, au point qu'ils n'arrivaient même pas à pouvoir célébrer leur plus importante fête religieuse, le jour de la Vierge de Guadalupe.

J'allais intervenir, mais Blas m'en empêcha. Il me dit que si je donnais le dépôt de garantie, le tenancier lui-même casserait tous les disques.

« Il est le pire de tous. Laisse-le payer cette garantie. Il nous saigne à mort; alors pourquoi ne payerait-il pas? »

Après une longue discussion où, curieusement, tout le monde prit parti pour Julio, le tenancier proposa des conditions sur lesquelles ils furent d'accord. Il n'avancerait pas la garantie, mais il serait responsable de la casse des disques.

Lorsqu'il partit vers les maisons les plus éloignées du village, la moto de Julio souleva une traînée de poussière. Blas commenta ce départ précipité en déclarant que Julio allait tenter d'encaisser son dû avant que ses clients viennent au magasin dépenser en alcool toute leur fortune. Pendant qu'il parlait, un groupe de Yaquis sortit de derrière le magasin. Blas les regarda et éclata de rire ainsi que tous les autres. Il m'affirma que ces Indiens étaient les clients de Julio; cachés derrière le magasin ils avaient attendu son départ.

La fête débuta très tôt. La fille du tenancier mit un disque et, posa le bras; il y eut un terrible raclement, puis un énorme bruit de fond, et soudain un tonnerre de trompettes et de guitares.

Passer les disques en faisant le plus de bruit, voilà en quoi consistait la fête. Quatre jeunes Mexicains dansaient avec les deux filles du tenancier et trois autres Mexicaines. Les Yaquis ne dansaient pas, mais ils observaient avec un plaisir évident chaque mouvement des danseurs. Regarder en buvant le tequila bon marché semblait les rendre parfaitement heureux.

Je commandai des boissons pour tous ceux que je connaissais, pour chacun individuellement, car je ne voulais offenser personne. Je me glissais parmi les Indiens, échangeais quelques mots, leur offrais à boire. Cela alla très bien jusqu'au moment où ils se rendirent compte que je ne buvais rien. Tout à coup mon abstention sembla les rendre maussades. Ce fut comme s'ils avaient découvert collectivement que je n'avais rien à faire dans cette fête. Ils devinrent revêches et me regardèrent furtivement.

Les Mexicains, qui étaient aussi saouls que les Indiens, réalisèrent au même moment que je n'avais pas encore dansé, et cela sembla les offusquer encore plus que le fait que je ne boive pas. Ils devinrent agressifs. L'un d'eux m'agrippa par le bras et me traîna de force près du tourne-disque. Un autre me servit un verre débordant de tequila et exigea que je le boive d'un seul trait pour montrer que j'étais un *macho*.

Je m'efforçai de gagner du temps en riant stupidement, comme si je prenais plaisir à leur traitement. Je déclarai préférer danser avant de boire. Un des jeunes gens lança le titre d'une chanson. La jeune fille qui passait les disques se mit à chercher dans la pile des disques. Bien qu'aucune femme n'eût bu en public, elle me paraissait assez éméchée, et elle n'arrivait pas à placer convenablement le disque. Un jeune homme le lui arracha des mains, regarda l'étiquette et déclara que ça n'était pas un twist. Elle recommença à fouiller dans la pile des disques à la recherche du bon et tous l'entourèrent. Ceci me donna le temps de m'enfuir derrière le magasin, en dehors de la zone éclairée, puis dans la nuit.

Trente mètres plus loin, debout dans les buissons je me demandai que faire. Je me sentais fatigué, il était temps de reprendre ma voiture laissée chez Blas et de m'en retourner chez moi. Si je conduisais lentement, personne ne remarquerait mon départ.

Ils devaient toujours chercher le disque, car je n'entendais que le grésillement du haut-parleur. Tout à coup déferla une musique de twist. J'éclatai de rire, en pensant à leur déconvenue lorsqu'ils se retourneraient pour m'entraîner dans la danse.

De noires silhouettes s'avancèrent vers moi, en route pour la fête. Nous échangeâmes des *buenas noches*. Je les reconnus et leur annonçai que la fête allait vraiment bon train.

Peu avant un tournant du chemin je croisai deux autres personnes que je saluai sans toutefois les reconnaître. La musique du tourne-disque était presque aussi bruyante sur la route que devant le magasin. La nuit était noire et sans étoiles mais la lueur des lampes du magasin me permettait de voir assez bien les alentours. Je n'étais pas loin de la maison de Blas, aussi pressai-je le pas. C'est alors que je discernai la masse noire d'une personne assise ou accroupie à ma gauche juste au tournant du chemin. Je crus qu'il s'agissait de quelqu'un qui avait quitté la fête avant moi. L'individu semblait se soulager au bord de la route. Cela me parut assez curieux, car dans cette région les gens vont en général se cacher dans les buissons pour satisfaire leurs besoins. Peut-être s'agissait-il d'un ivrogne?

J'arrivai au tournant et je lançai *buenas noches*. La personne me répondit d'un hurlement inhumain, étrange et agressif. Mes cheveux se dressèrent sur la tête et pendant une seconde je restai figé sur place. Puis je repris ma marche d'un pas rapide. Je jetai un coup d'œil en arrière et je vis que la masse s'était à moitié relevée, il s'agissait d'une femme. Ramassée sur elle-même elle se pencha en avant, s'avança dans cette position et soudain bondit. Je pris les jambes à mon cou pendant que cette femme m'accompagnait sautillant à mon côté tel un oiseau. Au moment où j'atteignis la maison de Blas elle me coupa la route en me touchant presque.

J'enjambai un petit fossé sans eau devant la maison et m'effondrai au travers de la porte branlante.

Blas, déjà rentré, sembla peu intéressé par mon aventure.

« Ils se sont bien foutus de toi, dit-il en me rassurant. Les Indiens ont beaucoup de plaisir à taquiner les étrangers. »

L'énervement causé par cette aventure m'incita à revenir chez don Juan le lendemain, au lieu de me rendre à Los Angeles, comme je l'avais décidé.

Il ne revint que tard dans l'après-midi. Je ne lui laissai pas le temps d'ouvrir la bouche et je lui racontai mon aventure en terminant par le commentaire de Blas. Son visage s'assombrit. Peut-être fus-je victime de mon imagination, mais il me parut vraiment soucieux.

« N'accorde que peu de poids à ce que Blas t'a dit, commenta-t-il, il ignore tout du combat entre sorciers.

« Dès que tu as aperçu cette ombre à ta gauche, tu aurais dû te douter que cette rencontre était une affaire sérieuse.

— Qu'aurais-je donc dû faire? Rester sur place?

— Exactement. Lorsqu'un guerrier rencontre son adversaire, et si cet adversaire n'est pas un être humain ordinaire, il doit résister. C'est la seule chose qui puisse le rendre invulnérable.

— Que voulez-vous dire, don Juan?

— Je dis que tu en es à ta troisième rencontre avec ton adversaire valable. Elle te suit partout dans l'espoir que tu auras un moment de faiblesse. Cette fois-ci, elle t'a presque eu. »

L'anxiété me gagna, je l'accusai de m'exposer inutilement au danger. Il jouait un jeu cruel avec moi.

« Il serait cruel s'il arrivait à un homme ordinaire, répliqua-t-il. Mais dès l'instant où l'on commence à vivre comme un guerrier, on n'est plus un homme ordinaire. Par ailleurs je ne t'ai pas trouvé un adversaire valable pour me jouer de toi, ou te taquiner, ou t'ennuyer. Un adversaire valable pourrait te stimuler. Sous l'influence d'un adversaire comme « la Catalina », il te faudra peut-être faire usage de tout ce que je t'ai appris. Tu n'as pas d'autre choix. »

Pendant un moment nous restâmes silencieux. Sa déclaration venait de faire surgir en moi une terrible appréhension.

Il me demanda d'imiter au mieux le cri que j'avais entendu juste après avoir dit *buenas noches.*

Je m'y appliquai et poussai enfin un cri étrange qui m'effraya. Don Juan trouva mon imitation plutôt comique car il fut saisi d'un rire incontrôlable.

Une fois calmé, il me demanda de décrire en détail mon aventure, la distance que j'avais parcourue en courant, la distance qui me séparait de la femme à l'instant de la rencontre, l'intervalle qui nous séparait lorsque j'étais entré dans la maison de Blas, et l'endroit exact où elle avait commencé à sauter.

« Il n'existe pas une seule grosse Indienne qui soit capable de sauter ainsi, commenta-t-il. Elles n'arriveraient même pas à courir sur une telle distance. »

Il me fit sauter. Je ne franchis pas plus d'un mètre vingt par bond, alors que si j'avais correctement vu la femme, elle avançait de trois mètres à chacun des siens.

« Évidemment, maintenant tu en déduis que tu dois te tenir sur tes gardes, dit-il d'un ton qui révélait une certaine anxiété. Elle va tenter

de te taper sur l'épaule gauche à un moment où tu ne feras pas attention, où tu seras faible.

— Que dois-je faire?

— Il ne sert à rien de gémir ainsi. Ce qui est désormais important
c'est la stratégie de ta vie. »

Je n'arrivais pas à me concentrer sur ce qu'il disait. Je prenais des
notes automatiquement. Après un long silence il me demanda si j'avais
mal derrière les oreilles ou à la nuque. Ca n'était pas le cas. Il déclara
que si j'avais ressenti quelque chose dans n'importe quelle partie de
ces deux endroits, cela signifierait que « la Catalina » avait réussi à me
blesser à cause de ma maladresse.

« D'ailleurs tout ce que tu as fait cette nuit-là était maladroit.
Tout d'abord tu es allé à la fête pour passer le temps, comme s'il y avait
du temps à perdre. C'est ce qui t'a affaibli.

— Cela veut-il dire que je ne dois pas aller aux fêtes?

— Non. Ce n'est pas ce que je veux dire. Tu peux aller où tu veux,
mais en ce cas assume l'entière responsabilité de cet acte. Un guerrier
vit sa vie stratégiquement. Il n'ira pas à une fête ou une réunion de ce
genre si sa stratégie ne l'exige pas. Et cela signifie, bien sûr, qu'il exerce
un contrôle parfait sur lui-même et qu'il est en mesure d'accomplir
tous les actes qu'il jugera nécessaire d'accomplir. »

Il me fixa des yeux et eut un sourire, puis il se couvrit le visage et
fut secoué d'un rire saccadé.

« Tu es dans un sacré pétrin, dit-il. Ton adversaire te poursuit et
pour la première fois dans ta vie tu ne peux te permettre d'agir cahin-
caha. Cette fois il va falloir que tu apprennes un *faire* entièrement différent, le *faire* stratégique. Considère la chose de cette façon. Si tu survis
aux attaques de " la Catalina ", il faudra que tu la remercies un jour
pour t'avoir obligé à changer ton *faire*.

— C'est une terrible façon de présenter la situation! m'exclamai-je
Et si je ne survis pas?

— Un guerrier ne se laisse jamais aller à de telles pensées. Lorsqu'il lui faut agir avec ses semblables, les humains, un guerrier suit le
faire stratégique, et dans ce *faire* il n'y a ni victoires ni défaites. En termes
de *faire*, il n'y a que des actions. »

Je lui demandai de m'expliquer ce « faire stratégique ».

« Il implique que l'on n'est pas à la merci des gens. A cette fête,
par exemple, tu as été un clown, non pas parce qu'être clown te servait
à quelque chose de précis, mais parce que tu t'es placé à la merci des gens.
Tu n'as jamais eu aucun contrôle, et par conséquent tu devais t'enfuir.

— Qu'aurais-je dû faire?

— Ne pas aller là-bas, où y aller dans un but précis.

« Après t'être exhibé avec les Mexicains, tu étais faible et " la Catalina " a sauté sur cette occasion. Donc elle t'attendait au tournant du
chemin.

« Ton corps savait qu'il y avait là quelque chose d'anormal, néanmoins tu lui as parlé. C'était une chose terrible. Au cours de tes rencontres
avec ton adversaire tu ne dois pas proférer un seul mot. Ensuite tu lui
as tourné le dos, ça c'est pire encore. Et tu as couru pour lui échapper!
Tu ne pouvais rien faire de pire! Il semble qu'elle soit maladroite. Un
sorcier digne de ce nom t'aurait fauché à cet instant même, quand tu
as tourné le dos pour t'enfuir.

« Ta seule défense aurait consisté à t'immobiliser, puis à faire ta
danse.

— De quelle danse parlez-vous? »

Il déclara que le « piétinement du lapin » constituait le premier
mouvement de la danse qu'un guerrier raffinait et développait au cours
de toute sa vie pour l'exécuter lors de sa dernière bataille sur terre.

J'eus un moment d'étrange détachement et une série de pensées
me traversa la tête. D'une part ce qui s'était passé entre « la Catalina »
et moi la première fois que je l'avais affrontée était réel. « La Catalina »
existait réellement, et je ne pouvais exclure l'idée qu'elle me poursuivait
peut-être. D'autre part, j'ignorais parfaitement pourquoi elle me poursuivait, ce qui me laissait entrevoir que don Juan tentait peut-être de
ruser avec moi et qu'il produisait lui-même les curieux événements dont
j'étais la victime.

Don Juan regarda le ciel puis annonça qu'il restait assez de temps
pour aller surveiller cette sorcière. Il m'assura que nous ne courrions
qu'un infime danger car nous allions simplement passer en voiture devant
sa maison.

« Il est indispensable que tu sois certain de son aspect. Que ce soit
dans un sens ou dans l'autre, aucun doute ne doit subsister. »

La sueur mouilla les paumes de mes mains et je dus les sécher avec
une serviette. Nous prîmes place dans ma voiture et don Juan me guida
sur la route principale puis sur un chemin empierré très large. Je roulais
au milieu de la route, car de gros camions et des tracteurs avaient creusé
de profondes ornières et ma voiture était trop basse pour rouler soit à
droite soit à gauche. Nous avancions lentement en soulevant un nuage de
poussière. Le gravier de la route avait dû s'agglutiner avec la terre
pendant les pluies et rebondissait contre le châssis de ma voiture en
faisant un bruit assourdissant, comme des coups de fusil.

Comme nous approchions d'un petit pont il me dit de ralentir.

Quatre Indiens y étaient assis et nous saluèrent de la main. Je ne fus pas certain de les connaître. Passé le pont la route amorçait une courbe.

« Voici la maison de cette femme », chuchota-t-il en désignant des yeux une maison blanche cernée d'une haute palissade de bambous.

Il me dit de faire demi-tour et de stopper juste au milieu de la route pour attendre et voir si la femme serait assez curieuse pour montrer son visage.

Dix minutes passèrent, interminables à mon gré. Don Juan gardait le silence. Il se tenait immobile, les yeux fixés sur la maison.

« La voilà », dit-il et son corps sursauta.

J'aperçus la silhouette noire d'une femme qui se tenait debout dans la maison et regardait par la porte ouverte. Dans cette pièce sombre la noirceur de la silhouette n'était que plus marquée.

Quelques minutes plus tard, la femme sortit de l'ombre pour nous examiner du porche. Nous l'observâmes un moment puis don Juan m'ordonna de partir. Je restai muet. J'aurais juré que c'était bien la femme que j'avais vue s'avancer en sautant à mon côté dans la nuit.

Une demi-heure plus tard, lorsque nous arrivâmes de nouveau sur le chemin pavé, don Juan m'adressa la parole.

« Qu'en dis-tu? As-tu reconnu son aspect? »

J'hésitai longuement avant de répondre. Dire oui impliquait un engagement qui m'effrayait. Je répondis en pesant mes mots : la nuit avait été trop noire pour que je puisse en être absolument certain.

Il rit et me tapa doucement sur la tête.

« C'était elle, pas vrai? »

Il ne me laissa pas le temps de répondre. Il m'ordonna de me taire en posant un doigt sur sa bouche et me chuchota à l'oreille qu'il était inutile de rien dire, que pour survivre aux attaques de « la Catalina » il me fallait faire usage de tout ce qu'il m'avait appris.

Deuxième partie

LE VOYAGE A IXTLAN

18

L'anneau de pouvoir du sorcier

Au mois de mai 1971, je rendis à don Juan ma dernière visite d'apprenti. A cette occasion, j'allais le voir dans le même état d'esprit que celui qui avait présidé à toutes nos rencontres pendant les dix années de notre association, c'est-à-dire que je recherchai une fois de plus l'agrément de sa compagnie.

Son ami don Genaro était là. Six mois plus tôt [1] lors de ma dernière visite, ils étaient aussi ensemble et je fus tenté de leur demander s'ils ne s'étaient pas quittés depuis ce moment, mais don Genaro m'expliqua aussitôt qu'il aimait tant le désert du nord qu'il venait d'y revenir, juste à point pour me voir. Tous deux éclatèrent de rire, comme s'ils partageaient un secret.

« Je suis revenu juste pour toi, déclara don Genaro.

— C'est vrai », confirma don Juan.

Je rappelai à don Genaro que mon dernier séjour en ce lieu avait été marqué par les effets, désastreux pour moi, de ses tentatives pour m'aider à « stopper-le-monde ». Ce qui constituait une façon amicale de lui faire savoir qu'il m'effrayait. Il fut pris d'un fou rire, son corps tressauta et à l'instar des petits enfants il lança ses jambes dans toutes les directions. Don Juan évitait mon regard et riait lui aussi.

« Don Genaro, vous n'allez pas tenter de m'aider cette fois-ci, n'est-ce pas ? »

Tous deux pouffèrent de rire. Don Genaro se roula par terre, s'allongea sur le ventre et imita les mouvements du nageur. Alors je sus que j'étais perdu. A ce moment mon corps se rendit compte d'une certaine manière que la fin allait arriver. Mais j'ignorais encore ce que cette fir

1. Cf. *L'Herbe du diable*, chap. XVII et *Voir*, chap. VI. *(N.d.T.)*

pouvait bien être. Ma tendance personnelle à la dramatisation jointe à mes expériences passées avec don Genaro m'amenèrent à conclure que cela pourrait tout aussi bien signifier la fin de ma vie.

Au cours de ma dernière visite, don Genaro m'avait poussé jusqu'au seuil de « stopper-le-monde ». Ses efforts avaient été tellement bizarres et directs que don Juan lui-même me conseilla de partir. Les démonstrations de pouvoir entreprises par don Genaro se révélèrent si extraordinaires et surtout si déconcertantes qu'elles m'obligèrent à une complète réévaluation de mon rôle. Revenu à Los Angeles, je relus toutes les notes que j'avais prises depuis le début de mon apprentissage, et alors un sentiment tout à fait nouveau pénétra mystérieusement en moi. Mais je n'en pris vraiment conscience qu'au moment où je vis don Genaro nager par terre.

Cet acte, nager par terre, s'accordait parfaitement avec les autres actes étranges et surprenants qu'il avait accomplis sous mes yeux. Il commença le visage tourné vers le sol. Il riait tellement que son corps était secoué de convulsions, puis il se mit à agiter nerveusement les jambes; enfin le mouvement des jambes fut graduellement synchronisé au mouvement de nage des bras. Alors don Genaro commença à glisser par terre exactement comme s'il reposait sur une planche montée sur roulement à billes. Plusieurs fois il changea de direction, passa autour de moi, puis autour de don Juan, et il parcourut ainsi tout le devant de la maison.

Don Genaro avait déjà fait le clown devant moi, et chaque fois don Juan m'avait assuré que j'avais été sur le point de « voir » et que cet échec du « voir » venait de mon insistance à tout vouloir expliquer d'un point de vue rationnel. Cette fois cependant je ne fis rien pour expliquer ou comprendre ce que don Genaro accomplissait. Je le regardai sitôt qu'il se mit à nager. Malgré tout je ne pouvais éviter de me sentir ahuri. Il glissait sur le ventre et la poitrine. Pendant que je l'observais, ses yeux louchèrent. Une vague d'appréhension me submergea. J'étais maintenant convaincu que si je ne cherchais pas d'explication à ce que je regardais, j'allais « voir », et cela déclencha en moi une profonde anxiété. Cette anticipation suscita une telle nervosité en moi que d'une certaine manière j'en revins au même point, une fois de plus enfermé dans quelque tentative de rationalisation.

Don Juan avait dû m'observer, car tout à coup il me tapa sur l'épaule. Automatiquement je me tournai vers lui et pendant un instant mes yeux se détachèrent de don Genaro. Lorsque je le regardai à nouveau, il était debout à côté de moi, sa poitrine touchant presque mon épaule et sa tête restant légèrement inclinée. Ma réaction de surprise se produisit avec un certain retard. Pendant un instant je le dévisageai, puis je bondis en arrière.

Son expression de surprise feinte fut tellement comique qu'un rire hystérique s'empara de moi. Je me rendis parfaitement compte que mon rire avait quelque chose d'anormal. Mon corps était traversé de spasmes nerveux qui partaient de mon estomac. Don Genaro plaça sa main à cet endroit précis, les convulsions cessèrent.

« Ce petit Carlos exagère toujours énormément! », s'exclama-t-il en faisant la fine bouche.

Puis imitant la voix et les manières de don Juan, il ajouta :

« Ne sais-tu pas qu'un guerrier ne rit jamais ainsi? »

Sa parodie fut si parfaite que mon rire s'amplifia encore plus.

Alors ils me laissèrent seul pendant environ deux heures.

Ils revinrent vers midi et s'assirent devant la maison. Ils ne disaient rien, ils semblaient endormis, fatigués, vides de toute pensée. Pendant longtemps ils conservèrent cette immobilité qui donnait cependant l'impression d'être absolument détendu. Don Juan avait la bouche légèrement ouverte comme s'il dormait vraiment, mais ses mains restaient croisées sur ses cuisses et ses pouces s'agitaient selon un rythme précis.

Inquiet, je changeai de position, et alors je ressentis un calme reposant. Je dus m'endormir. Le rire de don Juan me réveilla. J'ouvris les yeux. Tous deux me fixaient.

« Si tu ne parles pas, tu t'endors, dit don Juan en riant.

— J'ai bien peur qu'il en soit ainsi, dis-je.

— Si tu ne parles pas, c'est que tu manges », ajouta don Genaro.

Puis il se mit sur le dos et agita les jambes en l'air. Pendant un moment j'eus l'impression qu'il recommençait à faire le clown, mais il reprit immédiatement sa position en tailleur.

« Il y a maintenant quelque chose qui ne devrait pas t'échapper, déclara don Juan. C'est ce que j'appelle le centimètre cube de chance. Chacun de nous, qu'il soit guerrier ou non, possède un centimètre de chance qui de temps à autre surgit devant ses yeux. La différence entre un homme ordinaire et un guerrier est qu'un guerrier s'en rend compte, et un de ses efforts consiste à demeurer en alerte, en attente délibérée, de manière à posséder la vitesse nécessaire, c'est-à-dire à accomplir une prouesse, pour attraper son centimètre cube de chance lorsqu'il apparaît.

« La chance, l'aubaine, le pouvoir personnel, ou quel que soit le nom que tu lui donnes, est une affaire assez spéciale. C'est comme un petit bâton qui surgirait devant nous pour nous inviter à l'arracher.

En général nous sommes trop affairés ou trop préoccupés, ou simplement trop stupides et trop paresseux pour nous rendre compte qu'il s'agit de notre centimètre cube de chance. Au contraire un guerrier reste toujours vigilant et prêt, et il a l'élan et l'initiative nécessaires pour le saisir.

— Ta vie est-elle vraiment serrée? me demanda don Genaro à brûle-pourpoint.

— Je crois que oui, dis-je parfaitement convaincu.

— Penses-tu être capable d'arracher ton centimètre cube de chance? questionna don Juan d'un ton incrédule.

— Je pense que c'est ce que je fais à tout instant.

— Je crois que tu n'es éveillé que pour ce que tu connais bien, déclara don Juan.

— Peut-être suis-je en train de me tromper moi-même, mais je crois qu'aujourd'hui je suis beaucoup plus conscient que jamais auparavant dans ma vie », répondis-je sans hésiter et avec sincérité.

Don Genaro hocha de la tête affirmativement.

« Oui, laissa-t-il tomber comme s'il se parlait à lui-même. Petit Carlos est vraiment bien serré, et il est réellement vigilant. »

Je crus qu'ils se moquaient de moi. Je pensais que ma déclaration concernant la conduite de ma vie les gênait.

« Je ne me vante pas », dis-je.

Don Genaro arqua ses sourcils et élargit ses narines. Il regarda vers mon carnet de notes et fit semblant d'écrire.

« Je crois que Carlos se tient mieux que jamais, dit don Juan à don Genaro.

— Peut-être se tient-il trop serré, lança sèchement don Genaro.

— Peut-être bien que oui », admit don Juan.

Je ne savais comment intervenir, donc je demeurai silencieux.

« Te souviens-tu du jour où j'ai bloqué le moteur de ta voiture? », me demanda don Juan d'un ton banal [1].

Sa question me prit au dépourvu car elle s'avérait incongrue dans le contexte de notre conversation. Il faisait allusion à un événement au cours duquel je n'étais pas parvenu à faire démarrer ma voiture aussi longtemps qu'il avait décidé qu'il en serait ainsi.

Je fis remarquer qu'on pouvait difficilement oublier de tels épisodes.

« Ce n'était rien, déclara simplement don Juan. Rien du tout. Pas vrai, don Genaro?

— C'est vrai, dit don Genaro d'un ton indifférent.

1. Cf. *L'Herbe du diable*, chap. xiv. *(N.d.T.)*

— Comment donc! protestai-je. Ce que vous avez fait ce jour-là me resta absolument incompréhensible.

— Ce qui ne veut pas dire grand-chose », rétorqua don Genaro.

Tous deux éclatèrent d'un rire clair. Don Juan me tapota le dos.

« Genaro peut faire beaucoup mieux que de bloquer ta voiture, reprit-il. Pas vrai, Genaro?

— C'est vrai, répondit don Genaro avec une moue enfantine.

— Que peut-il faire? demandai-je tout en essayant de conserver mon calme.

— Genaro peut emporter ta voiture tout entière, s'exclama-t-il en enflant sa voix, et du même ton il lança : Pas vrai, Genaro?

— C'est vrai », répartit don Genaro de la plus forte des voix humaines que j'aie jamais entendue.

Je sursautai, deux ou trois spasmes nerveux agitèrent mon corps.

« Que voulez-vous dire? Il peut emporter ma voiture?

— Qu'ai-je voulu dire, Genaro? demanda don Juan.

— Tu as voulu dire que je suis capable d'entrer dans cette voiture, de faire démarrer le moteur et de m'en aller au loin, répondit don Genaro avec un sérieux convaincant.

— Emporte la voiture, Genaro, insista don Juan en manière de plaisanterie.

— C'est fait! », remarqua don Genaro en grimaçant et en m'interrogeant du regard.

Je m'aperçus qu'en grimaçant il avait froncé les sourcils de façon assez espiègle malgré son regard perçant.

« D'accord, dit calmement don Juan. Descendons jusqu'à la voiture.

— Oui, reprit don Genaro. Descendons là-bas pour aller voir la voiture. »

Ils se levèrent lentement. J'eus un instant d'hésitation, mais don Juan me fit signe de les suivre.

Nous montâmes la petite bosse de terrain située devant la maison. Ils m'accompagnaient, un de chaque côté, don Juan à droite, don Genaro à gauche. Ils étaient à environ deux mètres devant moi, toujours parfaitement visibles.

« Allons voir la voiture », répéta don Genaro.

Don Juan se mit à bouger les mains comme s'il filait un fil invisible; don Genaro faisait de même tout en répétant :

« Allons voir la voiture. »

Ils marchaient comme en rebondissant. Leurs pas étaient plus longs que d'habitude et leurs mains s'agitaient comme s'ils frappaient ou remuaient d'invisibles objets placés sur leur chemin. Jamais je n'avais vu don Juan se prêter à de telles clowneries, et cela m'embarrassait.

Une fois arrivé au sommet de la bosse, je jetai un coup d'œil en contrebas vers l'endroit éloigné de quinze mètres environ où j'avais garé ma voiture.

D'un coup mon estomac se contracta. La voiture n'était pas là! Je descendis en courant et ne vis ma voiture nulle part. Mon embarras devint extrême. Je me sentis complètement désorienté.

Ma voiture était garée à cet endroit depuis mon arrivée et à peine une demi-heure auparavant j'étais venu prendre un nouveau carnet de notes. A ce moment j'avais pensé à ouvrir les vitres pour aérer l'intérieur surchauffé, mais je ne l'avais pas fait à cause de tous les moustiques et autres insectes volants qui y seraient entrés. Et comme à mon habitude j'avais fermé les portières à clef.

Une fois de plus je cherchai des yeux ma voiture. Je me refusai à croire qu'elle avait disparu. J'avançai jusqu'à la lisière de la zone dégagée. Don Juan et don Genaro me rejoignirent et restèrent immobiles à mes côtés tout en imitant exactement ce que je faisais, scrutant avec moi les environs pour chercher la voiture. J'éprouvai un moment de réelle euphorie qui fit place à une déconcertante sensation de contrariété. Ils durent s'en rendre compte, car ils se mirent à tourner autour de moi en se servant de leurs mains comme s'ils y roulaient de la pâte.

« Genaro, à ton avis, qu'est-il arrivé à la voiture? demanda don Juan d'un ton moqueur.

— Je l'ai conduite ailleurs », dit don Genaro, et il imita de façon surprenante un homme qui change de vitesse et pilote une voiture. Il plia les jambes, exactement comme s'il était assis et, pendant un moment, conserva cette position en ne se soutenant que par les muscles des cuisses; puis il porta son poids sur la jambe droite et étendit la jambe gauche exactement comme pour débrayer. Des lèvres il fit le bruit du moteur, et enfin, ce qui fut le bouquet, il réagit comme s'il avait heurté une ornière. Il rebondit dans tous les sens en donnant exactement l'impression d'un conducteur maladroit qui cahote et s'accroche au volant.

Ce fut une pantomime prodigieuse. Don Juan rit à en perdre son souffle. J'aurais voulu me joindre à leur gaieté mais je ne parvenais pas à me détendre. Je me sentais en danger et mal à l'aise. Une anxiété absolument nouvelle pour moi s'empara de moi. J'avais l'impression de brûler à l'intérieur; de la pointe du soulier je me mis à faire voler des petits cailloux et pour finir je les projetais avec une inconsciente et imprévisible fureur, comme si cette rage eût été extérieure à moi et que soudain elle m'eût enveloppé. Alors la sensation de contrariété disparut aussi mystérieusement qu'elle était venue. Je respirai profondément et je me sentis beaucoup mieux.

Je n'osai pas regarder don Juan. J'étais embarrassé d'avoir manifesté de la colère, mais en même temps j'avais peine à contenir mon rire. Il vint à côté de moi et me tapota le dos. Don Genaro me passa le bras sur l'épaule.

« Ça va! dit-il. Laisse-toi aller. Frappe-toi dans le nez, saigne. Et puis tu peux prendre un caillou et te casser les dents. Ça te fera du bien! Et si ça ne suffit pas, tu peux t'écraser les couilles sur ce gros rocher et avec le même caillou. »

Don Juan se trémoussait de rire. Je leur avouai que je me sentais honteux de ma piètre conduite. J'ignorais ce qui m'avait poussé à agir ainsi. Don Juan déclara que je savais pertinemment ce qui se passait, que je prétendais ne pas savoir, et que c'était l'acte de prétendre qui m'avait rendu furieux.

Don Genaro manifestait une attention inhabituelle. A plusieurs reprises il me tapota le dos.

« C'est quelque chose qui nous arrive à tous, dit don Juan.

— Don Juan, que voulez-vous dire? », s'exclama don Genaro en imitant ma voix.

Don Juan répondit par des absurdités du genre : « Lorsque le monde est à l'envers, nous sommes à l'endroit, mais lorsque le monde est à l'endroit, nous sommes à l'envers. Maintenant lorsque le monde et nous-mêmes sommes à l'endroit, nous pensons que nous sommes à l'envers... », et ainsi de suite pendant que don Genaro imitait ma façon de prendre des notes. Il écrivait sur un invisible carnet, élargissait ses narines tout en gardant les yeux grands ouverts sur don Juan. Il avait bien observé mes efforts pour écrire sans regarder mon carnet, de façon à ne pas altérer le flot normal de la conversation. Son imitation était vraiment celle d'un grand comique.

Tout à coup je me sentis parfaitement à l'aise, heureux. Leurs rires m'apaisaient. Pendant un moment je m'abandonnai à un rire venu du fond de mes entrailles. Mais alors mon esprit connut un nouvel état d'appréhension, d'embarras et de contrariété. Je pensai que ce qui avait lieu ici était impossible, inconcevable selon l'ordre logique par lequel je jugeais habituellement le monde autour de moi. Cependant, si je m'en remettais à la perception, je percevais que ma voiture avait disparu. Et comme chaque fois que don Juan me confrontait avec un phénomène inexplicable, il me vint en tête qu'il était tout simplement en train de me mystifier. Involontairement mais avec une certaine constance, c'étaient toujours les mêmes idées qui se présentaient à mon esprit dans les moments de tension. Je pensais au nombre de complices qu'il aurait fallu à don Juan et à don Genaro pour soulever ma voiture et la transporter ailleurs, car j'étais sûr de l'avoir bien fermée à clef. Je savais que le frein à main était serré et la direction bloquée. Donc pour la déplacer il aurait fallu la soulever et cela exigeait plus de gens que don Juan et don Genaro n'auraient pu en réunir. Une seule solution était possible : avec leur accord quelqu'un aurait cassé une vitre, court-circuité le contact et conduit la voiture ailleurs, mais une telle opération réclamait une connaissance spéciale qu'ils ne possédaient pas. Il ne restait qu'une seule hypothèse : ils m'hypnotisaient. Leurs mouvements étaient en tout cas étranges, nouveaux et assez équivoques pour me précipiter dans un tourbillon de rationalisations. S'ils m'hypnotisaient, je me trouvais donc dans un état de conscience altérée. Mais mon expérience m'avait appris que dans de tels états on devient incapable de conserver une notion cohérente de l'écoulement du temps. Dans tous les états de réalité non ordinaires que j'avais vécus au cours de mon apprentissage avec don Juan, il n'existait jamais un ordre consistant en termes de durée. Ma conclusion fut donc que si je restais tout le temps en alerte, il viendrait un moment où je perdrais la notion de la succession des événements. Comme si, par exemple, regardant une montagne à un moment donné, je me retrouvais le moment d'après en train de regarder la vallée opposée sans pouvoir me souvenir d'avoir fait demi-tour. Je pressentais que si un événement de cette nature se produisait, je pourrais expliquer ce qui s'était passé dans le cas de ma voiture comme un simple cas d'hypnotisme. Je décidai que la seule chose à faire était d'observer minutieusement chaque détail.

« Où est ma voiture? leur demandai-je.

— Où est la voiture, Genaro? », reprit don Juan parfaitement sérieux.

Don Genaro se mit à retourner des cailloux et à chercher dessous. Fiévreusement il examina ainsi toutes les pierres de l'endroit où j'avais garé ma voiture. Il les retourna toutes, l'une après l'autre. Parfois il feignait la colère et lançait violemment un caillou dans les buissons.

Cette recherche amusait don Juan au plus haut point. Il riait sous cape, gloussait et m'avait complètement oublié.

Don Genaro venait de jeter une pierre au loin dans un geste de déception, lorsqu'il arriva devant un gros rocher, en fait la seule pierre de grande taille qui se dressait à l'endroit où j'avais garé la voiture. Il essaya de le retourner mais il était trop lourd et surtout trop enfoncé dans le sol. Il s'y efforça quand même jusqu'à suer à grosses gouttes. Alors il s'assit sur le rocher et appela don Juan à son aide.

Avec un large sourire celui-ci se tourna vers moi.

« Allons-y, donnons un coup de main à Genaro.

— Mais que fait-il?

— Il cherche ta voiture! répondit tout bonnement don Juan.

— Pour l'amour du ciel! Comment pourrait-il la trouver sous les pierres?

— Pour l'amour du ciel, pourquoi pas? », rétorqua don Genaro, et tous deux rugirent de rire.

Le rocher ne bougea même pas sous nos efforts conjugués. Don Juan suggéra d'aller chez lui chercher un bon morceau de bois pour s'en servir comme levier.

Tout en marchant vers la maison je leur parlai de l'absurdité de leur entreprise et leur dis que ce qu'ils me faisaient subir était inutile.

Don Genaro jeta un regard perçant.

« Genaro est un homme consciencieux, déclara don Juan sans plaisanter le moins du monde. Il est aussi consciencieux et minutieux que toi. Tu as dit toi-même que tu ne laisses jamais une pierre sans la retourner. C'est ce qu'il fait. »

Don Genaro me tapota l'épaule et me confia que don Juan avait parfaitement raison, et qu'en fait il aurait bien voulu être comme moi. Il me regarda avec des yeux de fou et en ouvrant largement ses narines.

Don Juan claqua des mains et jeta son chapeau par terre.

Après une longue recherche autour de la maison, don Genaro trouva un tronc d'arbre assez long et assez épais, un morceau de poutre. Il la mit sur ses épaules et nous partîmes vers l'endroit d'où nous étions venus.

Au moment où en montant sur le tertre nous arrivions presque au tournant du sentier d'où cet emplacement était visible, j'eus une inspiration soudaine. Je sus que j'allais trouver ma voiture avant eux. Je regardai, il n'y avait rien.

Ils avaient dû deviner mes pensées, car ils me rattrapèrent en riant à gorge déployée.

Une fois arrivés, ils se mirent immédiatement au travail. Je les observai pendant un moment. Ce qu'ils faisaient restait incompréhensible. Ils ne feignaient pas de travailler, ils étaient vraiment absorbés dans la tâche absurde qui consistait à retourner le rocher pour voir si ma voiture ne serait pas dessous. Cela me dépassait, mais je me décidai à les aider. Ils soufflaient et criaient. Don Genaro eut comme un cri de coyote. Ils étaient couverts de sueur. Je remarquai la vigueur de leurs corps, celle de don Juan surtout. A côté d'eux j'étais un jeune homme faiblard.

Il ne me fallut pas longtemps pour transpirer abondamment mais enfin nous arrivâmes à retourner le rocher, et immédiatement don Genaro examina avec une patience et une minutie affolantes chaque morceau mis au jour.

« Non, elle n'est pas là », annonça-t-il.

Sa déclaration déclencha des rires et ils en tombèrent assis par terre. Je riais d'un rire nerveux. Don Juan semblait subir de réelles et pénibles contractions. Il s'allongea sur le ventre, le visage enfoui dans les bras. Son corps tressautait de rire.

« Dans quelle direction allons-nous maintenant? », s'enquit don Genaro une fois le calme revenu.

Don Juan fit un signe de tête.

« Où allons-nous? demandai-je.

— Chercher ta voiture! », répondit don Juan sans l'ombre d'un sourire.

A nouveau ils m'encadrèrent. Nous n'avions fait que quelques pas dans les buissons lorsque don Genaro nous fit arrêter. Sur la pointe des pieds, il s'avança vers un buisson rond qui se dressait à quelques pas devant nous. Pendant un moment il chercha des yeux entre les branches, puis conclut que la voiture n'y était pas.

Nous nous remîmes à marcher pendant un moment puis don Genaro fit un signe de la main pour exiger le silence. Il courba le dos, se mit sur la pointe des pieds, étendit les bras au-dessus de sa tête, les doigts repliés comme des griffes. De l'endroit où je me tenais son corps ressemblait à la lettre S. Un instant il resta immobile dans cette position puis il plongea soudain la tête la première sur une longue branche aux feuilles sèches. Il la souleva avec beaucoup de soin, l'examina sous tous ses angles et constata que la voiture n'était pas là.

Tout en marchant dans l'épaisse végétation il ne cessait de regarder derrière les buissons. Il grimpa sur de petits arbres, des *paloverdes*, pour voir ce qu'il y avait dans leur feuillage, sans y trouver la voiture.

Pendant tout ce temps-là je m'efforçais de me souvenir méticuleusement de tout ce que je touchais ou voyais. Ma perception du monde restait tout aussi continue et ordonnée que d'habitude. Je touchais des rochers, des buissons, des arbres. Je portais mon regard du premier au dernier plan usant d'un œil puis de l'autre. Tout compte fait je marchais bien dans les broussailles du désert ainsi que je l'avais fait au cours de ma vie ordinaire.

Don Genaro s'allongea à plat ventre et nous demanda de l'imiter. Il avait le menton dans les mains et s'appuyait sur les coudes. Don Juan adopta la même position et tous deux scrutèrent une succession de petites protubérances qui ressemblaient à de minuscules collines. Soudain don Genaro fit un rapide mouvement circulaire de la main droite et attrapa quelque chose. Il se leva, don Juan aussi. Don Genaro tenait la main fermée devant nous et nous fit signe d'avancer pour mieux voir. Alors il ouvrit très lentement sa main. Lorsqu'elle fut à moitié ouverte, un grand objet noir s'en échappa en volant. Le mouvement fut tellement surprenant et l'objet volant d'une telle taille que je sautai en arrière et tombai à la renverse.

Don Juan m'aida à me relever.

« Ce n'était pas la voiture, gémit don Genaro. C'était seulement une saloperie de mouche. Désolé! »

Tous deux m'examinaient. Ils restaient debout devant moi et me regardaient du coin de l'œil mais de façon soutenue.

« C'était une mouche, n'est-ce pas? me demanda don Genaro.

— Je pense que oui, dis-je.

— Ne pense pas, m'ordonna don Juan. Qu'as-tu vu?

— J'ai vu sortir de sa main quelque chose de la taille d'un corbeau », répondis-je.

Ma description correspondait à ce que j'avais vu et je ne plaisantais pas, mais pour eux ce fut ce que j'avais dit de plus hilarant depuis le début de notre rencontre. A plusieurs reprises ils sautèrent sur place et se tordirent à en perdre leur souffle.

« Je crois que Carlos en a assez », dit don Juan d'une voix éraillée par tant de rires.

Don Genaro annonça qu'il était sur le point de trouver ma voiture, qu'il se sentait de plus en plus chaud. Don Juan fit remarquer que découvrir une voiture dans ce terrain n'était pas ce qui pouvait nous arriver de mieux. Don Genaro enleva son chapeau, sortit un morceau de ficelle de sa pochette, modifia la bride, et attacha sa ceinture de laine à un gland jaune fixé sur le rebord du chapeau.

« Avec mon chapeau, je fais un cerf-volant », me dit-il.

Je le dévisageai et je compris qu'il plaisantait. Je me considérais comme un expert en la matière, car depuis mon enfance je confectionnais les cerfs-volants les plus raffinés; je savais que le bord de son chapeau de paille était trop cassant pour résister au vent. Le chapeau d'autre part était trop profond, le vent circulait à l'intérieur et rendrait impossible son envol.

« Tu penses qu'il ne peut pas voler, n'est-ce pas? », me demanda don Juan.

— Je sais qu'il ne volera pas. »

Don Genaro resta indifférent et il termina son cerf-volant en attachant une longue ficelle au chapeau.

Il y avait du vent. Don Juan retint le chapeau pendant que don Genaro descendait la pente en courant. Lorsqu'il tira la ficelle le sacré machin s'envola.

« Regarde, regarde le cerf-volant! », criait don Genaro.

Deux ou trois fois le chapeau cahota mais il resta en l'air.

« Ne quitte pas ce cerf-volant des yeux », m'ordonna fermement don Juan. »

Un étourdissement me secoua pendant un instant. Regarder ce cerf-volant avait fait surgir le clair souvenir d'un autre temps; ce fut comme si je faisais voler moi-même un cerf-volant, ainsi que j'en avais l'habitude dès que le vent soufflait dans les collines de ma ville natale.

Un bref instant ce souvenir me submergea et je perdis la notion de l'écoulement du temps.

J'entendis don Genaro crier quelque chose, je vis le chapeau cahoter de haut en bas puis tomber au sol là où se trouvait ma voiture. Tout se passa si rapidement que je n'eus pas une vision claire de ce qui se produisit. J'eus le vertige et devins absent. Je ne retins de ce moment qu'une image confuse. Je vis soit le chapeau de don Genaro se transformer en ma voiture, soit ce chapeau tomber sur ma voiture. C'est d'ailleurs cette dernière image que j'aurais voulu croire, croire que don Genaro se servait de son chapeau pour indiquer ma voiture. Mais cela importait peu, puisque l'une des explications était aussi mystérieuse que l'autre; mon esprit s'accrochait à ce détail purement arbitraire de façon à préserver mon équilibre mental antérieur.

« Ne te débats pas », entendis-je don Juan me dire.

Je sentis en moi comme quelque chose qui allait faire surface. Des pensées et des images surgissaient en vagues incontrôlables comme si j'allais m'endormir. Bouche bée je ne quittai pas la voiture des yeux. Elle était à environ trente mètres sur une zone rocheuse plate, comme si quelqu'un venait de la poser là. Je me précipitai pour l'examiner.

« Nom de Dieu! s'exclama don Juan. Ne regarde pas ta bagnole. *Stoppe-le-monde!* »

Alors, comme dans un rêve, je l'entendis crier :

« Le chapeau de Genaro! Le chapeau de Genaro! »

Je les dévisageai. Ils me fixaient du regard et leurs yeux étaient perçants. Je ressentis une douleur dans mon estomac. J'éprouvai un subit mal de tête et eus la nausée.

Ils me regardaient curieusement. Je m'assis à côté de la voiture, puis, sans y penser, machinalement, sortis les clefs de ma poche, ouvris les portières et fis monter don Genaro sur la banquette arrière. Don Juan le suivit et prit place à côté de lui. Cela me parut étrange, car d'ordinaire sa place était devant, à côté de moi.

Dans une sorte de brouillard je conduisis ma voiture vers la maison de don Juan. Je ne me sentais pas très bien, j'avais envie de vomir et cette sensation de nausée fit disparaître tout ce qui me restait de présence d'esprit. Je conduisais automatiquement.

J'entendis don Genaro et don Juan glousser de rire, comme des gamins. J'entendis don Juan demander :

« Arrivons-nous bientôt? »

Alors seulement je pris réellement conscience de la route sur laquelle je roulais.

« Nous y sommes presque », murmurai-je.

Ils hurlèrent de rire. Ils claquaient des mains et se frappaient les cuisses.

Une fois arrivé, je descendis de voiture comme un automate et leur ouvris la portière. Don Genaro sortit le premier et me félicita pour ce qu'il déclara avoir été le voyage le plus agréable et le moins cahoteux de sa vie. Don Juan fit de même. Mais je leur prêtai peu d'attention.

Je fermai la voiture à clef et je me traînai difficilement jusqu'à la maison. Avant de sombrer dans le sommeil je me souviens d'avoir entendu don Juan et don Genaro qui rugissaient de rire.

19

« *Stopper-le-monde* »

Le lendemain dès mon réveil j'assaillis don Juan de mes questions. Il cassait du bois derrière la maison; don Genaro était absent. Il me répondit qu'il n'avait rien à me dire. Il remarqua néanmoins que j'avais réussi à rester à l'écart, que j'avais observé don Genaro « nageant par terre » sans désirer et exiger quelque explication que ce soit, mais que je n'avais pas compris ce qui se passait à cause de ma retenue. Puis, après la disparition de la voiture, je m'étais enfermé dans la recherche d'explications logiques, et cela aussi ne m'avait pas aidé. Je déclarai que mon insistance à chercher des explications ne constituait pas une attitude que j'aurais décidée moi-même arbitrairement pour rendre tout difficile, mais qu'elle était si profondément ancrée en moi qu'elle dominait toute autre considération.

« C'est comme une maladie, ajoutai-je.

— Il n'y a pas de maladie, constata-t-il calmement. Il y a uniquement du laisser-aller. Tu te laisses aller à tenter de tout expliquer. Dans ton cas les explications sont devenues inutiles. »

J'insistai sur le fait que je ne pouvais fonctionner que dans des conditions d'ordre et de compréhension. Je fis aussi remarquer que j'avais sérieusement changé ma personnalité depuis que nous étions ensemble et que ce qui m'avait permis de changer était d'avoir pu m'expliquer les raisons qu'il y avait de changer.

Il eut un rire discret et garda longtemps le silence.

« Tu es très intelligent, dit-il. Tu reviens toujours là où tu as été. Cependant cette fois tu es fini. Tu n'as plus un endroit où revenir. Je ne t'expliquerai plus jamais rien. Ce que don Genaro t'a fait hier, il l'a fait à ton corps, donc laisse ton corps décider de quoi il s'agit. »

Bien qu'amical son ton de voix restait inhabituellement détaché et cela causa en moi une impression de solitude envahissante. Je lui fis part de ma tristesse. Il eut un sourire, et il posa ses doigts sur ma main.

« Nous sommes tous deux des êtres qui vont mourir, dit-il avec douceur. Il n'y a plus de temps pour ce que nous avons fait jusqu'à présent. Maintenant tu dois te servir de tout le *ne-pas-faire* que je t'ai appris, et *stopper-le-monde*. »

Il saisit de nouveau ma main. Son contact était ferme et amical, comme pour m'assurer qu'il continuait à s'occuper de moi et me conservait son affection, mais il me signifiait en même temps une indiscutable détermination.

« Ceci est mon geste pour toi, continua-t-il en gardant pendant un moment sa main serrée contre la mienne. Maintenant il faut que tu ailles seul dans ces montagnes amies. »

Du menton il désigna les montagnes lointaines vers le sud-est.

Il me précisa que je devrais rester là-bas jusqu'à ce que mon corps me dise de partir, et alors seulement de revenir chez lui. Il ajouta qu'il ne désirait ni un mot de ma part ni que je tarde davantage. Gentiment il me poussa vers ma voiture.

« Que dois-je faire là-bas? »

Il ne répondit pas mais me regarda en hochant la tête.

« Ça, c'est fini maintenant », dit-il enfin.

Puis il désigna le sud-est du doigt.

« Va là-bas », ordonna-t-il sèchement.

Je roulai sur ces routes que j'avais si souvent parcourues en sa compagnie. J'allai tout d'abord au sud, puis vers l'est. Je quittai ma voiture vers la fin de la route de terre et suivis la piste familière jusqu'au haut plateau. Je ne savais vraiment pas que faire. Je déambulai en cherchant du regard un endroit où me reposer. Soudain je perçus une zone à ma gauche. La composition chimique du sol semblait différente à cet endroit, mais lorsque j'y concentrai mon regard, rien ne signala une différence. A quelques mètres de là je m'arrêtai et tentai de « sentir » ainsi que don Juan me l'avait toujours recommandé.

Je conservai cette immobilité pendant une heure environ et mes pensées s'apaisèrent peu à peu. Bientôt je cessai tout dialogue intérieur. Alors j'éprouvai une sensation de contrariété; cette impression semblait exister uniquement dans mon estomac et elle augmentait lorsque je faisais face à cet endroit. Il me dégoûtait, j'avais envie de m'en éloigner. Les yeux croisés je balayai les environs et après une courte marche j'arrivai près d'un large rocher plat. Je m'arrêtai. Je n'y détectai ni couleur ni brillance particulière, et cependant il me plut. Mon corps se sentait bien, je ressentais un confort physique réel et pendant un moment je m'assis.

Ne sachant que faire, je vagabondai toute la journée sur le haut plateau et dans les montagnes environnantes. Au crépuscule je revins vers le rocher plat. Je savais qu'à cet endroit je pouvais passer la nuit en toute sécurité.

Le jour suivant je m'enfonçai dans les montagnes qui se dressaient plus à l'est et vers la fin de l'après-midi j'abordai un plateau plus élevé. Je crus reconnaître l'endroit. Je fis un tour d'horizon pour m'orienter, mais aucun des sommets environnants ne me parut familier. Après avoir soigneusement choisi un lieu adéquat, je m'assis pour me reposer au bord d'une zone rocheuse dénudée. Là il faisait chaud et je baignais dans la paix. Je pris ma gourde pour manger, elle était vide. Je bus un peu d'eau, une eau tiède et saumâtre. Il ne me restait plus qu'à rentrer chez don Juan, et je me demandai si je devais ou non partir sur-le-champ. Je m'allongeai sur le ventre le menton dans les mains. Je me sentis mal à l'aise et changeai de position à plusieurs reprises jusqu'à ce que je fusse face à l'ouest. Le soleil était déjà très bas. Mes yeux étaient fatigués. Je regardai par terre et je vis un gros scarabée noir. Il sortait de derrière un caillou en poussant une boule de bouse deux fois plus grosse que lui. Ma présence ne semblait pas le déranger le moins du monde; il continua à pousser sa charge par-dessus des pierres et des racines, au travers des dépressions et des protubérances du sol. Pour autant que je le susse le scarabée ignorait ma présence. Mais tout à coup je pensai qu'il n'y avait aucun moyen d'en être certain, et j'échafaudai sur cette constatation une suite d'évaluations rationnelles sur la nature du monde de l'insecte par rapport au mien. Nous étions dans le même monde, mais sans aucun doute le monde n'était pas le même pour chacun de nous. L'observation du scarabée m'absorba entièrement et je restai émerveillé par la force colossale qu'il lui fallait déployer pour pousser sa charge par-dessus des cailloux et à travers des crevasses.

Je l'observai pendant longtemps jusqu'au moment où je réalisai qu'un imposant silence régnait autour de moi. Seul le vent sifflait entre les branches et les feuilles des broussailles. Je levai les yeux, me tournai à gauche d'un mouvement rapide et involontaire et vis en un éclair une ombre pâle ou un tremblotement sur un rocher voisin. Tout d'abord je prêtai peu d'attention à cette image fugitive, mais soudain je me rendis compte que cette ombre s'était manifestée à ma gauche. Je me retournai soudainement vers la gauche et vis alors très clairement l'ombre sur le rocher. J'eus l'impression, plutôt étrange, que cette ombre glissait sur-le-champ vers le sol, qui l'absorbait comme un buvard boit une tache d'encre. Un frisson parcourut mon échine. Je venais de penser que la mort m'observait, et observait aussi le scarabée.

Je cherchai l'insecte sans pouvoir le trouver. Il avait dû arriver à destination et laisser glisser son fardeau dans un trou. Je posai ma tête sur le rocher parfaitement poli. Le scarabée émergea d'un trou profond et s'arrêta à quelques centimètres de mon visage. Pendant un instant il sembla me regarder et j'eus l'impression qu'il avait senti la présence de ma mort. Mon corps fut traversé par une série de frissons. Après tout rien ne me différenciait du scarabée. De derrière son rocher la mort nous traquait tous deux comme une ombre. Je ressentis un extraordinaire moment d'exultation. Le scarabée et moi étions au même niveau, l'un ne valait pas plus que l'autre, la mort nous rendait égaux.

Cette exultation et cette joie me bouleversèrent tant que j'en pleurai. Don Juan avait raison. Il avait toujours eu raison. Je vivais dans un monde des plus mystérieux et, comme toute autre personne, j'étais un être mystérieux; et malgré cela je n'étais pas plus important que le scarabée. Je séchai mes larmes et alors que je me frottais les yeux du revers de la main je vis un homme ou quelque chose qui avait une forme humaine. Cela se dressait à ma droite à environ quinze mètres. Je m'assis le dos droit et tentai de voir mieux. Le soleil touchait presque l'horizon et sa lumière jaunâtre m'empêchait d'avoir une vision nette. A ce moment j'entendis un rugissement particulier, comme celui d'un avion à réaction passant au loin. Je me concentrai attentivement sur ce bruit. Le rugissement se transforma en un sifflement aigu puis évolua jusqu'à devenir un son mélodieux et captivant. Une mélodie semblable à une vibration électrique. Une image s'imposa à moi. Deux sphères, mieux deux cubes frottaient l'un contre l'autre jusqu'à s'immobiliser avec un bruit sourd lorsqu'ils furent parfaitement de niveau. Je m'efforçai à nouveau de distinguer la personne qui semblait tenter d'échapper à mon regard, mais je percevais seulement une ombre noire contre les buissons. Je mis mes mains en auvent autour de mes yeux. A l'instant même la luminosité du soleil changea et je me rendis compte qu'il s'agissait d'une illusion optique, d'un simple jeu d'ombres dans le feuillage. Je bougeai la tête et soudain je vis un coyote qui trottait calmement. Il arriva vers l'endroit où j'avais cru voir un homme. Il s'avança d'environ quinze mètres vers le sud, puis stoppa, se tourna et se dirigea vers moi. Deux fois je criai pour l'effrayer. Mais il s'approcha sans hésiter. J'éprouvais une certaine appréhension, je pensais qu'il pourrait bien avoir la rage et qu'il me faudrait rassembler quelques pierres pour me défendre en cas d'attaque. Lorsqu'il fut à trois ou quatre mètres je remarquai qu'il ne semblait nullement agité; au contraire il montrait un grand calme et une parfaite confiance. Il ralentit sa marche et vint s'arrêter à un mètre de moi. Nous échangeâmes un regard, puis il se rapprocha. Ses yeux bruns rayonnaient de clarté amicale. Je m'assis sur le rocher et le coyote me toucha presque. J'étais stupéfait. Jamais je n'avais vu un coyote sauvage d'aussi près, et ma seule réaction fut de lui parler. Je commençai comme je l'aurais fait avec un chien. Mais alors j'eus l'impression que le coyote me « répondait ». Je fus absolument certain qu'il m'avait dit quelque chose. Cela me troubla mais je n'eus pas le temps d'épiloguer sur mes réactions car il « parla » à nouveau. Non pas qu'il eût dit des mots comme ceux qui sortent de la bouche d'un humain, j'eus plutôt le « sentiment » qu'il parlait. Mais cela n'avait rien de commun avec ce que l'on peut ressentir lorsqu'un animal familier semble communiquer avec son maître. Le coyote dit réellement quelque chose. Il émit une pensée et cette communication ressembla tout à fait à une phrase. J'avais dit : « Comment vas-tu, petit coyote? » et je crus avoir entendu l'animal me répondre : « Ça va très bien, et toi? » Le coyote répéta sa réponse et je bondis sur mes pieds. L'animal ne bougea pas. Mon brusque saut ne le surprit même pas. Ses yeux restaient clairs et amicaux. Il se coucha, pencha la tête et demanda : « Pourquoi as-tu peur? » Je m'assis en face de lui et entamai la plus étrange conversation de ma vie. Il me demanda ce que j'étais venu faire en ce lieu, je lui répondis que j'étais venu « stopper-le-monde ». Le coyote remarqua : « *¡ Que bueno !* » et je constatai alors qu'il était bilingue. Les sujets et verbes de ses phrases étaient en anglais, mais les conjonctions et les exclamations en espagnol. Je me dis qu'il s'agissait d'un coyote Chicano [1], et devant une telle absurdité, j'éclatai de rire, d'un rire hystérique. Alors l'impossibilité de ce qui se passait me frappa avec violence et mes pensées vacillèrent. Le coyote se leva et nos yeux se rencontrèrent. Je vrillai les miens dans les siens. J'eus l'impression qu'ils me tiraient vers lui, et tout à coup l'animal devint iridescent, il se mit à luire. Ce fut comme si ma mémoire passait en revue les images d'un événement vieux de dix ans. Alors, j'avais assisté sous l'influence du peyotl, à la métamorphose d'un chien en un inoubliable être iridescent [2]. Le coyote avait déclenché ces images, et le souvenir de cet événement passé se surimposa à la forme qui se tenait devant moi. Le coyote était un être fluide, liquide et lumineux. Sa luminosité m'éblouissait. Je voulus me couvrir les yeux avec les mains pour les protéger, mais je restai figé. L'être lumineux me touchait à quelque endroit indéfini de moi-même et

1. Terme qui désigne aux États-Unis les Mexicains établis dans ce pays. *(N.d.T.)*
2. Cf. *L'Herbe du diable*, chap. II. *(N.d.T.)*

mon corps ressentait une chaleur exquise et indescriptible, un bien-être incroyable, comme si ce toucher m'avait fait exploser. Je fus transpercé. Je ne pouvais plus sentir mes pieds, mes jambes ou n'importe quelle partie de mon corps, mais malgré tout quelque chose se maintenait droit.

J'ignore combien de temps je demeurai ainsi. Pendant ce temps le coyote lumineux et le sommet de la colline s'évanouirent. Je n'éprouvais ni sensations ni pensées. Tout s'arrêta, je flottais librement.

Soudain je sentis que mon corps avait été frappé par quelque chose qui l'embrasait. Alors je réalisai que le soleil m'inondait de sa lumière. Vaguement je pus distinguer une lointaine chaîne de montagnes vers l'ouest. Le soleil touchait presque l'horizon. Je le fixai, et soudain je vis les « lignes du monde ». Je perçus la plus extrême profusion de lignes blanches fluorescentes qui coupaient toute chose autour de moi. Pendant un instant je pensai qu'il s'agissait de la lumière du soleil réfractée par mes cils. Je clignai des yeux et regardai à nouveau. Les lignes restaient constantes et surimposaient à tout ce qui existait aux environs ou le traversait. Je me retournai pour observer un nouveau monde extraordinaire. Les lignes étaient visibles et constantes même quand je regardais le soleil dans le dos.

Je demeurai au sommet de la butte dans un état d'extase qui me parut durer un temps infini, mais l'événement entier n'occupa sans doute que quelques minutes, peut-être seulement le temps que le soleil brilla de ses derniers feux avant d'atteindre l'horizon. Pourtant pour moi ce fut l'éternité. Je sentis quelque chose de chaleureux et de paisible se dégager du monde et de mon propre corps. Je sus que j'avais découvert un secret. C'était tellement simple. Un flux de sensations jusqu'alors inconnues me traversa. Jamais de toute ma vie je n'avais connu un tel état de divine euphorie, une telle paix, une saisie des choses si complète, et malgré tout je n'arrivais pas à exprimer ce secret par des mots ou même des pensées. Mon corps savait.

Je m'endormis ou m'évanouis, car lorsque je repris conscience j'étais allongé par terre. Je me relevai. Le monde était tel qu'il avait toujours été. La nuit tombait. Machinalement je pris le chemin du retour.

Lorsqu'au matin suivant j'arrivai chez lui, don Juan était seul. Je demandai des nouvelles de don Genaro. Il me répondit qu'il vaquait à ses propres affaires dans les environs. Immédiatement j'entamai le récit de mes extraordinaires expériences, et il m'écouta sans cacher un intérêt évident.

« Tu as *stoppé-le-monde*, tout simplement », commenta-t-il.

Alors après un long silence il me fit remarquer que je devais remercier don Genaro de son aide. Il semblait manifester plus de joie à mon succès que jamais auparavant. A plusieurs reprises il me tapota dans le dos tout en riant discrètement.

« Mais comment concevoir un coyote qui parle ? C'est impossible, dis-je.

— Ce n'était pas parler, répondit-il.

— Alors, qu'était-ce ?

— Pour la première fois ton corps a compris. Cependant tu n'as pas réussi à reconnaître du premier coup qu'il ne s'agissait pas d'un coyote et qu'en aucun cas il ne parlait comme toi et moi nous parlons.

— Mais don Juan, le coyote a parlé réellement !

— Regarde-le maintenant qui parle comme un imbécile ! Après toutes ces années passées à apprendre tu devrais en savoir plus que cela. Hier tu as *stoppé-le-monde* et tu l'as peut-être même *vu*. Un être magique t'a dit quelque chose et parce que le monde s'était effondré ton corps a été à même de comprendre.

— Le monde était tel qu'il est aujourd'hui.

— Non, aujourd'hui les coyotes ne te diront rien et tu ne peux pas *voir* les lignes du monde. Hier tu as fait tout cela tout simplement parce que quelque chose s'est arrêté en toi.

— Qu'est-ce qui s'est arrêté en moi ?

— Ce qui s'est arrêté en toi, c'est ce que le monde est d'après ce que les gens t'ont dit. Vois-tu, dès notre naissance, les gens nous racontent que le monde est comme ceci et comme cela, et il est évident que nous n'avons pas d'autre choix que de voir le monde comme les gens nous ont dit qu'il était. »

Nous nous regardâmes.

« Hier le monde est devenu tel que les sorciers racontent qu'il est. Dans ce monde les coyotes parlent, les cerfs aussi, et d'ailleurs comme je te l'ai dit, il en est de même des serpents à sonnettes, des arbres et de tous les êtres vivants. Mais ce que je veux que tu apprennes c'est *voir*. Peut-être sais-tu maintenant que *voir* ne survient que lorsqu'on se glisse entre deux mondes, le monde des gens ordinaires et le monde des sorciers. Tu es maintenant coincé à mi-chemin entre les deux. Hier tu as cru que le coyote te parlait. N'importe quel sorcier qui ne *voit* pas croit cela, mais celui qui *voit* sait que croire cela revient à être coincé dans le royaume des sorciers. Du même coup, ne pas croire que les coyotes parlent c'est être coincé dans le royaume des hommes ordinaires.

— Don Juan, voulez-vous dire que ni le monde des hommes ni celui des sorciers ne sont réels ?

— Ce sont des mondes réels. Ils peuvent t'influencer. Par exemple tu aurais pu questionner ce coyote sur tout ce que tu désires savoir et il aurait été obligé de te répondre. L'ennui est qu'on ne peut pas faire confiance aux coyotes. Ce sont des farceurs. Ton destin est d'avoir un animal-compagnon sur lequel tu ne peux pas compter. »

Il expliqua que le coyote était destiné à devenir mon compagnon à vie, mais que dans le monde des sorciers avoir un coyote pour compagnon ne constituait pas une situation enviable. Il ajouta que l'idéal pour moi aurait été de parler à un serpent à sonnettes car ils constituent des compagnons prodigieux.

« Si j'étais à ta place, précisa-t-il, jamais je ne ferai confiance à un coyote. Mais tu es différent et peut-être deviendras-tu un sorcier-coyote.

— Qu'est-ce qu'un sorcier-coyote?

— Celui qui peut obtenir des tas de choses de ses frères coyotes. »

J'aurais voulu poursuivre mes questions, mais il m'interrompit d'un geste de la main.

« Tu as vu les lignes du monde. Tu as vu un être lumineux. Tu es presque prêt à rencontrer l'allié. Bien sûr tu ne t'es pas rendu compte que l'homme des buissons était l'allié. Tu as entendu son rugissement pareil au bruit d'un avion à réaction. Il t'attendra à la limite d'une plaine, d'une plaine où je vais te conduire. »

Nous restâmes silencieux pendant un long moment. Don Juan croisa ses mains sur son estomac et ses pouces s'agitèrent imperceptiblement.

« Il faudra que Genaro vienne avec nous dans cette vallée, dit-il tout à coup. C'est lui qui t'a aidé à *stopper-le-monde*. »

Il me jeta un regard perçant.

« Il me reste une seule chose à te dire, annonça-t-il en riant. Cela n'a plus d'importance maintenant. L'autre jour Genaro n'a jamais enlevé ta voiture du monde des gens ordinaires. Il t'a simplement obligé à regarder le monde comme les sorciers le font, et dans ce monde ta voiture n'existait pas. Genaro désirait faire fondre ta certitude. Ses clowneries exprimaient à ton corps l'absurdité de vouloir tenter de tout comprendre. Et lorsqu'il a fait voler son cerf-volant, tu voyais presque. Tu as retrouvé ta voiture et tu as été dans les deux mondes. Si nous avons presque éclaté à force de rire, c'est parce que tu croyais vraiment être en train de conduire ta voiture pour nous ramener chez moi.

— Mais comment a-t-il fait pour me forcer à voir le monde comme le voient les sorciers?

— Je l'ai aidé. Tous deux nous connaissons bien ce monde. Une fois qu'on connaît ce monde, tout ce dont on a besoin pour le rendre présent est de faire usage de cet anneau de pouvoir que possèdent les sorciers, ainsi que je te l'ai déjà dit. Pour Genaro c'est aussi simple que de claquer des doigts. Il t'occupait à retourner les cailloux pour distraire tes pensées et permettre à ton corps de *voir*. »

J'avouai que les événements des trois derniers jours avaient fait d'irréparables brèches à mon idée du monde. Je dis que pendant les dix années passées avec lui je n'avais jamais été aussi bouleversé, même aux époques où j'avais pris des plantes psychotropiques.

« Les plantes-pouvoir ne sont que des aides, commenta-t-il. Ce qui importe c'est le moment où le corps se rend compte qu'il peut *voir*. Alors seulement on devient capable de savoir que le monde que l'on regarde chaque jour n'est qu'une description. Mon intention a été de te montrer cela. Malheureusement il ne te reste que peu de temps avant que l'allié t'empoigne.

— Faut-il vraiment que l'allié m'empoigne?

— Aucun moyen d'éviter cela. Pour *voir* on doit apprendre la façon dont les sorciers regardent le monde, et l'allié doit être mis à contribution. Une fois que c'est fait, il vient.

— N'auriez-vous pas pu m'apprendre à *voir* sans faire intervenir l'allié?

— Non. Pour *voir* il faut apprendre à regarder le monde d'une autre façon, et la seule autre façon que je connaisse est celle des sorciers. »

20

Le voyage à Ixtlan

Don Genaro revint vers midi et à la suggestion de don Juan nous allâmes en voiture vers la chaîne de montagnes où j'avais passé le jour précédent. Nous montâmes le long de la piste que j'avais suivie deux jours auparavant, mais au lieu de nous arrêter sur le haut plateau nous continuâmes sur un sentier encore plus raide pour arriver au sommet d'une basse chaîne de montagnes et de là descendre vers une vallée plate.

Nous fîmes étape au sommet d'une colline. Don Genaro avait choisi l'endroit. Machinalement je m'assis — comme toujours en leur compagnie — en formant un triangle, don Juan à ma droite et don Genaro à ma gauche.

Les broussailles du désert brillaient agréablement à la suite d'une averse de printemps.

« Genaro va te dire quelque chose, déclara tout à coup don Juan. Il va te parler de sa première rencontre avec l'allié. N'est-ce pas là ton intention, Genaro? »

Sa voix avait quelque chose d'enjôleur. Don Genaro me regarda et resserra les lèvres jusqu'à transformer sa bouche en un trou rond. Il recourba sa langue contre son palais et comme pris de spasmes se mit à ouvrir et à fermer sa bouche.

Don Juan le dévisagea et éclata de rire. Je ne savais que penser.

« Que fait-il? demandai-je à don Juan.

— Il est une poule.

— Une poule!?

— Regarde, regarde sa bouche. C'est le cul d'une poule et elle va pondre un œuf. »

Des spasmes de la bouche de don Genaro s'accélérèrent. Il avait dans les yeux un regard étrange, un regard de fou. Sa bouche s'ouvrit comme si ses contractions élargissaient le trou rond. Il émit de la gorge un son croassant, replia les bras sur la poitrine, les mains tournées contre son corps, et sans plus de cérémonie expectora un crachat.

« Sacré nom ! Ce n'était pas un œuf », s'exclama-t-il l'air vraiment déçu.

La posture de son corps et son expression étaient si comiques que je ne pus m'empêcher de rire.

« Maintenant que Genaro a presque pondu un œuf, peut-être te racontera-t-il sa première rencontre avec son allié, insista don Juan.

— Peut-être », laissa tomber don Genaro sans marquer un enthousiasme excessif.

Je le suppliai de me raconter cela.

Il se leva, étira ses bras et son dos. Ses articulations craquèrent. Puis il se rassit.

« Lorsque j'ai eu ma première empoignade avec l'allié, j'étais jeune, commença-t-il. Je m'en souviens. C'était tôt dans l'après-midi. J'avais travaillé aux champs depuis le lever du jour et je revenais chez moi. Tout à coup l'allié surgit de derrière un buisson et me bloque le passage. Il m'avait attendu et m'invitait à me battre avec lui. J'ai décidé de passer à côté et de le laisser tranquille, mais soudain j'ai eu l'impression que j'étais assez fort pour l'empoigner. Malgré tout j'avais peur. Un frisson parcourut mon dos et mon cou est devenu comme du bois. Soit dit en passant, c'est toujours le signe que tu es prêt, je veux dire, quand ton cou devient dur. »

Il ouvrit sa chemise et me montra son cou. Il durcit les muscles de son dos, de sa nuque et de ses bras. Je remarquai le remarquable développement de sa musculature. Ce fut comme si l'évocation de cette rencontre avait tendu chaque muscle de son torse.

« Dans une telle situation, reprit-il, il faut toujours fermer ta bouche. »

Il se tourna vers don Juan et dit :

« Pas vrai, Juan ?

— Oui, répondit celui-ci. Le coup que l'on reçoit lorsqu'on empoigne l'allié est tel qu'on pourrait se mordre la langue ou se casser les dents. On doit avoir le corps droit, bien en équilibre, et les pieds bien plantés sur le sol. »

Don Genaro se leva pour me montrer cette position : le corps légèrement fléchi aux genoux, les bras pendant de chaque côté avec les doigts un peu courbés. Il semblait détendu et cependant solidement ancré au sol. Il conserva un moment cette position et quand je crus qu'il allait s'asseoir, il s'élança en avant en un saut prodigieux comme s'il avait eu des ressorts sous les talons. Son mouvement fut si soudain que je tombai sur le dos, et en tombant j'eus l'impression très nette qu'il avait saisi un homme ou quelque chose ayant forme humaine.

Je me rassis. Don Genaro maintenait une exceptionnelle tension dans son corps, puis tout à coup il relâcha ses muscles et recula jusqu'à l'endroit où il avait été assis. Il reprit place.

« Carlos vient de *voir* son allié, juste à l'instant, remarqua calmement don Juan. Mais il est encore faible, et il est tombé à la renverse.

— Est-ce vrai? » me demanda don Genaro avec une feinte naïveté et en élargissant les narines.

Don Juan lui confirma que j'avais *vu* l'allié.

A nouveau don Genaro sauta en avant avec une force telle que je tombai sur le flanc. Le saut s'accomplit si rapidement qu'il me fut impossible de savoir comment de sa position assise il s'était dressé sur ses pieds pour sauter en avant.

Tous deux éclatèrent de rire et don Genaro transforma le sien en un parfait hurlement de coyote.

« Ne crois pas qu'il te faille sauter aussi bien que Genaro pour arriver à agripper ton allié, déclara don Juan en guise de commentaire. Genaro saute si bien parce que son allié l'aide. Pour encaisser le coup porté par l'allié tu as seulement besoin d'être fermement planté sur le sol. Il faut que tu t'installes dans la position que Genaro t'a montrée avant de sauter, ensuite tu dois sauter et empoigner l'allié.

— Avant de faire ça, intervint don Genaro, il faut qu'il embrasse sa médaille. »

D'un air de gravité feinte, don Juan précisa que je ne portais pas de médaille.

« Et ses carnets de notes? insista don Genaro. Il faut qu'il fasse quelque chose avec ses carnets, qu'il les mette quelque part avant de sauter. Ou peut-être doit-il se servir de ses carnets pour taper sur l'allié.

— Que je sois pendu! s'exclama don Juan avec une évidente surprise. Jamais je n'aurais pensé à ça. Je parie que c'est la première fois qu'un allié sera mis à terre à coups de carnets. »

Une fois passé les rires de don Juan et les hurlements de don Genaro, nous fûmes tous de très bonne humeur.

« Que s'est-il passé lorsque vous avez empoigné votre allié, don Genaro? demandai-je.

— J'ai reçu une terrible décharge, répondit-il après un moment d'hésitation pendant lequel il sembla ordonner ses pensées. Jamais je n'avais imaginé que ça se passerait ainsi. C'était quelque chose, quelque chose, quelque chose... cela ne ressemblait à rien. Une fois que je l'ai attrapé, nous avons tourné en rond. L'allié m'a fait tourbillonner, mais je ne desserrais pas mon étreinte. Nous avons virevolté en l'air, avec une telle force et une telle vitesse que je ne pouvais plus rien voir. Tout devenait brumeux. Le tournoiement n'arrêtait pas. Soudain je sens que je suis de nouveau sur mes pieds. Je regarde mon corps. L'allié ne m'avait pas tué. J'étais encore d'un seul tenant. J'étais moi-même! Alors j'ai su que j'avais réussi. Enfin j'avais un allié. Je sautais de joie. Quelle sensation! Quelle sensation c'était!

« Alors j'ai regardé autour de moi pour voir où je me trouvais. Les environs m'étaient inconnus. Je pensais que l'allié m'avait transporté à travers les airs et m'avait laissé tomber très loin de l'endroit où nous avions commencé à tourbillonner. Je me suis orienté. Je pensais que ma maison était à l'est et j'ai commencé à marcher dans cette direction. Il était encore tôt. La rencontre avec l'allié n'avait pas duré longtemps. Très rapidement j'ai trouvé une piste et alors j'ai vu s'avancer un groupe d'hommes et de femmes. C'était des Indiens. Je les ai pris pour des Indiens Mazatèques. Ils m'entourent et me demandent où je vais. " Je vais à Ixtlan, leur dis-je. — Tu es perdu? demanda quelqu'un. — Oui, dis-je, pourquoi? — Parce que Ixtlan ce n'est pas par là. Ixtlan est de l'autre côté. — Nous allons là-bas, dit quelqu'un d'autre. — Viens avec nous, dirent-ils tous, nous avons de quoi manger. " »

Don Genaro se tut et me regarda comme s'il attendait une question.

« Et alors, que s'est-il passé? demandai-je. Les avez-vous accompagnés?

— Non, pas du tout, répondit-il. Parce qu'ils n'étaient pas réels. Je le savais dès le début, depuis le moment où ils sont arrivés. Il y avait quelque chose dans leurs manières, dans leur gentillesse qui les trahissait, spécialement quand ils m'ont demandé d'aller avec eux. Donc je me suis enfui en courant. Ils m'ont appelé en me suppliant de revenir. Leurs demandes me harcelaient mais je continuais à les fuir en courant.

— Qui étaient-ils? demandai-je.

— Des gens, répliqua sèchement don Genaro. Excepté qu'ils n'étaient pas réels.

— C'étaient comme des apparitions, expliqua don Juan. Comme des fantômes.

— Après avoir attendu un moment, continua don Genaro, j'ai repris confiance. Je savais que Ixtlan était dans la direction où j'allais. Et alors j'ai vu deux hommes descendre la piste vers moi. Eux aussi avaient l'air de Mazatèques. Ils conduisaient un âne chargé de bois.

Ils me croisent et marmonnent " bon après-midi. — Bon après-midi ",
dis-je en continuant à marcher. Ils ne font pas attention à moi et vont
leur chemin. Je ralentis et me retourne pour les regarder. Ils s'éloignent
sans s'occuper de moi. Ils semblaient être réels. J'ai couru derrière eux
en criant " Attendez-moi! Attendez-moi! " Ils arrêtent leur âne et se
placent chacun d'un côté pour défendre son chargement.

« " Je suis perdu dans ces montagnes, leur dis-je, dans quelle
direction se trouve Ixtlan? " Ils m'indiquent la direction qu'ils prenaient eux-mêmes. " Tu es très loin, dit l'un d'eux, c'est de l'autre côté
des montagnes. Il te faudra quatre à cinq jours pour y arriver. " Puis
ils reprennent leur marche. J'avais l'impression que c'étaient de vrais
Indiens et les ai suppliés de me laisser les accompagner.

« Nous avons cheminé ensemble pendant un moment et alors
l'un d'eux a sorti son ballot de nourriture et m'en a donné un peu.
Je me suis figé sur place. La façon dont il m'offrait à manger était
étrange, terriblement étrange. Mon corps a été effrayé, et j'ai sauté en
arrière pour m'enfuir en courant. Ils me criaient que j'allais mourir
dans ces montagnes si je ne restais pas avec eux, et voulaient m'enjôler
pour que je revienne. Leurs appels aussi me harcelaient, mais j'ai pris
mes jambes à mon cou.

« J'ai recommencé à marcher. Je savais que j'allais vers Ixtlan
et que ces fantômes essayaient de m'attirer en dehors du chemin.

« J'en avais compté huit, ils devaient savoir que ma détermination
était inébranlable. Ils s'étaient arrêtés au bord du chemin et me suivaient avec des yeux suppliants. La plupart ne disaient rien, mais les
femmes étaient plus hardies et m'imploraient pour que je les suive.
Certaines me montraient même de la nourriture et des objets qu'elles
vendaient au bord de la route comme d'innocentes marchandes. Je
ne me suis pas arrêté; je ne les regardai même pas.

« Tard dans l'après-midi, je suis arrivé dans une vallée qui me
semblait familière. Je pensais que j'étais déjà venu en cet endroit, et
si c'était vrai, je me trouvais au sud d'Ixtlan. Je cherchais des repères
pour m'orienter un peu mieux, et c'est alors que j'aperçois un petit
Indien qui gardait des chèvres. Il devait avoir sept ans; il était habillé
exactement comme je l'avais été au même âge. En fait il me faisait
penser à moi quand je gardais les deux chèvres de mon père.

« Je l'observe pendant un moment. Il parlait tout seul comme
j'en avais l'habitude à son âge; il parlait aussi à ses chèvres. J'en ai
conclu que c'était un excellent berger. Il était minutieux et attentif.
Il ne flattait pas ses chèvres, mais il n'était pas cruel avec elles.

« Je me décide à l'appeler. Quand il entend ma voix il sursaute et s'enfuit jusqu'à un rebord d'où il pouvait me regarder derrière les rochers tout en se cachant. Il semblait prêt à détaler pour sauver sa vie. Je l'aimais bien. Il semblait effrayé et cependant se débrouillait pour pousser ses chèvres hors de ma vue.

« Je me suis adressé à lui pendant longtemps. Je dis que j'étais perdu et que je ne savais pas comment me rendre à Ixtlan. Je lui demande le nom de l'endroit où nous nous trouvons, et il me nomme l'endroit où je pensais être arrivé. Cela m'a rendu vraiment heureux. Je savais que je n'étais plus perdu et je m'émerveillais en pensant au pouvoir de mon allié qui avait réussi en si peu de temps à transporter mon corps si loin, en moins de temps qu'il n'en faut pour cligner de l'œil.

« Je remercie l'enfant et reprends ma marche. Comme si de rien n'était, il sort de sa cachette, rassemble ses chèvres et les guide le long d'une piste presque invisible qui devait conduire au fond de la vallée. J'appelle le garçon. Il ne s'échappe pas. J'avance vers lui et lorsque je suis trop près, il saute dans les buissons. Je le félicite de tant de prudence et je le questionne. " Où conduit cette piste? — En bas, dit-il. — Y a-t-il beaucoup de maisons là-bas? — Non, une seule. — Où sont les autres maisons? " D'un geste indifférent il me montre l'autre côté de la vallée. Puis il commence à descendre la piste avec ses chèvres.

« " Attends un peu, lui dis-je. Je suis très fatigué et j'ai faim. Conduis-moi chez tes parents.

« — Je n'ai pas de parents ", dit-il, ce qui m'a frappé.

« J'ignore pourquoi, mais sa voix me faisait hésiter. Le garçon remarque mon hésitation, s'arrête et se tourne vers moi.

« " Il n'y a personne dans ma maison, dit-il. Mon oncle est parti et sa femme est aux champs. Il y a beaucoup à manger, beaucoup. Suivez-moi. "

« Je me sentais presque triste. L'enfant était lui aussi un fantôme. Le ton de sa voix et son impatience l'avaient trahi. Les fantômes essayaient de m'avoir, mais je n'avais pas peur. J'étais encore engourdi à cause de ma rencontre avec l'allié. J'avais envie de me mettre en colère contre l'allié ou contre les fantômes, mais d'une certaine manière je n'arrivais plus à me mettre en colère comme je le faisais avant, alors je n'ai plus essayé. Puis j'ai voulu être triste parce que j'avais aimé ce petit garçon, mais je n'y arrivais pas, alors j'ai renoncé à cela aussi.

« Tout à coup je me suis rendu compte que j'avais un allié et que ces fantômes ne pouvaient rien contre moi. J'ai suivi le garçon le long de la piste. D'autres fantômes ont surgi à l'improviste en essayant de me faire trébucher dans le précipice. Mais ma volonté était plus forte qu'eux. Ils ont dû sentir ça, car ils ont cessé de me tourmenter. Après un moment ils sont simplement restés au bord du sentier et de temps à autre quelques-uns d'entre eux bondissaient dans ma direction mais je les arrêtais par ma volonté. Puis ils ont cessé pour de bon de m'importuner. »

Don Genaro resta longtemps silencieux.

Don Juan me regarda.

« Et ensuite, don Genaro, que s'est-il passé?

— J'ai continué à marcher », répondit-il tout bonnement.

Il semblait avoir fini son récit, il ne voulait plus rien y ajouter.

Je lui demandai si le fait qu'on lui ait offert à manger indiquait qu'il s'agissait de fantômes.

Il ne répondit pas. Je m'avançai davantage en voulant savoir si les Indiens Mazatèques avaient coutume de dire qu'ils n'avaient pas de nourriture ou s'ils s'y intéressaient grandement.

Il déclara que le ton de leur voix, leur précipitation pour tenter de l'attirer, et la façon avec laquelle ces fantômes parlaient de nourriture constituaient des indices — et qu'il le savait parce que son allié l'aidait. Il m'assura que seul il n'aurait jamais remarqué ces particularités.

« Ces fantômes étaient-ils des alliés, don Genaro? demandai-je.

— Non. C'étaient des gens.

— Des gens? Mais vous venez de dire que c'étaient des fantômes.

— J'ai dit qu'ils n'étaient plus réels. Après ma rencontre avec l'allié plus rien n'était réel. »

Pendant longtemps aucun de nous ne parla.

« Quel a été le résultat final de cette expérience, don Genaro? demandai-je.

— Le résultat final?

— Je veux dire, quand et comment êtes-vous enfin arrivé à Ixtlan?»

Ils éclatèrent de rire tous les deux à la fois.

« Alors, pour toi, c'est ça le résultat final! remarqua don Juan. Disons que le voyage de Genaro n'a pas eu de résultat final. Jamais il n'y aura de résultat final. Genaro est toujours en route pour Ixtlan! »

Don Genaro me jeta un coup d'œil perçant et tourna ensuite la tête pour regarder au loin, vers le sud.

« Jamais je n'atteindrai Ixtlan », dit-il.

Sa voix était ferme mais douce, presque un murmure.

« Cependant, j'ai l'impression... parfois j'ai l'impression que je n'en suis qu'à un pas. Pourtant, jamais je n'y arriverai. Dans mon voyage je ne découvre même pas les repères familiers que je connaissais. Rien n'est plus pareil. »

Don Juan et don Genaro se regardèrent. Quelque chose de triste émanait de leurs regards.

— Dans mon voyage à Ixtlan je ne découvre que des voyageurs fantômes », dit-il doucement.

Je regardai don Juan. Je n'avais pas compris.

« Tous ceux que Genaro rencontre sur sa route vers Ixtlan ne sont que des êtres éphémères, expliqua don Juan. Toi, par exemple, tu es un fantôme. Tes sentiments et ton impatience sont celles de ces gens. C'est pour cette raison qu'il dit que dans son voyage à Ixtlan il ne rencontre que des voyageurs fantômes. »

Soudain je me rendis compte que ce voyage de don Genaro n'était qu'une métaphore.

« Votre voyage à Ixtlan n'est donc pas réel, dis-je.

— Il est réel, répliqua don Genaro. Les voyageurs ne sont pas réels. »

D'un hochement de tête il désigna don Juan et déclara avec emphase :

« C'est le seul qui soit réel. Le monde est réel seulement lorsque je suis avec celui-là. »

Don Juan eut un sourire.

« Genaro t'a raconté son histoire, dit-il, parce que hier tu as *stoppé-le-monde* et qu'il pense aussi que tu as *vu*, mais tu es un tel idiot que tu ne le sais pas toi-même. Je n'arrête pas de lui dire que tu es étrange et que tôt ou tard tu *verras*. De toute façon à ta prochaine rencontre avec l'allié, si pour toi il y a prochaine rencontre, il te faudra te battre avec lui et l'apprivoiser. Si tu survis au choc, et ça j'en suis certain car tu es fort et tu vis comme un guerrier, tu te retrouveras vivant sur une terre inconnue. Alors, comme c'est naturel pour nous tous, la première chose que tu voudras faire sera de revenir chez toi, à Los Angeles. Mais il n'y a pas de retour à Los Angeles. Ce que tu y as laissé est mort pour toujours. Alors bien sûr, tu seras un sorcier. Mais ça ne t'aidera pas. A ce moment-là ce qui devient important pour nous c'est que tout ce que nous aimons, haïssons ou désirons est laissé en arrière. Cependant les sentiments d'un homme ne meurent ni ne changent, et le sorcier s'engage sur le chemin du retour en sachant qu'il n'atteindra jamais cet endroit, en sachant qu'aucun pouvoir sur cette terre, pas même sa mort, ne le conduira à l'endroit, aux choses, aux gens qu'il aimait. C'est ça que t'a raconté Genaro. »

L'explication de don Juan eut un effet catalyseur; l'histoire de don Genaro me frappa soudain lorsque je la rapprochai de ma propre vie.

« Et les gens que j'aime? demandai-je à don Juan, que leur arrivera-t-il?

— Ils seront tous laissés en arrière, répondit-il.

— Mais n'aurais-je aucun moyen pour les retrouver? Pourrai-je les sauver, les prendre avec moi?

— Non. Ton allié te projettera, toi et toi seul, dans des mondes inconnus.

— Mais je pourrai revenir à Los Angeles, n'est-ce pas? Je pourrai prendre l'autobus ou l'avion pour y aller? Los Angeles sera toujours là?

— Bien sûr, dit don Juan en riant, et Manteca aussi, et Temecula et Tucson aussi.

— Et Tecate, ajouta très sérieusement don Genaro.

— Et Piedras Negras et Tranquitas », dit don Juan en souriant.

Don Genaro continua à énumérer des noms de villes, et don Juan aussi, et ils poursuivirent en citant les plus incroyables et les plus amusants noms de villes et de villages.

« Le fait de tournoyer avec ton allié changera ton idée du monde, reprit enfin don Juan. Cette idée est tout, et lorsqu'elle change, le monde lui-même change. »

Il me rappela qu'une fois je lui avais lu un poème, et voulut que je le lui récite. Il me souffla les premiers mots, et alors je me souvins de lui avoir lu quelques poèmes de Juan Ramon Jimenez. Celui qu'il évoquait avait pour titre : *El Viaje definitivo (Le Voyage définitif)*. Je le récitai :

... et je m'en irai. Mais les oiseaux resteront, chanteront,
et mon jardin restera, avec son arbre vert,
avec son puits d'eau.
Bien des après-midi les cieux seront calmes et bleus,
et dans le beffroi les cloches carillonneront,
comme elles carillonnèrent cet après-midi même.
Ceux qui m'aimaient disparaîtront,
et chaque année la ville se renouvellera.
Mais mon esprit errera toujours nostalgique
dans le même coin caché de mon jardin fleuri.

« C'est de cette impression que parle Genaro, commenta don Juan. Pour être sorcier un homme doit être passionné. Un homme passionné a des attaches terrestres et des choses qui lui sont chères, à tout le moins le sentier qu'il suit.

« C'est précisément ce que Genaro t'a raconté avec son histoire. Genaro a abandonné sa passion à Ixtlan, sa maison, son peuple, toutes les choses auxquelles il tenait. Et maintenant il vagabonde dans ses sentiments. Parfois, comme il le dit, il atteint presque Ixtlan. Nous partageons tous cette impression. Pour Genaro, c'est Ixtlan. Pour toi, ce sera Los Angeles. Pour moi... »

Je ne voulais pas que don Juan me parle de lui et comme s'il avait lu ma pensée, il s'arrêta.

Don Genaro soupira et paraphrasa le premier vers du poème.

« Je partis. Et les oiseaux restèrent, chantant. »

Pendant un instant je ressentis une vague d'agonie et une solitude indescriptible qui nous recouvrit tous trois. Je regardai don Genaro et je sus qu'étant un homme passionné, il devait avoir eu des attaches sentimentales avec quantité de choses auxquelles il tenait, et qu'il avait laissées derrière lui. J'eus l'impression très nette qu'à ce moment le souvenir devenait si intense que don Genaro était sur le point de pleurer.

Je détournai précipitamment mon regard. La passion de don Genaro, sa suprême solitude firent jaillir des larmes de mes yeux.

Je jetai un coup d'œil vers don Juan. Il me fixait du regard.

« Seul un guerrier peut survivre au chemin de la connaissance, dit-il, car l'art du guerrier consiste à équilibrer la terreur d'être un homme avec la merveille d'être un homme. »

Je dévisageai l'un puis l'autre. Leurs yeux étaient clairs, paisibles. Ils avaient suscité une terrible vague de nostalgie et au moment où ils semblaient submergés par leur passion ils en contenaient le flot. Pendant un instant je crus *voir*. Je vis la solitude de l'homme pareille à une vague gigantesque qui se serait figée juste devant moi, retenue par le mur invisible d'une métaphore.

Ma tristesse était si accablante que je me sentais euphorique. Je les embrassai.

Don Genaro sourit et se leva. Don Juan se leva et posa sa main sur mon épaule.

« Nous allons te laisser ici, dit-il. Fais ce que tu penses devoir faire. L'allié t'attendra à la lisère de cette plaine. »

Il désigna la vallée lointaine et sombre.

« Si tu as l'impression que le moment n'est pas encore venu, annule ce rendez-vous. On ne gagne rien à forcer l'issue. Si tu désires survivre, il te faut avoir une clarté de cristal et être absolument sûr de toi. »

Don Juan s'éloigna sans me regarder, mais don Genaro se retourna par deux fois et d'un clin d'œil et d'un signe de la tête me pressa d'aller de l'avant. Je les regardai jusqu'au moment où ils disparurent au loin, puis je revins à ma voiture et partis.

Je savais que mon temps n'était pas venu, pas encore.

Collection Témoins

*Ouvrage reproduit
par procédé photomécanique.
Impression S.E.P.C.
à Saint-Amand (Cher), 11 août 1983.
Dépôt légal : août 1983.
Premier dépôt légal : juin 1974.
Numéro d'imprimeur : 1322.*

ISBN 2-07-029019-0. Imprimé en France.

32189